2026
年度版

新ポケットランナー

教職教養

東京教友会

TAC出版
TAC PUBLISHING Group

まえがき

このたびランナー刊行の出版社が，一ツ橋書店からTAC出版にかわった。ランナー初版刊行の背景に関する詳細は，直近の2023年度版の「まえがき」にゆずる。大きい版（以下親ラン），その親ランを要約した小さい版の新ポケットランナー（以下ポケラン）があるのは周知であろう。

ポケラン待望の声すなわち，例えば，交通機関の時刻表を睨めつつ，列車，電車，バス等の待ち時間を有効活用したい。電車内などで，暇があればすぐにポケットから取り出して，寸暇を惜しんで，いつでも，どこでも読める小型版のランナーが欲しいとの読者の熱望に応えての書である。

朱熹作と伝わる漢詩『偶成』に「少年易老學難成　一寸光陰不可輕　未覺池塘春草夢　階前梧葉已秋聲」との漢詩は学びの姿勢を説く。日本風土でも自戒すべき言葉として「只今日今時ばかりと思ふて時光をうしなはず，学道に心をいるべきなり。」（正法眼蔵随聞記）が見える。まさに巷間に知られる「今でしょう！」である。いつでも，どこでも，寸暇を惜しんでポケットからポケランを取り出して，脳に忘れる暇が無いように要点を注入していく便をはかったのが要点確認版のポケランである。まずポケランで要点・概要を把握する。次いで親ランで内容詳細確認をする道程である。ポケランの記事が親ランを補填している例もある。ポケランと親ランとの相互交流がある。

活用法の一例として，まずポケランで簡潔に全体の要点と骨子とを把握する。次に親ランを見て詳しく確かめる。ポケランを見て親ランの詳細がイメージできるようになること。次に親ランを見て要約できるかを自問する。

ところで，筆者が対応してきたゼミ生には，入手しているランナーに対して，そのかかわる姿勢には３タイプがあるようである。ランナーを学習するタイプ，ランナーで学習するタイプ，ランナーでも学習するタイプの３タイプがある。この３タイプは，周知の，教科書を学ぶか，教科書で学ぶか，教科書でも学ぶかという，教科書裁判の喧しい時節に随所で喧しく論議されたことである。ランナーに対するあなたのタイプは例えばどのタイプでしょうか。これを意識化すると脳の生理過程が尖鋭化するはずです。あなた自身のランナーを作成する挑戦をしてみてください。

東京教友会代表　責任編集　小山一乗

本書の特長・学習法

各項目に重要度を記載

過去の出題傾向をもとにして，学習上の重要度を記載しています。Aが最重要なもの，Bが標準程度の重要度のもの，Cが重要度は低いが一定の学習は必要なものです。

色文字も隠して知識を確実に

穴埋め以外にも，重要語句は色ゴチックで記載しています。この色ゴチックの重要語句も赤シートで隠して読むことで，より効果的な「二段階学習」ができます。

8 心理検査

心理検査の分類

◎**質問紙法**
ある問題について，十分な質問を書いた**質問紙**を配り，自分の行動・性格を自己診断させ，その回答を分析して**個人の性格**を知る方法。

◎**投影法**
はっきりしない形のものを見せて，**被験者の解釈**を分析して，その人間の性格や，**精神の状態**を明らかにする方法。

◎**作業検査法**
言語を用いないで，**単純な作業**をやらせて，**適性**や**技能**を調べる方法。

1. TAT
▶[1]…絵画統覚テストともいう。マレー考案。漠然とした場面の絵画を見せ，被験者に**空想的物語**をつくらせ，語られた主題内容を分析して被験者の人格や行動特徴を理解しようとするもの。

2. ゾンディ・テスト
▶[2]…複数の顔写真を見せて，好きな顔と嫌いな顔を選ばせ，隠された**衝動**や**葛藤**を分析する。

3. ロールシャッハ・テスト
▶[3]…インクブロットテストともいう。左右対称のインクのしみのカードを10枚提示して，被験者にそれぞれ何に見えるかを診断させ，**知的水準**，**葛藤**，**性格特性**などをみる。

4. P-Fスタディ
▶[4]…欲求不満を引き起こさせるような2人の人物が描かれている漫画風の絵カードを用いて，**欲求不満**に対する反応を分析して診断させる。

5. SCT
▶[5]…文章完成法ともいう。被験者に不完全な文章を提示し，それを自由に補足させて全文を完成させ，**潜在する歪み**をみる。

6. YG性格検査
▶[6]…120の質問項目に答えさせ，神経質・劣等感・活動性など12の**性格特性**を表示する。

7. MMPI
▶[7]…550の質問項目により，心気症・抑うつ・ヒステリーなど10の**臨床尺度**で表示する。

8. 向性検査
▶[8]…ユングの考え方を基にした，内向性と外向性を測る検査。おもに**質問紙法**で行われる。

160

ぜひチャレンジしてみましょう！

本書を使った効果的な二段階学習法

①赤シートで**解答欄を隠して**穴埋め問題を解く。
②赤シートで**本文の色文字を隠して**色文字部分を答えられるようにする。
③完全にマスターしたら**日付欄**に日付を記入。
④上記の学習を**3回**繰り返す。
⑤試験直前になったら**重要度Aの問題**をもう一度解く。

学習進度を示す日付欄

日付欄に学習をした日付を記入して学習進度を確認できます。重要度の高い項目は繰り返し学習するようにしましょう。

▶ 9 …一定時間，連続的な**加算作業**を課し，作業経過と結果から**性格・適性**を診断する。
▶ 10 …問題の難易度を**客観的**に決定し，各年齢級の問題を一定にし，知能の**発達率**を示す検査。
▶ 11 …ウェクスラーが考察した児童用の知能検査。主要指標は，言語理解，視空間，流動性推理など。
▶ 12 …家（house），木（tree），人（person）を描かせて心理状態を分析する。
▶ 13 …ゴールドバーグが提唱した，人間のパーソナリティを大きく5つに集約した考え方。
▶ 14 …あらかじめ特定の**人格特性**について一定の尺度を作っておき，観察の結果，その尺度上のどの位置にあるかを測定する。
▶ 15 …ビネー・シモン式知能検査を改訂したもの。この検査によって初めて**知能指数**による表示がなされた。
▶ 16 …TATの子供版。
▶ 17 …描画法のうち**樹木**を描かせる方法。コッホが投影法の一方法とした。彼によれば，**樹木**は内なるものを外に出す法則を有し，内面と外面，深層と表層の混合だという。また描画することで**受動**的な**投影**を**能動**的な**形成**に変えることができるとした。

9. 内田クレペリン精神作業検査
10. ビネー・シモン式知能検査
11. WISC
12. HTP
13. ビッグ・ファイブ
14. 評定尺度法
15. スタンフォード・ビネー式知能検査
16. CAT
17. バウム・テスト

5 教育心理

資料：コンフリクトとは

■レヴィンによるコンフリクト（葛藤）

型	内容	例示
接近—接近型	2つまたは2つ以上の要求の対象が，同時に同じ強さの正の**誘意性**（魅力）をもって生活体にせまる。	＊2つの学校から，ぜひ教員に採用したいと同時に懇願され，進路決定に迷っている場合
接近—回避型	同一の要求の対象が，正（魅力）と負（嫌悪）の両面を持った場合，または，**負の面**を通過しないと**正へ到達**できない場合がある。	＊良薬は口に苦し ＊手術は不安だが受けなければ健康な体は取り戻せない ＊受験勉強は嫌だが合格はしたい
回避—回避型	2つまたは2つ以上の**要求の対象**が，ともに負（嫌悪）の**誘意性**をもち，そのいずれも回避したいが，回避できない場合。	＊生きたくもなければ，死にたくもない ＊練習もしたくないし，試合に負けるのもいやだ

161

穴埋め問題で実戦型演習

解答欄を赤シートで隠して穴埋め問題を解くことで実践型の学習をすることができます。穴埋めで問われた重要語句は確実に覚えていきましょう。

図表もチェック

発展学習のため，適宜まとめ図表を記載しています。重要語句は色文字表記していますので，チェックしておきましょう。

繰り返し学習することで弱点を完全に克服できます。試験直前に重要度の高い問題を解くことで合格率アップ。電車やバスの中でも学べるので効率的な学習が可能です。

新ポケットランナー

教職教養

CONTENTS

1 教育原理 1

1 学校の目的・目標 …… 2
2 小学校の目的と教育の目標 …… 4
3 中学校の目的と教育の目標 …… 6
4 義務教育学校の目的と教育の目標 …… 8
5 高等学校の目的と教育の目標 …… 10
6 中等教育学校の目的と教育の目標 …… 12
7 特別支援学校の目的と教育の目標 …… 14
8 学校の種類・設置 …… 16
9 就学義務 …… 18
10 就学猶予・免除・援助 …… 20
11 学校の休業等 …… 22
12 校務分掌 …… 24
13 懲戒・出席停止 …… 26
14 法定表簿 …… 28
15 研修（研究と修養） …… 30
16 食育 …… 32
17 学校保健 …… 34
18 性同一性障害の支援 …… 38
19 学校安全 …… 40
20 生涯学習へ向けたあゆみ …… 44
21 令和の日本型学校教育 …… 48
22 社会教育の定義と目的 …… 52

2 教育法規 55

1 日本国憲法 …… 56
2 教育権 …… 58
3 教育基本法-前文と構成 …… 60
4 教育の目的と目標（教基法第１・２条） …… 62
5 生涯学習（教基法第３条） …… 64
6 教育の機会均等（教基法第４条） …… 66
7 義務教育（教基法第５条） …… 68
8 学校の設置者（教基法第6条） …… 70
9 大学，私立学校（教基法第７・８条） …… 72
10 教員（教基法第９条） …… 74
11 家庭教育，幼児期の教育，学校・家庭及び地域住民等の相互の連携協力（教基法第10・11・13条）

…… 76

12 社会教育（教基法第12条）…… 78
13 政治教育（教基法第14条）…… 80
14 宗教教育（教基法第15条）…… 82
15 教育行政，教育振興基本計画等（教基法第16・17・18条）…… 84
16 教育委員会の組織 …… 86
17 教育委員会の仕事 …… 88
18 教職員の配置 …… 94
19 教職員の服務 …… 98
20 おもな主体と対象 …… 100
21 重要数量 …… 101

3 生徒指導・安全指導 103

1 学級担任の生徒指導 …… 104
2 児童生徒理解 …… 106
3 教育相談 …… 110
4 不登校（登校拒否）…… 114
5 安全指導 …… 116
6 いじめ …… 122
7 いじめに対する指導 …… 126

4 人権尊重の教育 129

1 同和教育・人権教育 …… 130
2 児童虐待 …… 134
3 特別支援教育に関する法制 …… 138
4 特別支援教育の実際 …… 142

5 教育心理 145

1 教育心理概説 …… 146
2 学習理論 …… 148
3 発達の特徴（新生児期～青年期）…… 150
4 発達の諸理論 …… 152
5 教育評価 …… 154
6 カウンセリングと心理療法 …… 156
7 適応と行動 …… 158
8 心理検査 …… 160
9 学級集団 …… 162
10 教育心理頻出用語 …… 164
11 図でみる心理学 …… 166

6 西洋教育史 169

1 古代・中世 …… 170
2 近世 …… 173
3 近代 …… 174
4 現代 …… 176
5 教授方法変遷概史 …… 178

7 日本教育史 181

1 古代・中世 …… 182
2 古代・奈良・平安時代の重要事項 …… 184
3 鎌倉・室町期の重要事項 …… 186
4 近世 …… 188
5 江戸期の重要事項 …… 190
6 近代 …… 194
7 現代 …… 196
8 明治～令和期の重要事項 …… 198

8 学習指導要領 203

1 学習指導要領改訂のポイント …… 204
2 学習指導要領の変遷 …… 207
3 小学校学習指導要領総則 …… 209
4 中学校学習指導要領総則 …… 212
5 高等学校学習指導要領総則 …… 215
6 特別支援学校小・中学部学習指導要領総則 …… 220
7 発達を支える指導の充実 …… 224
8 配慮を要する指導 …… 226
9 運営上の留意事項 …… 229
10 道徳教育 …… 231
11 総合的な学習の時間（小・中） …… 236
12 総合的な探究の時間（高） …… 238
13 特別活動 …… 241

1
教育原理

1 学校の目的・目標

重要度 A

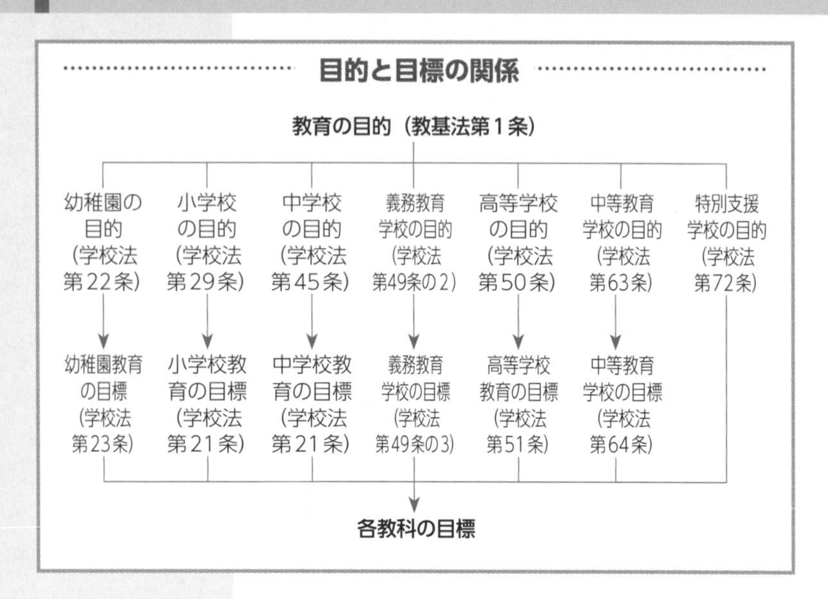

1．教育の目的

▶教育は，［1］の完成を目指し，平和で**民主的**な国家及び社会の［2］として必要な［3］を備えた**心身**ともに［4］な国民の**育成**を期して行われなければならない。…教基法第1条

1. 人格
2. 形成者
3. 資質
4. 健康

2．幼稚園の目的

▶幼稚園は，義務教育及びその後の教育の**基礎**を培うものとして，幼児を［5］し，幼児の健やかな**成長**のために適当な［6］を与えて，その**心身**の発達を［7］することを目的とする。…学校法第22条

5. 保育
6. 環境
7. 助長

3．小学校の目的

▶小学校は，**心身**の発達に応じて，義務教育として行われる**普通教育**のうち［8］なものを施すことを目的とする。…学校法第29条

8. 基礎的

4．中学校の目的

▶中学校は，[9]における教育の**基礎**の上に，**心身**の発達に応じて，[10]として行われる**普通教育**を施すことを目的とする。…学校法第45条

9. 小学校
10. 義務教育

5．義務教育学校の目的

義務教育学校は，**心身**の発達に応じて，義務教育として行われる**普通教育**を[11]ものから[12]して施すことを目的とする。…学校法第49条の2

11. 基礎的な
12. 一貫

6．高等学校の目的

▶高等学校は，[13]における教育の基礎の上に，**心身**の発達及び進路に応じて，[14]普通教育及び**専門教育**を施すことを目的とする。…学校法第50条

13. 中学校
14. 高度な

7．中等教育学校の目的

▶中等教育学校は，[15]における教育の**基礎**の上に，**心身**の発達及び進路に応じて，[16]普通教育並びに[17]普通教育及び[18]教育を一貫して施すことを目的とする。…学校法第63条

15. 小学校
16. 義務教育として行われる
17. 高度な
18. 専門

8．大学の目的

▶大学は，[19]の中心として，広く**知識**を授けるとともに，深く専門の[20]を教授研究し，知的，道徳的及び**応用的**能力を[21]させることを目的とする。…学校法第83条①

19. 学術
20. 学芸
21. 展開

9．特別支援学校の目的

▶特別支援学校は，視覚障害者，聴覚障害者，知的障害者，肢体不自由者又は病弱者（身体虚弱者を含む。以下同じ。）に対して，幼稚園，小学校，中学校又は高等学校に[22]教育を施すとともに，障害による**学習上**又は**生活上**の困難を克服し[23]を図るために必要な[24]を授けることを目的とする。…学校法第72条

22. 準ずる
23. 自立
24. 知識技能

2 小学校の目的と教育の目標

小学校の目的と義務教育の目標との関係

小学校の目的（学校法第29条）
小学校は，心身の発達に応じて，義務教育として行われる普通教育のうち基礎的なものを施すことを目的とする。

義務教育の目標（学校法第21条）

①学校内外における社会的活動を促進し，自主，自律及び協同の精神，規範意識，公正な判断力並びに公共の精神に基づき主体的に社会の形成に参画し，その発展に寄与する態度を養うこと。
②学校内外における自然体験活動を促進し，生命及び自然を尊重する精神並びに環境の保全に寄与する態度を養うこと。
③我が国と郷土の現状と歴史について，正しい理解に導き，伝統と文化を尊重し，それらをはぐくんできた我が国と郷土を愛する態度を養うとともに，進んで外国の文化の理解を通じて，他国を尊重し，国際社会の平和と発展に寄与する態度を養うこと。
④家族と家庭の役割，生活に必要な衣，食，住，情報，産業その他の事項について基礎的な理解と技能を養うこと。
⑤読書に親しませ，生活に必要な国語を正しく理解し，使用する基礎的な能力を養うこと。
⑥生活に必要な数量的な関係を正しく理解し，処理する基礎的な能力を養うこと。
⑦生活にかかわる自然現象について，観察及び実験を通じて，科学的に理解し，処理する基礎的な能力を養うこと。
⑧健康，安全で幸福な生活のために必要な習慣を養うとともに，運動を通じて体力を養い，心身の調和的発達を図ること。
⑨生活を明るく豊かにする音楽，美術，文芸その他の芸術について基礎的な理解と技能を養うこと。
⑩職業についての基礎的な知識と技能，勤労を重んずる態度及び個性に応じて将来の進路を選択する能力を養うこと。

1. 小学校の目的

▶小学校は，**心身**の発達に応じて，義務教育として行われる［ 1 ］のうち**基礎的**なものを施すことを目的とする。…学校法第29条

2. 小学校における教育の目標

▶①小学校における教育は，前条に規定する目的を実現するために［ 2 ］な程度において第21条各号に掲げる目標を達成するよう行われるものとする。

1. 普通教育
2. 必要

②前項の場合においては，[3]にわたり学習する[4]が培われるよう，[5]な**知識**及び**技能**を習得させるとともに，これらを活用して**課題**を解決するために必要な[6]，[7]，[8]その他の能力をはぐくみ，[9]に学習に取り組む態度を養うことに，特に意を用いなければならない。…学校法第30条

▶[10]として行われる**普通教育**は，教育基本法（平成18年法律第120号）第5条第2項に規定する目的を実現するため，次に掲げる目標を達成するよう行われるものとする。

1　学校内外における[11]を促進し，自主，自律及び協同の精神，[12]，**公正**な判断力並びに**公共**の精神に基づき[13]に**社会**の形成に[14]し，その**発展**に寄与する態度を養うこと。

3　[15]の[16]について，正しい理解に導き，[17]を**尊重**し，それらをはぐくんできた[18]を[19]態度を養うとともに，進んで**外国**の文化の理解を通じて，**他国**を尊重し，国際社会の[20]に寄与する態度を養うこと。…学校法第21条（抜粋）

▶小学校においては，前条第1項の規定による目標の達成に資するよう，教育指導を行うに当たり，児童の[21]な学習活動，特に[22]など**社会奉仕**体験活動，**自然体験**活動その他の体験活動の充実に努めるものとする。この場合において，**社会教育関係団体**その他の関係団体及び関係機関との連携に十分配慮しなければならない。…学校法第31条

3. 小学校の教育課程の編成

▶小学校の教育課程は，国語，社会，[23]，理科，生活，音楽，図画工作，家庭，体育及び[24]の各教科（以下この節において「各教科」という。），[25]，**外国語活動**，**総合的な学習**の時間並びに特別活動によって編成するものとする。…学校法施規第50条①

▶私立の小学校の教育課程を編成する場合は，前項の規定にかかわらず，[26]を加えることができる。この場合においては，[27]をもって前項の[28]に代えることができる。…学校法施規第50条②

3. 生涯
4. 基盤
5. 基礎的
6. 思考力
7. 判断力
8. 表現力
9. 主体的
10. 義務教育
11. 社会的活動
12. 規範意識
13. 主体的
14. 参画
15. 我が国と郷土
16. 現状と歴史
17. 伝統と文化
18. 我が国と郷土
19. 愛する
20. 平和と発展
21. 体験的
22. ボランティア活動
23. 算数
24. 外国語
25. 特別の教科である道徳
26. 宗教
27. 宗教
28. 特別の教科である道徳

3 中学校の目的と教育の目標

中学校の目的と義務教育の目標との関係

中学校の目的（学校法第45条）
中学校は，小学校における教育の基礎の上に，心身の発達に応じて，義務教育として行われる普通教育を施すことを目的とする。

義務教育の目標（学校法第21条）
〈P.4の枠内を参照〉

1. 小学校
2. 義務教育として行われる
3. 普通教育
4. 自然体験活動
5. 尊重
6. 保全
7. 家族
8. 家庭
9. 読書
10. 国語
11. 数量的
12. 処理
13. 職業
14. 勤労

1．中学校の目的

▶中学校は，［ 1 ］における教育の基礎の上に，心身の発達に応じて，［ 2 ］普通教育を施すことを目的とする。…学校法第45条

2．中学校における教育の目標

▶中学校における教育は，前条に規定する目的を実現するため，第21条各号に掲げる目標を達成するよう行われるものとする。…学校法第46条

▶義務教育として行われる［ 3 ］は，教育基本法（平成18年法律第120号）第5条第2項に規定する目的を実現するため，次に掲げる目標を達成するよう行われるものとする。

2　学校内外における［ 4 ］を促進し，生命及び自然を［ 5 ］する精神並びに環境の［ 6 ］に寄与する態度を養うこと。

4　［ 7 ］と［ 8 ］の役割，生活に必要な衣，食，住，情報，産業その他の事項について基礎的な理解と技能を養うこと。

5　［ 9 ］に親しませ，生活に必要な［ 10 ］を正しく理解し，使用する基礎的な能力を養うこと。

6　生活に必要な［ 11 ］な関係を正しく理解し，［ 12 ］する基礎的な能力を養うこと。

10　［ 13 ］についての基礎的な知識と技能，［ 14 ］

を重んずる態度及び**個性**に応じて将来の進路を選択する能力を養うこと。…学校法第21条（抜粋）

3. 中学校の教育課程の編成

▶中学校の教育課程は，国語，社会，数学，理科，音楽，美術，[15]，技術・家庭及び**外国語**の各教科（以下本章及び第7章中「各教科」という。），特別の教科である**道徳**，**総合的な学習**の時間並びに[16]によって編成するものとする。…学校法施規第72条

▶中学校（略）の各学年における[17]，特別の教科である**道徳**，**総合的な学習**の時間及び特別活動のそれぞれの授業時数並びに各学年におけるこれらの総授業時数は，別表第2に定める授業時数を[18]とする。…学校法施規第73条

▶中学校の教育課程については，この章に定めるもののほか，教育課程の基準として[19]が別に公示する[20]によるものとする。…学校法施規第74条

15. 保健体育
16. 特別活動
17. 各教科
18. 標準
19. 文部科学大臣
20. 中学校学習指導要領

●Reference

■義務教育学校の目的

義務教育学校は，心身の発達に応じて，義務教育として行われる**普通教育**を**基礎的**なものから一貫して施すことを目的とする。（学校法第49条の2）

■義務教育学校の目標

義務教育学校における教育は，前条に規定する目的を実現するため，第21条各号に掲げる目標を達成するよう行われるものとする。（学校法第49条の3）

●Reference

■教育課程について（中学校学習指導要領より）

これからの学校には，こうした教育の目的及び目標（教基法第1条・2条）の達成を目指しつつ，一人一人の生徒が，自分のよさや**可能性**を認識するとともに，あらゆる他者を**価値**のある存在として尊重し，**多様な**人々と協働しながら様々な社会的変化を乗り越え，豊かな人生を切り拓（ひら）き，持続可能な社会の創り手となることができるようにすることが求められる。このために必要な教育の在り方を**具体化**するのが，各学校において教育の内容等を組織的かつ計画的に組み立てた教育課程である。

教育課程を通して，これからの時代に求められる教育を実現していくためには，よりよい学校教育を通してよりよい社会を創るという理念を学校と社会とが共有し，それぞれの学校において，必要な学習内容をどのように学び，どのような**資質・能力**を身に付けられるようにするのかを教育課程において明確にしながら，社会との**連携**及び**協働**によりその実現を図っていくという，社会に開かれた教育課程の実現が重要となる。

4 義務教育学校の目的と教育の目標

重要度 A

義務教育学校の目的と義務教育の目標との関係

義務教育学校の目的（学校法第49条の2）
義務教育学校は，心身の発達に応じて，義務教育として行われる普通教育を基礎的なものから一貫して施すことを目的とする。

義務教育学校における教育の目標（学校法第49条の3）
義務教育学校における教育は，前条に規定する目的を実現するため，第21条各号に掲げる目標を達成するよう行われるものとする。

義務教育の目標（学校法第21条）

①学校内外における社会的活動を促進し，自主，自律及び協同の精神，規範意識，公正な判断力並びに公共の精神に基づき主体的に社会の形成に参画し，その発展に寄与する態度を養うこと。
②学校内外における自然体験活動を促進し，生命及び自然を尊重する精神並びに環境の保全に寄与する態度を養うこと。
③我が国と郷土の現状と歴史について，正しい理解に導き，伝統と文化を尊重し，それらをはぐくんできた我が国と郷土を愛する態度を養うとともに，進んで外国の文化の理解を通じて，他国を尊重し，国際社会の平和と発展に寄与する態度を養うこと。
④家族と家庭の役割，生活に必要な衣，食，住，情報，産業その他の事項について基礎的な理解と技能を養うこと。
⑤読書に親しませ，生活に必要な国語を正しく理解し，使用する基礎的な能力を養うこと。
⑥生活に必要な数量的な関係を正しく理解し，処理する基礎的な能力を養うこと。
⑦生活にかかわる自然現象について，観察及び実験を通じて，科学的に理解し，処理する基礎的な能力を養うこと。
⑧健康，安全で幸福な生活のために必要な習慣を養うとともに，運動を通じて体力を養い，心身の調和的発達を図ること。
⑨生活を明るく豊かにする音楽，美術，文芸その他の芸術について基礎的な理解と技能を養うこと。
⑩職業についての基礎的な知識と技能，勤労を重んずる態度及び個性に応じて将来の進路を選択する能力を養うこと。

1．義務教育学校の目的（学校教育法第49条の2）

▶義務教育学校は，[1]の発達に応じて，義務教育として行われる[2]を**基礎的**なものから[3]して施すことを目的とする。

1. 心身
2. 普通教育
3. 一貫

2．義務教育学校における教育の目標（学校教育法第49条の3）

▶義務教育学校における教育は，前条に規定する目的を実現するため，第21条各号に掲げる目標を達成するよう行われるものとする。…（以下略）

3．義務教育学校の修業年限

▶義務教育学校の**修業年限**は，[4]年とする。…学校法第49条の4

4. 9

▶義務教育学校の課程は，これを前期[5]年の**前期課程**及び後期[6]年の**後期課程**に区分する。…学校法第49条の5

5. 6
6. 3

4．教員免許

▶教育職員は，この法律により授与する各相当の[7]を有する者でなければならない。…教員免許法第3条①

7. 免許状

▶義務教育学校の教員（養護又は栄養の指導及び管理をつかさどる主幹教諭，養護教諭，養護助教諭並びに栄養教諭を除く。）については，第1項の規定にかかわらず，[8]の教員の**免許状**及び[9]の教員の**免許状**を有する者でなければならない。…教員免許法第3条④

8. 小学校
9. 中学校

義務教育学校のイメージ

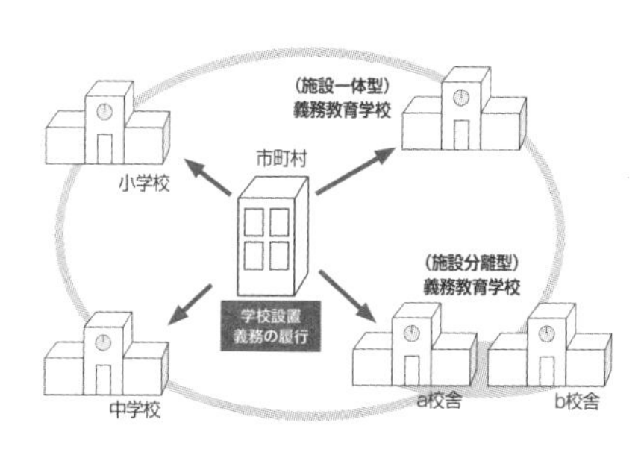

小学校と中学校が同じ校舎内にあるのが施設一体型。小学校と中学校の校舎が離れているのが施設分離型。他に小学校と中学校が道路などを隔て立地する施設隣接型などがある。

5 高等学校の目的と教育の目標

重要度 A

高等学校の目的と目標

高等学校の目的（学校法第50条）
高等学校は，中学校における教育の基礎の上に，心身の発達及び進路に応じて，高度な普通教育及び専門教育を施すことを目的とする。

高等学校における教育の目標（学校法第51条）

①義務教育として行われる普通教育の成果を更に発展拡充させて，豊かな人間性，創造性及び健やかな身体を養い，国家及び社会の形成者として必要な資質を養うこと。

②社会において果たさなければならない使命の自覚に基づき，個性に応じて将来の進路を決定させ，一般的な教養を高め，専門的な知識，技術及び技能を習得させること。

③個性の確立に努めるとともに，社会について，広く深い理解と健全な批判力を養い，社会の発展に寄与する態度を養うこと。

1. 中学校
2. 高度な
3. 専門

1. 高等学校の目的

▶高等学校は，[1]における教育の**基礎**の上に，**心身**の発達及び**進路**に応じて，[2]普通教育及び[3]教育を施すことを目的とする。…学校法第50条

2. 高等学校における教育の目標

▶高等学校における教育は，前条に規定する目的を実現するため，次に掲げる目標を達成するよう行われるものとする。

4. 義務教育
5. 発展拡充
6. 使命
7. 決定
8. 一般
9. 専門

1　[4]として行われる**普通教育**の成果を更に[5]させて，豊かな**人間性**，**創造性**及び健やかな**身体**を養い，**国家**及び**社会**の形成者として必要な資質を養うこと。

2　社会において果たさなければならない[6]の自覚に基づき，**個性**に応じて将来の**進路**を[7]させ，[8]的な**教養**を高め，[9]的な**知識**，**技術**及び**技能**

を習得させること。

3　**個性**の確立に努めるとともに，**社会**について，広く深い理解と健全な［ 10 ］を養い，**社会**の発展に寄与する態度を養うこと。…学校法第51条

10. 批判力

3. 高等学校の教育課程の編成

▶高等学校の教育課程は，別表第３に定める各教科に属する［ 11 ］，**総合的な探究**の時間及び**特別活動**によって編成するものとする。…学校法施規第83条

11. 科目

▶高等学校の教育課程については，この章に定めるもののほか，教育課程の基準として［ 12 ］が別に公示する［ 13 ］によるものとする。…学校法施規第84条

12. 文部科学大臣
13. 高等学校学習指導要領

▶高等学校の教育課程に関し，その**改善**に資する研究を行うため特に必要があり，かつ，生徒の教育上適切な配慮がなされていると［ 14 ］が認める場合においては，［ 15 ］が別に定めるところにより，前２条の規定によらないことができる。…学校法施規第85条

14. 文部科学大臣
15. 文部科学大臣

▶［ 16 ］は，生徒の高等学校の全課程の**修了**を認めるに当たっては，［ 17 ］の定めるところにより，［ 18 ］単位以上を修得した者について行わなければならない。ただし，第85条から第86条までの規定により，高等学校の教育課程に関し第83条又は第84条の規定によらない場合においては，［ 19 ］が別に定めるところにより行うものとする。…学校法施規第96条①

16. 校長
17. 高等学校学習指導要領
18. 74
19. 文部科学大臣

● Reference

■ **高等学校の修業年限（学校法第56条）**

全日制……３年
定時制……３年以上
通信制……３年以上

■ **定時制の課程と通信教育との二重在籍の可否（現在の第12条）**

高等学校通信教育規程第８条および第９条の規定により可能である。

（初中局長回答 1955.5.2）

6 中等教育学校の目的と教育の目標

中等教育学校の目的と目標

中等教育学校の目的（学校法第63条）
中等教育学校は，小学校における教育の基礎の上に，心身の発達及び進路に応じて，義務教育として行われる普通教育並びに高度な普通教育及び専門教育を一貫して施すことを目的とする。

中等教育学校における教育の目標（学校法第64条，67条）

①豊かな人間性，創造性及び健やかな身体を養い，国家及び社会の形成者として必要な資質を養うこと。	②社会において果たさなければならない使命の自覚に基づき，個性に応じて将来の進路を決定させ，一般的な教養を高め，専門的な知識，技術及び技能を習得させること。	③個性の確立に努めるとともに，社会について，広く深い理解と健全な批判力を養い，社会の発展に寄与する態度を養うこと。

1. 小学校

2. 形成者

3. 決定

1．中等教育学校の目的

▶中等教育学校は，［1］における教育の**基礎**の上に，**心身**の発達及び**進路**に応じて，義務教育として行われる**普通教育**並びに高度な**普通教育**及び**専門教育**を一貫して施すことを目的とする。…学校法第63条

2．中等教育学校における教育の目標

▶中等教育学校における教育は，前条に規定する目的を実現するため，次に掲げる目標を達成するよう行われるものとする。

1　豊かな**人間性**，**創造性**及び健やかな**身体**を養い，**国家**及び**社会**の［2］として必要な資質を養うこと。

2　社会において果たさなければならない使命の自覚に基づき，**個性**に応じて将来の**進路**を［3］させ，一般的な**教養**を高め，専門的な**知識**，**技術**及び**技能**を習得させること。

3　**個性**の確立に努めるとともに，社会について，広く深い理解と健全な［ 4 ］を養い，**社会**の発展に寄与する態度を養うこと。…学校法第64条

3．中等教育学校の教育課程

▶中等教育学校の課程は，これを前期3年の**前期課程**及び後期3年の**後期課程**に区分する。…学校法第66条

▶中等教育学校の前期課程における教育は，第63条に規定する目的のうち，小学校における教育の**基礎**の上に，**心身**の発達に応じて，［ 5 ］を施すことを実現するため，第21条各号に掲げる目標を達成するよう行われるものとする。…学校法第67条①

▶中等教育学校の後期課程における教育は，第63条に規定する目的のうち，**心身**の発達及び**進路**に応じて，［ 6 ］及び［ 7 ］を施すことを実現するため，第64条各号に掲げる目標を達成するよう行われるものとする。…学校法第67条②

▶中等教育学校の前期課程の教育課程に関する事項並びに後期課程の学科及び教育課程に関する事項は，第63条，第64条及び前条の規定並びに第70条第1項において読み替えて準用する第30条第2項の規定に従い，文部科学大臣が定める。…学校法第68条

▶次条第1項において準用する第72条に規定する中等教育学校の前期課程の各学年における各教科，特別の教科である**道徳**，**総合的な学習**の時間及び**特別活動**のそれぞれの授業時数並びに各学年におけるこれらの総授業時数は，別表第4に定める授業時数を［ 8 ］とする。…学校法施規第107条

▶中等教育学校の前期課程の教育課程については，第50条第2項，第55条から第56条の4まで及び第72条の規定並びに第74条の規定に基づき文部科学大臣が公示する［ 9 ］の規定を準用する。（以下略）…学校法施規第108条①

▶中等教育学校の後期課程の教育課程については，第83条，第85条から第86条の3まで及び第88条の2の規定並びに第84条の規定に基づき**文部科学大臣**が公示する［ 10 ］の規定を準用する。…学校法施規第108条②

4. 批判力

5. 義務教育として行われる普通教育

6. 高度な普通教育

7. 専門教育

8. 標準

9. 中学校学習指導要領

10. 高等学校学習指導要領

7 特別支援学校の目的と教育の目標

特別支援学校の目的と教育の目標

◎特別支援学校の目的……学校法第72条（下記参照）。

◎教育目標……幼稚部は，幼稚部教育要領第1章総則第2に示されている。

◎小・中学部は，小学部・中学部学習指導要領第1章総則第1節教育目標（下記参照）に示されている。高等部は，高等部学習指導要領第1章総則第1節教育目標に示されている。

1. 特別支援学校の目的

▶特別支援学校は，視覚障害者，聴覚障害者，知的障害者，肢体不自由者又は病弱者（身体虚弱者を含む。以下同じ。）に対して，幼稚園，小学校，中学校又は高等学校に準ずる教育を施すとともに，障害による**学習上**又は**生活上**の困難を克服し［ 1 ］を図るために必要な［ 2 ］を授けることを目的とする。…学校法第72条

1. 自立
2. 知識技能

2. 特別支援学校における教育の目標

▶小学部及び中学部における教育については，学校教育法第72条に定める目的を実現するために，児童及び生徒の［ 3 ］の状態や［ 4 ］及び**心身**の発達の**段階**等を十分考慮して，次に掲げる目標の達成に努めなければならない。

1　小学部においては，学校教育法第30条第1項に規定する小学校教育の目標

2　中学部においては，学校教育法第46条に規定する中学校教育の目標

3　小学部及び中学部を通じ，児童及び生徒の［ 5 ］による学習上又は生活上の困難を**改善**・［ 6 ］し**自立**を図るために必要な**知識**，**技能**，**態度**及び［ 7 ］を養うこと。…特別支援学校小学部・中学部学習指導要領 第1章 総則 第1節

3. 障害
4. 特性
5. 障害
6. 克服
7. 習慣

3．特別支援学校の教育課程

▶特別支援学校の小学部の教育課程は，国語，社会，算数，理科，生活，音楽，図画工作，家庭，体育及び**外国語**の各教科，特別の教科である**道徳**，**外国語活動**，［ 8 ］，**特別活動**並びに**自立活動**によって編成するものとする。…学校法施規第126条①

▶前項の規定にかかわらず，知的障害者である児童を教育する場合は，生活，国語，算数，音楽，図画工作及び体育の各教科，特別の教科である**道徳**，**特別活動**並びに**自立活動**によって教育課程を編成するものとする。ただし，必要がある場合には，**外国語活動**を加えて教育課程を編成することができる。…学校法施規第126条②

▶特別支援学校の中学部の教育課程は，国語，社会，数学，理科，音楽，美術，保健体育，技術・家庭及び**外国語**の各教科，特別の教科である**道徳**，［ 9 ］，**特別活動**並びに**自立活動**によって編成するものとする。…学校法施規第127条①

▶前項の規定にかかわらず，知的障害者である生徒を教育する場合は，国語，社会，数学，理科，音楽，美術，保健体育及び［ 10 ］・家庭の各教科，特別の教科である**道徳**，**総合的な学習**の時間，**特別活動**並びに**自立活動**によって教育課程を編成するものとする。ただし，必要がある場合には，**外国語科**を加えて教育課程を編成することができる。…学校法施規第127条②

▶特別支援学校の幼稚部の教育課程その他の保育内容並びに小学部，中学部及び高等部の教育課程については，この章に定めるもののほか，教育課程その他の保育内容又は教育課程の基準として［ 11 ］が別に公示する特別支援学校幼稚部［ 12 ］，特別支援学校小学部・中学部［ 13 ］及び特別支援学校高等部［ 14 ］によるものとする。…学校法施規第129条

8. 総合的な学習の時間

9. 総合的な学習の時間

10. 職業

11. 文部科学大臣

12. 教育要領

13. 学習指導要領

14. 学習指導要領

8 学校の種類・設置

重要度 B

設置者と名称

国（国立大学法人及び独立行政法人国立高等専門学校機構を含む）
……………………………………………………国立学校
地方公共団体（公立大学法人を含む）……公立学校
学校法人……………………………………………私立学校
※地方公共団体の種類：都道府県，市町村，特別区（政令指定都市）

1．学校の種類　（9種類）

▶この法律で，学校とは，[1]，小学校，中学校，義務教育学校，高等学校，中等教育学校，特別支援学校，大学及び[2]とする。…学校法第1条

2．学校の設置

▶学校は，国（国立大学法人法（平成15年法律第112号）第2条第1項に規定する国立大学法人及び独立行政法人国立高等専門学校機構を含む。以下同じ。），地方公共団体（地方独立行政法人法（平成15年法律第118号）第68条第1項に規定する公立大学法人（以下「公立大学法人」という。）を含む。次項及び第127条において同じ。）及び私立学校法（略）第3条に規定する[3]（以下「学校法人」という。）のみが，これを設置することができる。…学校法第2条①

▶この法律で，国立学校とは，**国**の設置する学校を，公立学校とは，**地方公共団体**の設置する学校を，私立学校とは，[4]の設置する学校をいう。…学校法第2条②

3．学校の設置基準

▶学校を設置しようとする者は，学校の種類に応じ，[5]の定める**設備**，**編制**その他に関する**設置基準**に従い，これを設置しなければならない。…学校法第3条

1. 幼稚園
2. 高等専門学校
3. 学校法人
4. 学校法人
5. 文部科学大臣

4．学校の管理・経費負担

▶学校の設置者は，その設置する学校を**管理**し，法令に特別の定のある場合を除いては，その学校の[6]を負担する。…学校法第5条

【解説】 学校の経費に関しては設置者負担主義である。

6. 経費

5．学校の設置義務

▶[7]は，その区域内にある学齢児童を就学させるに必要な小学校を設置しなければならない。ただし，教育上有益かつ適切であると認めるときは，**義務教育学校**の設置をもってこれに代えることができる。…学校法第38条，同49条（中学校準用規定）

7. 市町村

▶[8]は，その区域内にある学齢児童及び学齢生徒のうち，視覚障害者，聴覚障害者，知的障害者，肢体不自由者又は病弱者で，その障害が第75条の政令で定める程度のものを就学させるに必要な[9]を設置しなければならない。…学校法第80条

8. 都道府県

9. 特別支援学校

▶小学校の設置者は，小学校の[10]，施設，設備等がこの省令で定める**設置基準**より低下した状態にならないようにすることはもとより，これらの**水準**の向上を図ることに努めなければならない。…小学校設置基準第1条③

10. 編制

公費負担教職員

市町村立学校の種類	都道府県費負担の教職員（給与負担法第1・2条）	市町村費負担の職員
小学校，中学校，義務教育学校，中等教育学校の前期課程，特別支援学校	校長，副校長，教頭，主幹教諭，指導教諭，教諭，養護教諭，栄養教諭，助教諭，養護助教諭，寄宿舎指導員，講師，学校栄養職員，事務職員	司書，事務補佐員，給食調理員，学校用務員，警備員，その他
定時制高等学校	校長（全日制の課程の併置は除く），副校長，教頭，主幹教諭，指導教諭，教諭，助教諭，講師（いずれも定時制担当）	事務職員，技術職員，その他の職員
幼稚園，高等学校，中等教育学校の後期課程，大学，各種学校		すべての職員

9 就学義務

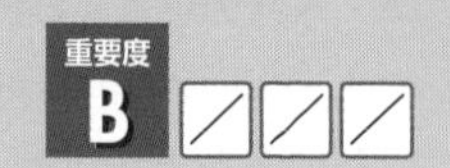

就　学

年齢	学校	卒入	法　　規	備　　考
3歳	幼稚園	入園	学校法第26条	
6歳	小学校	入学	学校法第17条①	○普通教育の義務 憲法第26条② ○義務教育として行われる普通教育 教基法第5条
12歳	小学校	卒業	学校法第17条①	
12歳	中学校	入学	学校法第17条②	
15歳	中学校	卒業	学校法第17条②	

1．就学義務

1. ひとしく
2. 権利

▶すべて国民は，法律の定めるところにより，その**能力**に応じて，［ 1 ］教育を受ける［ 2 ］を有する。…憲法第26条①

3. 普通
4. 義務
5. 無償

▶すべて国民は，法律の定めるところにより，その**保護**する**子女**に［ 3 ］教育を受けさせる［ 4 ］を負う。義務教育は，これを［ 5 ］とする。…憲法第26条②

●Reference

■**趣旨（教科書無償法第1条①）**
義務教育諸学校の教科用図書は，**無償**とする。

■**教科用図書の無償給付（教科書無償措置法第3条）**
国は，毎年度，義務教育諸学校の児童及び生徒が各学年の課程において使用する教科用図書で第13条，第14条及び第16条の規定により**採択**されたものを購入し，義務教育諸学校の**設置者**に**無償**で給付するものとする。

6. 保護
7. 義務

▶国民は，その［ 6 ］する子に，別に法律で定めるところにより，普通教育を受けさせる［ 7 ］を負う。…教基法第5条①

8. 6
9. 12
10. 義務
11. 12

▶保護者は，子の満［ 8 ］歳に達した日の翌日以後における最初の学年の初めから，満［ 9 ］歳に達した日の属する学年の終わりまで，これを小学校，義務教育学校の前期課程又は特別支援学校の小学部に就学させる［ 10 ］を負う。ただし，子が，満［ 11 ］歳に達した日の属する学年の終わりまでに小学校の課程，義務教育学校の前期課程又は特別支援学校の小学部の課程を修了しないときは，満[12]歳に達した日の属する学年の終わり（それまでの間においてこれらの課程を修了したときは，その修了した日の属する学年の終わり）までとする。…学校法第17条①

12. 15

▶保護者は，子が小学校の課程，義務教育学校の前期課程又は特別支援学校の小学部の課程を修了した日の翌日以後における最初の学年の初めから，満[13]歳に達した日の属する学年の終わりまで，これを中学校，義務教育学校の後期課程，中等教育学校の前期課程又は特別支援学校の中学部に就学させる[14]を負う。…学校法第17条②

13. 15

14. 義務

ティーチャーズ・ルーム①

面接その1

〔面接内容〕

「中高時代の部活動について」「今まででいちばん感動したことはどんなことか」といった質問から，「なぜ教師になりたいのか」「どのような教師になりたいのか」「今まででで良かった先生。それはなぜか」「この県を志望した理由は何か」「自分の教育観について」「個性を生かす教育とは」「国際理解教育について」「体罰についてどう思うか」というように受験者の教育観について聞かれたりする。

さらに想定的な質問で，「クラスに不登校の生徒がいたらどのように指導するか」「授業中，生活指導上問題のある生徒が，授業を放棄して教室から出て行こうとした場合，あなたならどうするか」「クラスにいじめがあることが発覚した。あなたならどのような指導をするか」というように，学校現場の抱えている現実的な課題を克服するための質問などもある。このような場合，自分の教師観・教育観が問われるので，矛盾のない応答にしたいものである。

また，「今朝起きてから今までの行動について順序だてて説明してください」というような質問をして，その回答の説明の仕方，すなわち教師としての質を問われる場合もあるので，明確に筋道を立てて説明できるようにしたい。

10 就学猶予・免除・援助

重要度 B

就学援助

教育を受ける権利（憲法第26条①）
⇩
義務教育（教基法第5条①）
⇩
就学の援助（学校法第19条）
⇩
教育扶助（生活保護法第13条）

1. 就学困難
2. 市町村

1. 就学猶予

▶前条第1項又は第2項の規定によって，保護者が就学させなければならない子（以下それぞれ「学齢児童」又は「学齢生徒」という。）で，病弱，発育不完全その他やむを得ない事由のため，[1]と認められる者の保護者に対しては，[2]の教育委員会は，**文部科学大臣**の定めるところにより，同条第1項又は第2項の義務を**猶予**又は**免除**することができる。…学校法第18条

●Reference

■「その他やむを得ない事由」の具体例＝児童，生徒の失踪などがあげられるが，経済的事由によるものは含まれない。（初中局長回答1950.8.25）

■少年院に入院中の学齢児童生徒については，従前の取扱いでは「やむを得ない事由」として学籍が除籍されることもあったが，現在は，保護者が教育委員会に就学義務の猶予・免除の願い出をする必要はなく，状況が適切であれば入院中も引き続き通学していた学校に在籍することもできる。また，児童自立支援施設では，ほとんどにおいて地域の小・中学校等への通学や施設内における分校・分教室設置により，入所していても学校教育が受けられる。

3. 市町村
4. 当該市町村

▶学齢児童又は学齢生徒で，学校教育法第18条に掲げる事由があるときは，その保護者は，就学義務の**猶予**又は**免除**を[3]の**教育委員会**に願い出なければならない。この場合においては，[4]の**教育委員会**の指定する**医師**その他の者の証明書等その事由を証するに足る書

類を添えなければならない。…学校法施規第34条

■ **医師の指定**

医師の指定は，小児科（内科）・外科・眼科・耳鼻咽喉科・精神科等の各専門の分野ごとに行うことが望ましいが，かかる医師が得られない場合は，当該市町村の教委が適当と認める医師を指定すること。

▶学校教育法第18条の規定により保護者が就学させる義務を**猶予**又は**免除**された子について，当該**猶予**の期間が経過し，又は当該**猶予**若しくは**免除**が取り消されたときは，[5]は，当該子を，その年齢及び心身の発達状況を考慮して，相当の学年に**編入**することができる。…学校法施規第35条

5. 校長

2．就学援助

▶国及び地方公共団体は，能力があるにもかかわらず，[6]的理由によって修学が困難な者に対して，**奨学**の措置を講じなければならない。…教基法第4条③

▶[7]的理由によって，就学困難と認められる学齢児童又は学齢生徒の保護者に対しては，[8]は，必要な**援助**を与えなければならない。…学校法第19条

6. 経済
7. 経済
8. 市町村

● Reference

■ **本条と生活保護法との関係**

学校法は，生活保護法第4条2項の規定によれば他の法律とみなされるから，市町村は，生活保護法とは別個に就学奨励を行うことはさしつかえなく，この場合に行った就学奨励は生活保護法の教育扶助に優先するから，教育扶助はその限りにおいて行う必要がない。（初中局長回答1950.8.25）

▶保護は，生活に困窮する者が，その利用し得る**資産**，**能力**その他あらゆるものを，その**最低限度**の生活の維持のために活用することを要件として行われる。…生活保護法第4条①

11 学校の休業等

学年・学期・休業等の決定

	公立小学校・中学校	都道府県立高等学校
学年の終始	国	国
学期	市町村教育委員会	都道府県教育委員会
授業の終始	校長	校長
夏季休業等	市町村教育委員会	都道府県教育委員会
卒業の認定	校長	校長
非常変災等による臨時休業	校長 （市町村教育委員会に報告）	校長 （都道府県教育委員会に報告）
感染症予防上の臨時休業等	学校の設置者	学校の設置者

私立の学校の場合，学期の決定ならびに非常変災等による臨時休業の報告については都道府県知事，夏季休業等については学校法施行規則第62条により「当該学校の学則で定める日」とされている。

1. 4月1日
2. 3月31日
3. 公立
4. 学期
5. 教育委員会
6. 校長
7. 校長

▶小学校の学年は，［ 1 ］に始まり，翌年［ 2 ］に終る。…学校法施規第59条（幼稚園・中学校・高等学校等に準用）

▶［ 3 ］の学校（大学を除く。）の［ 4 ］並びに夏季，冬季，学年末，農繁期等における**休業日**又は家庭及び地域における体験的な学習活動その他の学習活動のための**休業日**（「体験的学習活動等休業日」）は，市町村又は都道府県の設置する学校にあっては当該市町村又は都道府県の［ 5 ］が，公立大学法人の設置する学校にあっては当該公立大学法人の理事長が定める。…学校法施令第29条①

▶授業終始の**時刻**は，［ 6 ］が定める。…学校法施規第60条

▶小学校において，各学年の課程の修了又は卒業を認めるに当たっては，児童の**平素の成績**を評価して，これを定めなければならない。…学校法施規第57条（中学校・高等学校等に準用）

▶［ 7 ］は，小学校の全課程を修了したと認めた者には，**卒業証書**を授与しなければならない。…学校法施規第

58条（中学校・高等学校等に準用）

▶公立小学校における**休業日**は，次のとおりとする。ただし，第3号に掲げる日を除き，当該学校を設置する地方公共団体の教育委員会が必要と認める場合は，この限りでない。

1　国民の祝日に関する法律（昭和23年法律第178号）に規定する日

2　[8]及び土曜日

3　学校教育法施行令第29条第1項の規定により教育委員会が定める日

…学校法施規第61条（幼稚園・中学校・高等学校等に準用）

▶私立小学校における**学期**及び**休業日**は，当該学校の[9]で定める。…学校法施規第62条（幼稚園・中学校・高等学校等に準用）

▶非常変災その他急迫の事情があるときは，[10]は，臨時に授業を行わないことができる。この場合において，公立小学校についてはこの旨を当該学校を設置する地方公共団体の[11]に報告しなければならない。…学校法施規第63条（幼稚園・中学校・高等学校等に準用）

▶学校の[12]は，**感染症**の予防上必要があるときは，臨時に，学校の全部又は一部の**休業**を行うことができる。…学校保健安全法第20条

学　校	年間授業（教育）週数
小学校	35週（1学年は34週）以上
中学校	35週以上
高等学校	全日制の課程で35週を標準とする
幼稚園	39週を下ってはならない

8. 日曜日

9. 学則

10. 校長

11. 教育委員会

12. 設置者

●Reference

■文部科学省は，GIGAスクール構想で「多様な子供たちを誰一人取り残すことなく，子供たち一人一人に公正に個別最適化され，資質・能力を一層確実に育成できる教育ICT環境の実現」のため，1人1台の端末を支給するようにした。臨時休校になっても学びが止まらないよう，ICT端末を活用したオンライン授業が導入された。教師は，目の前の児童生徒に向けてと，ネットワークの向こうにいる児童生徒に向けて，というハイブリッド授業も行うようになっている。

12 校務分掌

主な具体例

学　校	校務を分担する主任等
小学校	教務主任，学年主任，保健主事，事務主任，研修主事，その他必要に応じる〔学校法施規第44条～第47条〕
中学校	教務主任，学年主任，保健主事，事務主任，生徒指導主事，進路指導主事，研修主事，その他必要に応じる〔学校法施規第70条，第71条，第79条（準用規定）〕
高等学校	教務主任，学年主任，保健主事，事務長，生徒指導主事，進路指導主事，研修主事，学科主任，農場長（農業科），その他必要に応じる〔学校法施規第81条，第82条，第104条（準用規定）〕

▶小学校においては，**調和**のとれた**学校運営**が行われるためにふさわしい［ 1 ］の仕組みを整えるものとする。…学校法施規第43条

▶小学校には，設置者の定めるところにより，［ 2 ］の職務の円滑な執行に資するため，**職員会議**を置くことができる。…学校法施規第48条①

▶**職員会議**は，［ 3 ］が主宰する。…学校法施規第48条②

1. 校務分掌
2. 校長
3. 校長

● Reference

■校務分掌とは……学校によっても若干異なるが，必要上置かれるものである。一般に教務，庶務，生活指導，進路指導，特別活動，学校保健，学校経営などがある。校長，教頭，教諭，養護教諭，事務職員及び用務主事などが分担してこれにあたる。

■校務とは……学校の運営に必要な校舎等の物的施設，教員等の人的要素及び教育の実施の3つの事項につき，その任務を完遂するために要求される諸般の事務を指す。(東京地判1957.8.20)

■会議・分掌表（例）

<table>
<tr><th colspan="2">分　類</th><th>職員会
（大集団）</th><th>各種委員会部会
（小集団）</th></tr>
<tr><td>総括</td><td>総括</td><td rowspan="7">（全職員で構成）
5
職員朝会
職員昼会
職員夕会
学年朝会
全員研修会</td><td>4*
研修委員会*</td></tr>
<tr><td rowspan="4">教育活動</td><td rowspan="2">教育課程</td><td>教科主任会*
各教科部会</td></tr>
<tr><td>道徳部会
特別活動部会
学校行事部会</td></tr>
<tr><td>教育課程外</td><td>生活指導部会
進路指導部会
保健部会
安全指導部会
視聴覚部会
新聞部会
放送部会
図書館部会
学校給食部会</td></tr>
<tr><td>学年・学級</td><td>学年主任会*
各学年部会
低・中・高学年（小学校）</td></tr>
<tr><td>事務活動</td><td>事務分掌</td><td>教務部会
庶務部会
施設・管理部会</td></tr>
<tr><td>関連活動</td><td>渉外</td><td>PTA理事会*
PTA専門部会*</td></tr>
</table>

※　＊は，代表者で構成。それ以外は係り構成。

4. 運営委員会

※運営委員会では，主に校長，教頭，学年主任，分掌主任や事務の代表等が話し合う。

5. 職員会議

13 懲戒・出席停止

懲戒の種類

法的効果……退学・停学・訓告　→校長，学長，学部長
事実行為……訓戒・叱責等　→校長及び教員，学長・学部長

◉学校法施規第26条②の趣旨

事実行為として行われるものを除き，処分として行われる**懲戒**は，校長が行うものであることを明らかにしたものである。(次官通達)

◉児童生徒の指導

児童生徒の指導に当たっては，教師は，児童生徒の生活実態のきめ細かい把握に基づき，児童生徒との間の信頼関係の上に立って指導を行うことが必要であり，いやしくも，学校教育法第11条により禁止されている**体罰**が行われることのないように留意すること。(初中局長通知)

◉出席停止の措置

出席停止の制度は，本人に対する**懲戒**という観点からではなく，学校の**秩序**を維持し，他の児童生徒の義務教育を受ける**権利**を保障する観点から設けられている。なお，出席停止に関する規定が設けられていない市町村がかなりあるので，市町村立学校管理規則等において規定の整備を行うこと。

出席停止の措置は，児童生徒が，**教職員**に対して暴力を振るったり，他の児童生徒に対して**金品の強奪**や**暴力**を行使したり，**騒音**を発生したりして，教育活動の正常な実施が妨げられているような状況にあること等がその要件である。

なお，公立の小学校及び中学校においては，学齢児童生徒に対する懲戒として**退学**及び**停学**の措置をとることが**できない**(学校教育法施行規則第26条)。したがって，実質的に停学に当たる措置は，自宅謹慎・自宅学習等いかなる名称であれ，法令上禁止されている。このような措置は，出席停止の在り方について，十分な理解がなされ，適切な運用が行われることによって解消が図られるべきである。

(初中局長通知)

1．懲　戒

▶**校長**及び**教員**は，［ 1 ］上必要があると認めるときは，文部科学大臣の定めるところにより，児童，生徒及び学生に［ 2 ］を加えることができる。ただし，［ 3 ］を加えることはできない。…学校法第11条

▶**校長**及び**教員**が児童等に［ 4 ］を加えるに当っては，児童等の**心身**の発達に応ずる等［ 5 ］上必要な配慮をしなければならない。…学校法施規第26条①

▶懲戒のうち，**退学**，**停学**及び**訓告**の処分は，［ 6 ］（大学にあっては，学長の委任を受けた学部長を含む。）が行う。…学校法施規第26条②

▶前項の退学は，［ 7 ］の小学校，中学校〔学校教育法第71条の規定により高等学校における教育と一貫した教育を施すもの（以下「併設型中学校」という。）を除く。〕もしくは義務教育学校又は公立の特別支援学校に在学する学齢児童又は学齢生徒を除き，次の各号のいずれかに該当する児童等に対して行うことができる。

1　［ 8 ］で改善の見込がないと認められる者

2　学力劣等で**成業**の見込がないと認められる者

3　正当の理由がなくて出席常でない者

4　学校の**秩序**を乱し，その他学生又は生徒としての本分に反した者…学校法施規第26条③

▶第2項の停学は，**学齢児童**又は**学齢生徒**に対しては，行うことができない。…学校法施規第26条④

2．出席停止

▶［ 9 ］の教育委員会は，次に掲げる行為の一又は二以上を繰り返し行う等［ 10 ］であって他の児童の教育に妨げがあると認める児童があるときは，その［ 11 ］に対して，児童の［ 12 ］を命ずることができる。（略）…学校法第35条（中学校に準用）

▶［ 13 ］は，**感染症**にかかっており，かかっている疑いがあり，又はかかるおそれのある児童生徒等があるときは，政令で定めるところにより，［ 14 ］を停止させることができる。…学校保健安全法第19条

1. 教育
2. 懲戒
3. 体罰
4. 懲戒
5. 教育
6. 校長
7. 市町村立
8. 性行不良
9. 市町村
10. 性行不良
11. 保護者
12. 出席停止
13. 校長
14. 出席

14 法定表簿

主な法定表簿と保存期間

法定表簿	保存期間	根拠法規
指導要録（学籍に関する記録）	20年間	学校法施規第28条②
その他の表簿	5年間	学校法施規第28条②
健康診断票	5年間	学校保健安全法施規第8条④

指導要録のうち「指導に関する記録」は，その他の表簿とされ，保存期間は5年間である。

1. 指導要録
2. 校長
3. 校長
4. 出席簿

1．指導要録

▶校長は，その学校に在学する児童等の［ 1 ］（学校教育法施行令第31条に規定する児童等の学習及び健康の状況を記録した書類の原本をいう。以下同じ。）を作成しなければならない。…学校法施規第24条①

▶校長は，児童等が進学した場合においては，その作成に係る当該児童等の指導要録の**抄本**又は**写し**を作成し，これを進学先の［ 2 ］に送付しなければならない。…学校法施規第24条②

▶校長は，児童等が**転学**した場合においては，その作成に係る当該児童等の指導要録の**写し**を作成し，その**写し**（転学してきた児童等については転学により送付を受けた指導要録（略）の写しを含む。）及び前項の**抄本**又は**写し**を転学先の［ 3 ］，（略）に送付しなければならない。…学校法施規第24条③

2．出席簿

▶校長（学長を除く。）は，当該学校に在学する児童等について［ 4 ］を作成しなければならない。…学校法施規第25条

3．備付表簿

▶学校において備えなければならない表簿は，概ね次のとおりとする。

1　学校に関係のある**法令**

2　学則，**日課表**，教科用図書配当表，学校医執務記録簿，学校歯科医執務記録簿，学校薬剤師執務記録簿及び**学校日誌**

3　職員の**名簿**，履歴書，**出勤簿**並びに担任学級，担任の教科又は科目及び**時間表**

4　[5]，その写し及び抄本並びに**出席簿**及び[6]に関する表簿

5　入学者の**選抜**及び**成績考査**に関する表簿

6　資産原簿，出納簿及び経費の予算決算についての帳簿並びに図書機械器具，標本，模型等の教具の目録

7　往復文書処理簿

…学校法施規第28条①

5. 指導要録
6. 健康診断

4．学校保健関係

▶学校においては，法第13条第1項の[7]を行ったときは，児童生徒等の[8]を作成しなければならない。…学校保健安全法施規第8条①

▶[9]は，児童又は生徒が**進学**した場合においては，その作成に係る当該児童又は生徒の**健康診断票**を**進学先**の校長に送付しなければならない。…学校保健安全法施規第8条②

▶[10]は，児童生徒等が**転学**した場合においては，その作成に係る当該児童生徒等の**健康診断票**を**転学先**の校長，（略）に送付しなければならない。…学校保健安全法施規第8条③

7. 健康診断
8. 健康診断票
9. 校長
10. 校長

5．保存期間

▶前項の表簿（第24条第2項の抄本又は写しを除く。）は，別に定めるもののほか，[11]年間**保存**しなければならない。ただし，指導要録及びその写しのうち入学，卒業等の学籍に関する記録については，その保存期間は，[12]年間とする。…学校法施規第28条②

11. 5
12. 20

15 研修（研究と修養） 重要度 A ／／／

条件付採用期間の特例

対象	初任者研修	条件付採用期間1年
公務員として採用された当初に，小学校等の教諭等になった場合	対象	対象
他の職種の公務員が，小学校等の教諭等になった場合	対象	×
教諭等として，公立又は私立の学校において1年以上勤務した経験を有する者が，小学校等の教諭等になった場合	任命権者の判断で対象外にも	対象
臨時的に任用された小学校等の教諭等	×	×
期限付で任用された小学校等の教諭等	×	対象

1．地方教育行政法

▶**教育委員会**は，当該地方公共団体が処理する［1］に関する事務で，次に掲げるものを管理し，及び執行する。

8　校長，教員その他の教育関係職員の［2］に関すること。…地方教育行政法第21条（抜粋）

2．教育公務員特例法

▶教育公務員は，その［3］を遂行するために，絶えず［4］と［5］に努めなければならない。…特例法第21条①

▶教育公務員には，［6］を受ける機会が与えられなければならない。…特例法第22条①

▶教員は，［7］に支障のない限り，［8］の承認を受けて，勤務場所を離れて［9］を行うことができる。…特例法第22条②

▶教育公務員は，［10］の定めるところにより，**現職**のままで，長期にわたる［11］を受けることができる。…特例法第22条③

1. 教育
2. 研修
3. 職責
4. 研究
5. 修養
6. 研修
7. 授業
8. 本属長
9. 研修
10. 任命権者
11. 研修

3．初任者研修

▶公立の小学校等の教諭等の[12]は，当該教諭等（臨時的に任用された者その他の政令で定める者を除く。）に対して，その採用（現に教諭等の職以外の職に任命されている者を教諭等の職に任命する場合を含む。）の日から[13]の教諭又は保育教諭の職務の遂行に必要な事項に関する実践的な**研修**（次項において「[14]」という。）を実施しなければならない。…特例法第23条①

▶[15]は，[16]を受ける者（次項において「[17]」という。）の所属する学校の副校長，教頭，主幹教諭（養護又は栄養の指導及び管理をつかさどる主幹教諭を除く。），指導教諭，教諭，主幹保育教諭，指導保育教諭，保育教諭又は講師のうちから，**指導教員**を命じるものとする。…特例法第23条②

▶指導教員は，[18]に対して教諭又は保育教諭の職務の遂行に必要な事項について[19]及び**助言**を行うものとする。…特例法第23条③

12. 研修実施者
13. 1年間
14. 初任者研修
15. 指導助言者
16. 初任者研修
17. 初任者
18. 初任者
19. 指導

4．中堅教諭等資質向上研修

▶公立の小学校等の教諭等（臨時的に任用された者その他の政令で定める者を除く。）の研修実施者は，当該教諭等に対して，個々の**能力**，**適性**等に応じて，公立の小学校等における教育に関し相当の経験を有し，その教育活動その他の学校運営の円滑かつ効果的な実施において[20]的な役割を果たすことが期待される中堅教諭等としての職務を遂行する上で必要とされる資質の向上を図るために必要な事項に関する研修（次項において「**中堅教諭等資質向上研修**」という。）を実施しなければならない。…特例法第24条①

▶指導助言者は，**中堅教諭等資質向上研修**を実施するに当たり，**中堅教諭等資質向上研修**を受ける者の能力，適性等について[21]を行い，その結果に基づき，当該者ごとに**中堅教諭等資質向上研修**に関する**計画書**を作成しなければならない。…特例法第24条②

20. 中核
21. 評価

16 食育

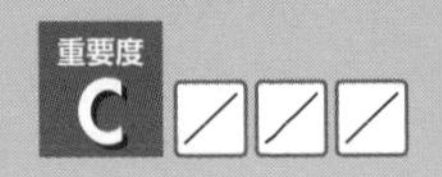

学習指導要領「特別活動」の内容より

〔学級活動〕
日常の生活や学習への適応と自己の成長及び健康安全
○食育の観点を踏まえた学校給食と望ましい食習慣の形成
【小学校】 給食の時間を中心としながら，**健康**によい食事のとり方など，望ましい**食習慣**の形成を図るとともに，食事を通して**人間関係**をよりよくすること。
【中学校】 給食の時間を中心としながら，成長や健康管理を意識するなど，望ましい食習慣の形成を図るとともに，食事を通して人間関係をよりよくすること。

1．食育

▶この法律は，学校給食が児童及び生徒の心身の健全な発達に資するものであり，かつ，児童及び生徒の食に関する正しい**理解**と適切な**判断力**を養う上で重要な役割を果たすものであることにかんがみ，学校給食及び学校給食を活用した食に関する**指導**の実施に関し必要な事項を定め，もって学校給食の普及充実及び学校における［ 1 ］の推進を図ることを目的とする。…学校給食法第１条

▶学校給食を実施するに当たっては，義務教育諸学校における教育の目的を実現するために，次に掲げる目標が達成されるよう努めなければならない。

1　適切な［ 2 ］の摂取による**健康**の**保持増進**を図ること。
2　日常生活における食事について正しい理解を深め，**健全**な**食生活**を営むことができる判断力を培い，及び望ましい［ 3 ］を養うこと。
3　学校生活を豊かにし，明るい［ 4 ］及び**協同の精神**を養うこと。
4　食生活が自然の恩恵の上に成り立つものであることについての理解を深め，**生命**及び**自然**を尊重する精神並びに［ 5 ］の保全に寄与する態度を養うこ

1. 食育
2. 栄養
3. 食習慣
4. 社交性
5. 環境

と。

5　食生活が食にかかわる人々の様々な活動に支えられていることについての理解を深め，**勤労**を重んずる態度を養うこと。

6　我が国や各地域の優れた**伝統的**な食文化についての理解を深めること。

7　食料の生産，［ 6 ］及び消費について，正しい理解に導くこと。 …学校給食法第２条

▶この法律で「学校給食」とは，前条各号に掲げる目標を達成するために，義務教育諸学校において，その児童又は生徒に対し実施される［ 7 ］をいう。…学校給食法第３条①

6. 流通

7. 給食

2．食物アレルギーへの対応

▶学校給食における食物アレルギー対応の基本的な考え方は，全ての児童生徒が**給食時間**を［ 8 ］に，かつ，［ 9 ］過ごせるようにすることである。そのためにも［ 10 ］を最優先し，**組織**的に対応することが不可欠である。学級担任を始め，全教職員は，食物アレルギーを有する児童生徒の**視点**に立って対応するとともに，食物アレルギーや**アナフィラキシー**について正しく理解し，［ 11 ］や［ 12 ］などを行うことが求められる。

8. 安全

9. 楽しんで

10. 安全性

11. リスク管理

12. 緊急対応

児童又は生徒１人１回当たりの学校給食摂取基準（学校給食実施基準第４条別表）

区　分	基　準　値			
	児童（6～7歳）の場合	児童（8～9歳）の場合	児童（10～11歳）の場合	生徒（12～14歳）の場合
エネルギー（Kcal）	530	650	780	830
たんぱく質（%）	学校給食による摂取エネルギー全体の13%～20%			
脂　質（%）	学校給食による摂取エネルギー全体の20%～30%			
ナトリウム（食塩相当量）(g)	1.5未満	2未満	2未満	2.5未満
カルシウム（mg）	290	350	360	450
マグネシウム（mg）	40	50	70	120
鉄　（mg）	2	3	3.5	4.5
ビタミンA（μgRAE）	160	200	240	300
ビタミンB_1（mg）	0.3	0.4	0.5	0.5
ビタミンB_2（mg）	0.4	0.4	0.5	0.6
ビタミンC（mg）	20	25	30	35
食物繊維（g）	4以上	4.5以上	5以上	7以上

17 学校保健

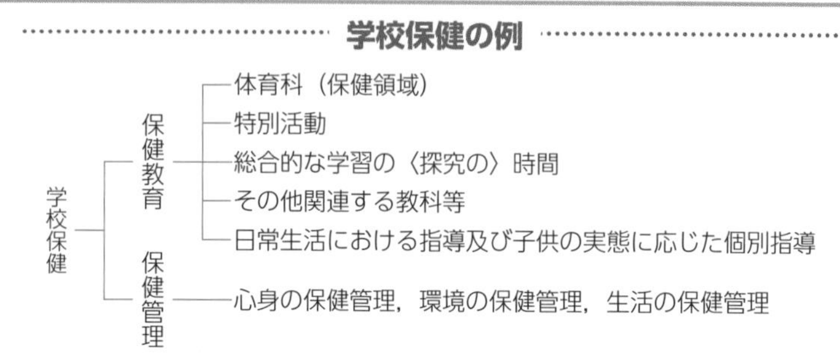

●健康とは，肉体的，精神的及び社会的に完全に良好な状態をいうのであって，単に病気でないとか，からだが虚弱でないというだけではない。(WHO)

1．目　的

▶学校においては，別に法律で定めるところにより，幼児，児童，生徒及び学生並びに職員の**健康の保持増進**を図るため，[　1　]を行い，その他その保健に必要な措置を講じなければならない。…学校法第12条

▶この法律は，学校における児童生徒等及び職員の[　2　]の**保持増進**を図るため，学校における保健管理に関し必要な事項を定めるとともに，学校における教育活動が**安全**な**環境**において実施され，児童生徒等の安全の確保が図られるよう，学校における安全管理に関し必要な事項を定め，もって学校教育の円滑な実施とその成果の確保に資することを目的とする。…学校保健安全法第1条

2．環　境

▶学校においては，児童生徒等及び職員の心身の健康の保持増進を図るため，児童生徒等及び職員の**健康診断**，[　3　]検査，児童生徒等に対する指導その他保健に関する事項について計画を策定し，これを実施しなければならない。…学校保健安全法第5条

1. 健康診断
2. 健康
3. 環境衛生

■教室環境

照　度	教室の下限値300ルクス 黒板面500ルクス以上
等価騒音レベル	（窓閉）LAeq50デシベル以下 （窓開）LAeq55デシベル以下
教室の空気	温度　18℃以上，28℃以下 湿度　30%以上，80%以下 CO_2　1500ppm以下 CO　6ppm以下
机面の高さ	座高×1/3＋下腿長

▶学校の**設置者**は，学校環境衛生基準に照らしてその設置する学校の［ 4 ］な環境の**維持**に努めなければならない。…学校保健安全法第6条②

4. 適切

3．健康診断

▶市（特別区を含む。以下同じ。）町村の教育委員会は，学校教育法第17条第1項の規定により翌学年の初めから同項に規定する学校に就学させるべき者で，当該［ 5 ］の**区域内**に**住所**を有するものの就学に当たって，その［ 6 ］を行わなければならない。…学校保健安全法第11条

5. 市町村
6. 健康診断

▶学校においては，毎学年定期に，児童生徒等（通信による教育を受ける学生を除く。）の［ 7 ］を行わなければならない。…学校保健安全法第13条①

7. 健康診断

▶法第13条第1項の健康診断は，毎学年，［ 8 ］までに行うものとする。（以下略）…学校保健安全法施規第5条①

8. 6月30日

▶学校においては，法第13条第1項の健康診断を行ったときは，［ 9 ］日以内にその結果を幼児，児童又は生徒にあっては当該幼児，児童又は生徒及びその**保護者**〔学校教育法（昭和22年法律第26号）第16条に規定する保護者をいう。〕に，学生にあっては当該学生に通知するとともに，次の各号に定める基準により，法第14条の措置をとらなければならない。（以下略）…学校保健安全法施規第9条①

9. 21

▶学校においては，法第13条第1項の**健康診断**を行ったときは，児童生徒等の［ 10 ］を作成しなければならない。…学校保健安全法施規第8条

10. 健康診断票

▶学校においては，児童生徒等の**心身**の**健康**に関し，

11. 健康相談

[11]を行うものとする。…学校保健安全法第8条

12. 校長
13. 政令
14. 出席
15. 出席
16. 出席停止
17. 校長
18. 2
19. 3

4．感染症による出席停止

▶[12]は，**感染症**にかかっており，かかっている疑いがあり，又はかかるおそれのある児童生徒等があるときは，[13]で定めるところにより，[14]を**停止**させることができる。…学校保健安全法第19条

▶校長は，法第19条の規定により[15]を**停止**させようとするときは，その理由及び期間を明らかにして，幼児，児童又は生徒〔高等学校（中等教育学校の後期課程及び特別支援学校の高等部を含む。以下同じ。）の生徒を除く。〕にあってはその保護者に，高等学校の生徒又は学生にあっては当該生徒又は学生にこれを**指示**しなければならない。…学校保健安全法施令第6条①

▶[16]の期間は，**感染症**の種類等に応じて，文部科学省令で定める基準による。…学校保健安全法施令第6条②

▶[17]は，前条第1項の規定による指示をしたときは，文部科学省令で定めるところにより，その旨を学校の**設置者**に報告しなければならない。…学校保健安全法施令第7条

▶令第6条第2項の出席停止の期間の基準は，前条の感染症の種類に従い，次のとおりとする。

2　第2種の感染症（結核及び髄膜炎菌性髄膜炎を除く。）にかかった者については，次の期間。ただし，病状により学校医その他の医師において感染のおそれがないと認めたときは，この限りでない。

イ　インフルエンザ（特定鳥インフルエンザ及び新型インフルエンザ等感染症を除く。）にあっては，発症した後5日を経過し，かつ，**解熱**した後[18]日（幼児にあっては，3日）を経過するまで。

ロ　百日咳にあっては，特有の咳が消失するまで又は**5日間**の適正な抗菌性物質製剤による治療が終了するまで。

ハ　麻しんにあっては，解熱した後[19]日を経過するまで。

ニ　流行性耳下腺炎にあっては，耳下腺，顎下腺又

は舌下腺の腫脹が発現した後**5日**を経過し，かつ，全身状態が良好になるまで。

ホ　風しんにあっては，発しんが**消失**するまで。

ヘ　水痘にあっては，すべての発しんが**痂皮化**（かひか）するまで。

ト　咽頭結膜熱にあっては，主要症状が消退した後［ 20 ］日を経過するまで。

チ　新型コロナウイルス感染症にあっては，発症した後**5**日を経過し，かつ，症状が軽快した後**1**日を経過するまで。

…学校保健安全法施規第19条第2号

20. 2

5．小学校学習指導要領第6章特別活動

〔学級活動〕（抜粋）

学級や学校での生活をよりよくするための**課題**を見いだし，**解決**するために話し合い，**合意形成**し，**役割**を分担して協力して実践したり，学級での話合いを生かして自己の課題の解決及び**将来**の生き方を描くために意思決定して実践したりすることに，自主的，実践的に取り組むことを通して，第1の目標に掲げる**資質・能力**を育成することを目指す。

⑵　日常の生活や学習への適応と自己の成長及び［ 21 ］

ア）**基本的**な**生活習慣**の形成，イ）よりよい人間関係の形成，ウ）心身ともに［ 22 ］で安全な生活態度の形成，エ）**食育**の観点を踏まえた学校給食と望ましい**食習慣**の形成

21. 健康安全

22. 健康

〔学校行事〕

(3)　［ 23 ］・体育的行事

心身の健全な発達や［ 24 ］の保持増進，事件や事故，災害等から身を守る**安全**な行動や**規律**ある**集団行動**の体得，運動に親しむ態度の育成，**責任感**や**連帯感**の涵養，**体力**の向上などに資するようにすること。

23. 健康安全

24. 健康

18 性同一性障害の支援

学校における支援の事例

服装	自認する性別の制服・衣服や，体操着の着用を認める。
髪型	標準より長い髪形を一定の範囲で認める（戸籍上男性）。
更衣室	保健室・多目的トイレ等の利用を認める。
トイレ	職員トイレ・多目的トイレの利用を認める。
呼称の工夫	校内文書（通知表を含む。）を児童生徒が希望する呼称で記す。 自認する性別として名簿上扱う。
授業	体育又は保健体育において別メニューを設定する。
水泳	上半身が隠れる水着の着用を認める（戸籍上男性）。 補習として別日に実施，又はレポート提出で代替する。
運動部の活動	自認する性別に係る活動への参加を認める。
修学旅行等	1人部屋の使用を認める。入浴時間をずらす。

1．性同一性障害の定義

▶性同一性障害者とは，「[1]的には**性別**が明らかであるにもかかわらず，[2]にはそれとは別の**性別**（以下「他の性別」という。）であるとの[3]な確信を持ち，かつ，自己を[4]及び[5]に他の**性別**に適合させようとする意思を有する者であって，そのことについてその**診断**を的確に行うために必要な知識及び経験を有する**二人以上**の医師の一般に認められている[6]知見に基づき行う**診断**が**一致**しているもの」とされる。

2．性的マイノリティに対する理解と学校の対応

▶当該児童生徒の**支援**は，[7]に取り組むことが重要であり，学校内外の[8]に基づく「支援チーム」をつくり，**ケース会議**などのチーム支援会議を適時開催しながら対応を進めるようにする。

1. 生物学
2. 心理的
3. 持続的
4. 身体的
5. 社会的
6. 医学的
7. 組織的
8. 連携

▶教職員間の[9]に当たっては，児童生徒自身が可能な限り[10]しておきたい場合があることなどに留意する。一方で，学校として効果的な対応を進めるためには，教職員間で情報共有し組織で対応することは欠かせないことから，当事者である児童生徒やその[11]に対し，情報を共有する意図を十分に説明・相談し理解を得る働きかけが必要となる。

▶学校においては，性的マイノリティとされる児童生徒への配慮と，他の児童生徒への配慮との[12]を取りながら支援を進めることが重要である。性的マイノリティとされる児童生徒が求める支援は，当該児童生徒が有する違和感の強弱などに応じて様々である。また，こうした違和感は，[13]に従い減ずることも含めて[14]があり得るものとされているため，学校として，[15]をもたず，その時々の児童生徒の状況などに応じた支援を行うことが必要となる。さらに，他の児童生徒や保護者との情報の共有は，当事者である児童生徒や保護者の意向などを踏まえ，[16]の事情に応じて進める必要がある。

3．性的マイノリティに関する学校外の連携・協働

▶保護者が，その子供の[17]に関する悩みや不安などを受容している場合は，学校と保護者とが緊密に[18]しながら支援を進めることが必要である。保護者が受容していない場合にも，学校における児童生徒の悩みや不安を[19]し問題行動の未然防止などを進めることを目的として，保護者と十分に話し合い，支援を行っていくことが考えられる。

4．医療機関との連携

▶医療機関による診断や助言は学校が[20]を得る重要な機会となるとともに，教職員や他の児童生徒・保護者などに対する[21]のための情報にもなる。

9. 情報共有
10. 秘匿
11. 保護者
12. 均衡
13. 成長
14. 変動
15. 先入観
16. 個別
17. 性同一性
18. 連携
19. 軽減
20. 専門的知見
21. 説明

19 学校安全

◉「いかのおすし」

いか…知らない人についていかない
の……他人の車にのらない
お……おおごえを出す
す……すぐ逃げる
し……何かあったらすぐしらせる

◉危険の予測・危険の回避行動

危険な場所や行為への気づき→「危ないのは何だろう」
これから起こりうる危険の予測→「どんなことが考えられるだろう」
危険な行為は何か→「どうしたら避けることができるだろう」
⬇
身の回りで起こりうる具体例を取り上げた学習
よく考えることを通じて身につける
⬇
危険予測・回避能力

1. 危険
2. 危険
3. 判断

1．学習指導要領

▶けがの**防止**について，**課題**を見付け，その**解決**を目指した活動を通して，次の事項を身に付けることができるよう指導する。

ア　けがの**防止**に関する次の事項を理解するとともに，けがなどの簡単な**手当**をすること。

（ア）交通事故や身の回りの生活の[1]が原因となって起こるけがの防止には，周囲の[2]に気付くこと，的確な[3]の下に安全に行動すること，環境を安全に整えることが必要であること。

…小学校学習指導要領 体育〔第５学年及び第６学年〕保健

▶傷害の防止について，課題を発見し，その解決を目指した活動を通して，次の事項を身に付けることができるよう指導する。

ア　傷害の防止について理解を深めるとともに，応急手当をすること。

（ア）交通事故や自然災害などによる傷害は，**人的要**

因や**環境**要因などが関わって発生すること。

（イ）交通事故などによる傷害の多くは，［ 4 ］な行動，［ 5 ］の改善によって**防止**できること。

（ウ）自然災害による傷害は，災害発生時だけでなく，**二次災害**によっても生じること。また，自然災害による傷害の多くは，**災害**に備えておくこと，安全に［ 6 ］することによって防止できること。

（エ）**応急手当**を適切に行うことによって，傷害の悪化を防止することができること。また，心肺蘇生法などを行うこと。

…中学校学習指導要領 保健体育 保健分野

4. 安全
5. 環境
6. 避難

2. 学校保健安全法

▶この法律は，学校における児童生徒等及び職員の**健康**の保持増進を図るため，学校における保健管理に関し必要な事項を定めるとともに，学校における教育活動が［ 7 ］な環境において実施され，児童生徒等の安全の確保が図られるよう，学校における［ 8 ］に関し必要な事項を定め，もって学校教育の円滑な実施とその成果の確保に資することを目的とする。…学校保健安全法第１条

7. 安全
8. 安全管理

▶学校の**設置者**は，児童生徒等の安全の確保を図るため，その設置する学校において，事故，**加害**行為，災害等（以下この条及び第29条第３項において「事故等」という。）により児童生徒等に生ずる［ 9 ］を防止し，及び事故等により児童生徒等に危険又は危害が現に生じた場合（同条第1項及び第2項において「危険等発生時」という。）において適切に対処することができるよう，当該学校の施設及び設備並びに［ 10 ］体制の整備充実その他の必要な措置を講ずるよう努めるものとする。…学校保健安全法第26条

9. 危険
10. 管理運営

▶学校においては，児童生徒等の［ 11 ］の確保を図るため，当該学校の施設及び設備の**安全点検**，児童生徒等に対する［ 12 ］を含めた学校生活その他の日常生活における［ 13 ］に関する指導，職員の**研修**その他学校における安全に関する事項について［ 14 ］を策定し，これを実施しなければならない。…学校保健安全法第27条

11. 安全
12. 通学
13. 安全
14. 計画

▶学校においては，児童生徒等の［ 15 ］の確保を図る

15. 安全

ため，当該学校の実情に応じて，危険等発生時において当該学校の職員がとるべき措置の具体的内容及び手順を定めた**対処要領**（次項において「危険等発生時対処要領」という。）を作成するものとする。…学校保健安全法第29条①

▶**校長**は，危険等発生時対処要領の職員に対する周知，[16]の実施その他の危険等発生時において職員が適切に対処するために必要な措置を講ずるものとする。…学校保健安全法第29条②

16. 訓練

学校安全の体系

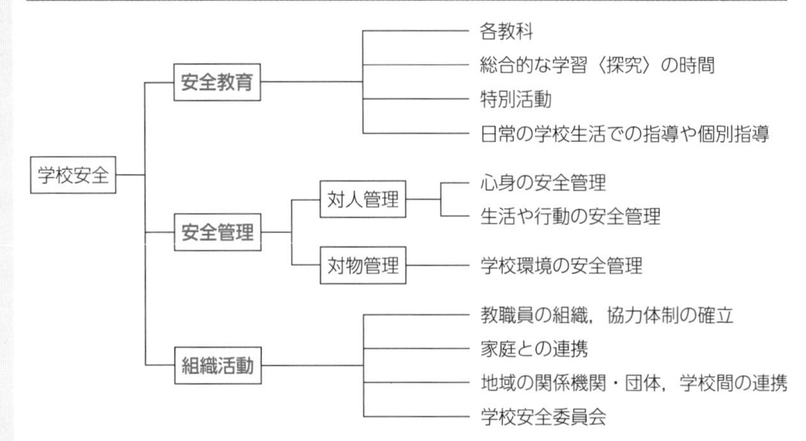

● Reference

■ 小中連携

近年小学校と中学校との連携が多く取り入れられている。

小学校から中学校へ入学する際の授業や部活，生活面の心配などが多い（これら幼稚園から小学校入学でも同様である）。いわゆる小1プロブレム，中1ギャップである。この心配を解消するために，小学校と中学校間で様々な交流が行われている。

例をあげると，中学校教員による小学校への出前授業。体育や音楽のように具体的・専門的な指導を求められたり，英語のように英語教員による専門的な授業や生徒による英会話の実践，その映像等の記録の紹介などがあげられる。

また，小学生を中学校へ招待して，生徒会による学校紹介，学校の校則や標準服，生徒会・委員会活動の紹介，中学校の部活動体験なども行われている。

さらに中学校の授業の内容ややり方を知るために，中学校の先生が小学生相手に特設授業を行うこともある。ある学校では小中学校間でインターネット回線を利用した授業が行われている。

学校における安全教育の３領域及びその主な内容

領域	学校における安全教育の主な内容
生活安全	①学校，家庭，地域等日常生活の様々な場面における危険の理解と安全な行動のしかた ②通学路の危険と安全な登下校のしかた ③事故発生時の通報と心肺蘇生法などの応急手当 ④誘拐や傷害などの犯罪に対する適切な行動のしかたなど，学校や地域社会での犯罪被害の防止 ⑤スマートフォンやＳＮＳの普及に伴うインターネットの利用による犯罪被害の防止と適切な利用のしかた ⑥消防署や警察署など関係機関の働き
交通安全	①道路の歩行や道路横断時の危険の理解と安全な行動のしかた ②踏切での危険の理解と安全な行動のしかた ③交通機関利用時の安全な行動 ④自転車の点検・整備と正しい乗り方 ⑤二輪車の特性の理解と安全な利用 ⑥自動車の特性の理解と自動車乗車時の安全な行動のしかた ⑦交通法規の正しい理解と遵守 ⑧自転車利用時も含めた運転者の義務と責任についての理解 ⑨幼児，高齢者，障害のある人，傷病者等の交通安全に対する理解と配慮 ⑩安全な交通社会づくりの重要性の理解と積極的な参加・協力 ⑪車の自動運転化に伴う課題（運転者の責任），運転中のスマートフォン使用の危険等の理解と安全な行動のしかた ⑫消防署や警察署など関係機関の働き
災害安全	①火災発生時における危険の理解と安全な行動のしかた ②地震・津波発生時における危険の理解と安全な行動のしかた ③火山活動による災害発生時の危険の理解と安全な行動のしかた ④風水（雪）害，落雷等の気象災害及び土砂災害発生時における危険の理解と安全な行動のしかた ⑤放射線の理解と原子力災害発生時の安全な行動のしかた ⑥避難場所の役割についての理解 ⑦災害に関する情報の活用や災害に対する備えについての理解 ⑧地域の防災活動の理解と積極的な参加・協力 ⑨災害時における心のケア ⑩災害弱者や海外からの来訪者に対する配慮 ⑪防災情報の発信や避難体制の確保など，行政の働き ⑫消防署など関係機関の働き

［「生きる力」をはぐくむ学校での安全教育］文部科学省（2019年）

20 生涯学習へ向けたあゆみ

生涯教育の概略

⦿学習の可能性追求（生涯学習）と学習の環境整備（生涯教育）

〔国　外〕	〔国　内〕
1965（昭和40）年　ラングラン 「生涯教育」論を提案	
	1971（昭和46）年　社会教育審議会 「生涯教育」を答申に含める
1972(昭和47）年　フォール・レポート 「学習社会」論を提案	
1973（昭和48）年　OECD 「リカレント教育」を発表	
	1981（昭和56）年　中央教育審議会 「生涯教育について」答申
	1986（昭和61）年　臨時教育審議会 「生涯学習体系への移行」を提唱
	1988（昭和63）年　文部省機構改革 「社会教育局」を廃し「生涯学習局」を新設
	1990（平成2）年　中央教育審議会 「生涯学習の基盤整備について」答申 「生涯学習の振興のための施策の推進体制等の整備に関する法律」公布 …生涯学習審議会設置を規定
	1999（平成11）年　生涯学習審議会 「学習の成果を幅広く生かす」答申
	2000（平成12）年　生涯学習審議会 「新しい情報通信技術を活用した生涯学習の推進方策について」答申

●Reference

■**生存権（憲法第25条①）**

すべて国民は，**健康**で**文化的**な**最低限度**の生活を営む権利を有する。

■**教育を受ける権利（憲法第26条①）**

すべて国民は，法律の定めるところにより，その**能力**に応じて，ひとしく**教育**を受ける権利を有する。

■**生涯学習の理念（教基法第3条）**

国民一人一人が，自己の**人格**を磨き，豊かな**人生**を送ることができるよう，その生涯にわたって，あらゆる機会に，あらゆる場所において学習することができ，その成果を適切に生かすことのできる社会の実現が図られなければならない。

■ **社会教育（教基法第12条①）**

個人の要望や社会の要請にこたえ，社会において行われる教育は，**国及び地方公共団体**によって**奨励**されなければならない。

■ **社会教育（教基法第12条②）**

国及び地方公共団体は，図書館，博物館，公民館その他の社会教育施設の設置，**学校の施設の利用**，学習の機会及び情報の提供その他の適当な方法によって社会教育の振興に努めなければならない。

■ **目的（社教法第1条）**

この法律は，教育基本法（平成18年法律第120号）の精神に則り，社会教育に関する国及び地方公共団体の任務を明らかにすることを目的とする。

■ **国及び地方公共団体の任務（社教法第3条①）**

国及び地方公共団体は，この法律及び他の法令の定めるところにより，社会教育の奨励に必要な**施設の設置**及び運営，集会の開催，資料の作製，頒布その他の方法により，すべての国民があらゆる**機会**，あらゆる**場所**を利用して，自ら実際生活に即する文化的教養を高め得るような**環境**を**醸成**するように努めなければならない。

●Reference

1．生涯学習推進体制の整備

▶この法律は，国民が［ 1 ］にわたって［ 2 ］する機会が［ 3 ］求められている状況にかんがみ，**生涯学習**の**振興**に資するための都道府県の事業に関しその推進体制の整備その他の必要な事項を定め，及び特定の地区において**生涯学習**に係る機会の［ 4 ］な提供を促進するための措置について定めるとともに，都道府県生涯学習審議会の事務について定める等の措置を講ずることにより，**生涯学習の振興**のための施策の推進体制及び地域における生涯学習に係る機会の整備を図り，もって**生涯学習**の**振興**に寄与することを目的とする。…生涯学習振興法第1条

▶放送大学学園は，大学を設置し，当該大学において，**放送**による**授業**を行うとともに，［ 5 ］の身近な場所において［ 6 ］等を行うことを目的とする学校法人〔私立学校法（昭和24年法律第270号）第3条に規定する学校法人をいう。〕とする。…放送大学学園法第3条

1. 生涯
2. 学習
3. あまねく
4. 総合的
5. 全国各地の学習者
6. 面接による授業

2. 中央教育審議会答申「生涯教育について」(抜粋)

(1981年)

【我が国における生涯教育の意義】

7. 資質・能力

▶教育は，人間がその**生涯**を通じて[7]を伸ばし，**主体**的な**成長**・**発達**を続けていく上で重要な役割を担っている。

8. 自発的意思

▶人々は，自己の**充実**・**啓発**や生活の**向上**のため，適切かつ豊かな学習の機会を求めている。これらの学習は，各人が[8]に基づいて行うことを基本とするものであり，必要に応じ，自己に適した手段・方法は，これを自ら選んで，**生涯**を通じて行うものである。その意味では，これを[9]と呼ぶのがふさわしい。

9. 生涯学習

【我が国の生涯教育に関する状況と今後の課題】

(1) 教育機能の領域別の課題

10. 教育機能
11. 学校教育

ア 家庭の[10]の充実

イ [11]の**弾力化**と成人に対する**開放**

ウ **社会教育**の振興

【成人するまでの教育】

12. 自己の形成

▶子供の成長過程に応じ，心身ともに豊かな発達を促し，生涯にわたり[12]を進めるための意欲と能力を育て，一人一人の子供が社会人として**自立**していくことを目指すことが，この時期の教育の眼目である。

13. 知・徳・体

▶乳児期から幼少年期にかけての家庭教育は，子供の基本的な**性格**を**形成**する上で重要な意義を持つ。特にこの時期には，子供の[13]の調和のとれた全人的な発達を促すことが大切である。このためには，子供の成長・発達の過程，殊にその**依存**と**自立**の過程における親のかかわり方が重要であり，子供がそれぞれの時期において獲得していかなければならない[14]を確実に身につけていくことができるように，親が子供に働きかけ，これを助けていくことが重要である。

14. 発達課題

▶中学校や高等学校においては，生徒が正しい**勤労観**や**職業観**を身につけ，将来社会人としてあるいは職業人として，よりよい生き方を見いだし，自らその**進路**を**選択**することができるようにすることが重要である。

▶学校や父母に対しても，子供の**進路**の**選択**に関し適切な指導・助言ができるよう**進学**上，**職業**上の広い知識・情報が与えられるようにするとともに，**進路指導**に関し，学校，家庭，社会の間の[15]を一層強化することが大切である。

15. 連携・協力

▶青少年に対する社会教育にあっては，自由な学習や各種のスポーツ活動，芸術文化活動あるいは団体活動などのために多様な**教育機会**がより豊富に準備されなければならない。

▶青少年に**奉仕活動**などの場を与え，社会的な役割を果たすことの意義を体験的に理解させ，それを通じて**地域社会**に対する関心，[16]を高めるべきである。

16. 愛着

【成人期の教育】

▶成人の[17]の**多様化**，**高度化**あるいはその学習上の時間的・経済的制約に対応して，なお吟味・改善の余地があり，今後，生涯教育の推進の観点から，これらの教育機能相互の連携・協力や**地域社会**との関連性も重視しつつ，その整備・充実を図ることが肝要である。

17. 学習要求

【高齢期の教育】

▶高齢化社会を迎えて，高齢者の学習要求を画一的な枠組みの中でとらえず，各人の**能力**や**健康・体力**，**社会経験**の違いなども十分考慮し，**選択**可能な多様な**学習機会**を用意することが大切である。

▶人間がその生涯を通じて，科学，芸術，宗教など[18]とかかわる根源的な諸問題を学習・探究し，自己自身を深めることによって**価値**ある**生涯**を送ることにこそ**生涯学習**の意義があり，このような学習を可能にすることが[19]の理想とするところである。

18. 人生

19. 生涯教育

●Reference

■新しい情報通信技術を活用した生涯学習の推進方策について（抜粋）

（生涯学習審議会答申2000.11.28）

今後，生涯学習における情報化を推進していくためには，生涯学習関連施設はもとより，それぞれの生涯学習に関するグループ，団体，サークルなどが**情報化**に対応できるように，**情報リテラシー**を身につけた地域の学生や生徒などの**情報ボランティア**や大学，（略）などの人材を活用し，助言を受けたり，**情報リテラシー**を身につけるための学習機会を設けることなどが必要です。特に，心身の成長発達の過程にある子どもに対しては，調和のとれた人格形成を促すため，豊かな感性や道徳心などを身につけさせるための生活体験・自然体験を与えることなどについて十分に注意することが必要です。

21 令和の日本型学校教育

令和の日本型教育　4本の柱

①教育振興基本計画の理念（自立・協働・創造）の継承
②働き方改革の推進
③GIGAスクール構想の実現
④新学習指導要領の着実な実施

1．個別最適な学び

▶全ての子供に**基礎**的・基本的な知識・技能を確実に習得させ，［ 1 ］・［ 2 ］・**表現力**等や，自ら学習を［ 3 ］しながら粘り強く学習に取り組む態度等を育成するためには，教師が**支援**の必要な子供により**重点**的な指導を行うことなどで効果的な指導を実現することや，子供一人一人の特性や［ 4 ］，学習到達度等に応じ，指導方法・**教材**や**学習時間**等の柔軟な提供・設定を行うことなどの「指導の［ 5 ］」が必要である。

▶基礎的・基本的な知識・技能等や，言語能力，［ 6 ］，**問題発見・解決能力**等の学習の基盤となる資質・能力等を土台として，幼児期からの様々な場を通じての［ 7 ］から得た子供の興味・関心・［ 8 ］の方向性等に応じ，探究において課題の設定，**情報の収集**，整理・分析，まとめ・表現を行う等，教師が子供一人一人に応じた学習活動や**学習課題**に取り組む機会を提供することで，子供自身が学習が最適となるよう調整する「学習の［ 9 ］」も必要である。

▶以上の「指導の**個別化**」と「学習の**個性化**」を［ 10 ］から整理した概念が「**個に応じた指導**」であり，この「**個に応じた指導**」を**学習者視点**から整理した概念が「［ 11 ］」である。

▶［ 12 ］の活用により，［ 13 ］（**スタディ・ログ**）や生徒指導上の**データ**，健康診断情報等を蓄積・分析・利活用することや，教師の**負担**を軽減することが重要であ

1. 思考力
2. 判断力
3. 調整
4. 学習進度
5. 個別化
6. 情報活用能力
7. 体験活動
8. キャリア形成
9. 個性化
10. 教師視点
11. 個別最適な学び
12. ICT
13. 学習履歴

る。また，データの取扱いに関し，配慮すべき事項等を含めて専門的な検討を進めていく。

2．協働的な学び

▶集団の中で[14]が埋没してしまうことがないよう，「主体的・[15]で深い学び」の実現に向けた**授業改善**につなげ，子供一人一人のよい点や[16]を生かすことで，異なる考え方が組み合わさり，よりよい学びを生み出していくようにする。

▶人間同士の[17]な関係づくりは社会を形成していく上で不可欠であり，[18]を**一体**的に育むためには，教師と子供の関わり合いや子供同士の関わり合い，自分の感覚や行為を通して理解する実習・実験，**地域社会**での[19]，専門家との[20]など，様々な場面で**リアル**な体験を通じて学ぶことの重要性が，**AI技術**が高度に発達する[21]時代にこそ一層高まるものである。

3．ICT環境整備の在り方

▶[22]により配備される１人１台の端末は，シンプルかつ安価なものであり，この端末からネットワークを通じて**クラウド**にアクセスし，**クラウド**上のデータ，各種サービスを活用することを前提としている。このため，学校内のみならず[23]とつなぐネットワークが[24]であること，地方公共団体等の学校の設置者が整備する**教育情報セキュリティポリシー**等において，**クラウド**の活用を禁止せず，必要な[25]を講じた上でその活用を進めることが必要である。

▶[26]・教材等の普及促進や，**学習履歴**（[27]）や学校健康診断情報等の**教育データ**を蓄積・分析・利活用できる環境の整備，ICTを活用した学びを充実するための[28]の確保，ICTで校務を**効率化**することによる学校の[29]の実現などが重要である。

4．チーム学校

▶チーム学校は「[30]のリーダーシップの下，カリキュラム，日々の教育活動，学校の資源が一体的に**マネジメント**され，教職員や学校内の多様な人材が，それぞ

14. 個
15. 対話的
16. 可能性
17. リアル
18. 知・徳・体
19. 体験活動
20. 交流
21. Society5.0
22. GIGAスクール構想
23. 学校外
24. 高速大容量
25. セキュリティ対策
26. デジタル教科書
27. スタディ・ログ
28. ICT人材
29. 働き方改革
30. 校長

れの専門性を生かして能力を発揮し，子供たちに必要な資質・能力を確実に身に付けさせることができる学校」と定義される。

5．学校における働き方改革と子供，家庭，地域社会

▶学校における働き方改革を進めるに当たっては，「**社会に開かれた教育課程**」の理念も踏まえ，家庭や地域の人々とともに子供を［ 31 ］という視点に立ち，地域と学校の［ 32 ］の下，幅広い地域住民等（多様な専門人材，高齢者，若者，PTA・青少年団体，企業・NPO等）とともに，地域全体で子供たちの成長を支え，地域を［ 33 ］する活動（**地域学校協働活動**）を進めながら，学校内外を通じた子供の生活の充実や活性化を図ることが大切である。

▶学校における「［ 34 ］」を実現し，教員の負担の軽減を図りつつ生徒指導の充実を図ることは，「令和の日本型学校教育」を支えるための重要な要件といえる。

31. 育てていく
32. 連携・協働
33. 創生
34. 働き方改革

6．「新たな教師の学びの姿」の実現

▶高度な**専門職**である教師は，自己の崇高な使命を深く自覚し，絶えず**研究と修養**に励み，その職責の遂行に努める［ 35 ］を負っており，［ 36 ］であることが社会からも期待されている。

▶「新たな教師の学びの姿」

＊変化を前向きに受け止め，［ 37 ］を持ちつつ自律的に学ぶという「**主体的**な姿勢」

＊求められる知識技能が変わっていくことを意識した「［ 38 ］な学び」

＊新たな領域の［ 39 ］を身に付けるなど強みを伸ばすための，一人一人の教師の個性に即した「**個別最適**な学び」

＊他者との対話や振り返りの機会を確保した「［ 40 ］な学び」

35. 義務
36. 学び続ける存在
37. 探究心
38. 継続的
39. 専門性
40. 協働的

7．日本社会に根差したウェルビーイング

▶ウェルビーイングとは身体的・精神的・［ 41 ］に良い状態にあることをいい，**短期的**な幸福のみならず，生

41. 社会的

きがいや人生の意義など将来にわたる[42]を含むものである。また，個人のみならず，個人を取り巻く場や地域，社会が持続的に良い状態であることを含む包括的な概念である。

▶日本社会に根差したウェルビーイングの要素として，「幸福感(現在と将来，自分と周りの他者)」「学校や地域でのつながり」「協働性」「**利他性**」「多様性への理解」「サポートを受けられる環境」「社会貢献意識」「**自己肯定感**」「自己実現(達成感，キャリア意識など)」「心身の健康」「安全・安心な環境」などが挙げられる。

▶ウェルビーイングと**学力**は[43]に捉えるのではなく，個人のウェルビーイングを支える要素として学力や**学習環境**，家庭環境，地域とのつながりなどがあり，それらの環境整備のための施策を講じていくという視点が重要である。また，[44]スキルやいわゆる[45]を育成する視点も重要である。

42. 持続的な幸福

43. 対立的

44. 社会情動的

45. 非認知能力

7．生徒指導の２軸３類４層構造（生徒指導提要より）

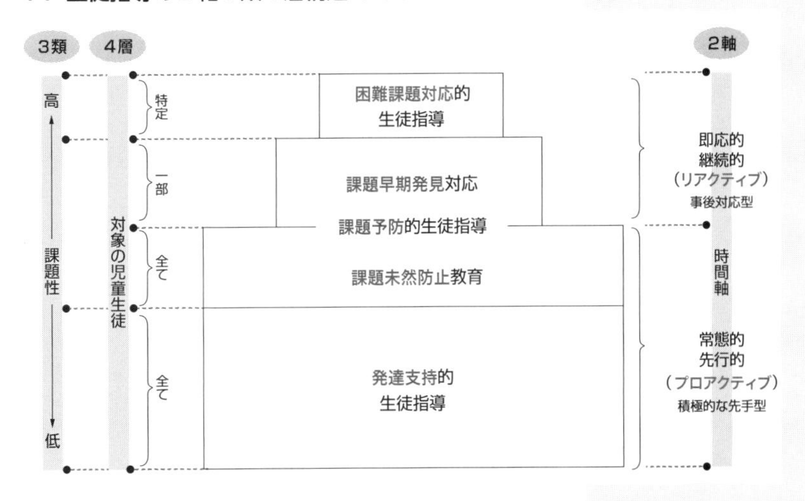

22 社会教育の定義と目的

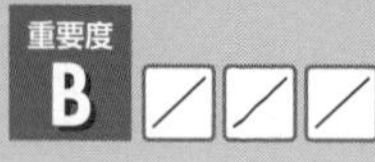

社会教育講座

講座名	対象	講座内容	開設場所
文化講座	成　人	一般的教養	大　学 高等専門学校 高等学校
専門講座		専門的学術知識	
夏期講座		〈夏期休暇中〉 一般的教養 専門的学術知識	
社会学級講座		一般的教養	小学校・中学校

1. 個人
2. 社会
3. 社会
4. 奨励
5. 公民館
6. 学校
7. 社会教育
8. 社会教育
9. 学校
10. 社会教育
11. 公共

1. 教育基本法・学校教育法

▶［ 1 ］の要望や［ 2 ］の要請にこたえ，［ 3 ］において行われる教育は，**国及び地方公共団体**によって［ 4 ］されなければならない。…教基法第12条①

▶国及び地方公共団体は，**図書館**，**博物館**，［ 5 ］その他の社会教育施設の設置，［ 6 ］の施設の利用，学習の機会及び情報の提供その他の適当な方法によって［ 7 ］の**振興**に努めなければならない。…教基法第12条②

▶学校教育上支障のない限り，学校には，［ 8 ］に関する施設を**附置**し，又は［ 9 ］の施設を［ 10 ］その他［ 11 ］のために，**利用**させることができる。…学校法第137条

12. 国
13. 地方公共団体

2. 社会教育法

▶この法律は，教育基本法（平成18年法律第120号）の精神に則り，**社会教育**に関する［ 12 ］及び［ 13 ］の任務を明らかにすることを目的とする。…社教法第1条

14. 教育課程
15. 青少年
16. 成人

▶この法律において「社会教育」とは，学校教育法（昭和22年法律第26号）又は**就学**前の子どもに関する教育，保育等の総合的な提供の推進に関する法律（平成18年法律第77号）に基づき，学校の［ 14 ］として行われる教育活動を除き，主として［ 15 ］及び［ 16 ］に対し

て行われる[17]な教育活動（体育及びレクリエーションの活動を含む。）をいう。…社教法第２条

▶**国**及び**地方公共団体**は，この法律及び他の法令の定めるところにより，社会教育の奨励に必要な施設の**設置**及び**運営**，集会の開催，資料の作製，頒布その他の方法により，すべての国民があらゆる[18]，あらゆる[19]を利用して，自ら[20]に即する**文化的教養**を高め得るような[21]を醸成するように努めなければならない。…社教法第３条①

▶国及び地方公共団体は，第１項の任務を行うに当たっては，[22]が[23]及び[24]との密接な関連性を有することにかんがみ，[25]との連携の確保に努め，及び[26]の向上に資することとなるよう必要な配慮をするとともに，学校，家庭及び地域住民その他の関係者相互間の**連携**及び**協力**の促進に資することとなるよう努めるものとする。…社教法第３条③

▶都道府県及び市町村の[27]の[28]に，[29]を置く。…社教法第９条の２①

▶都道府県及び市町村の[30]の事務局に，[31]を置くことができる。…社教法第９条の２②

▶[32]は，社会教育を行う者に**専門**的**技術**的な[33]と[34]を与える。ただし，[35]及び[36]をしてはならない。…社教法第９条の３①

17. 組織的
18. 機会
19. 場所
20. 実際生活
21. 環境
22. 社会教育
23. 学校教育
24. 家庭教育
25. 学校教育
26. 家庭教育
27. 教育委員会
28. 事務局
29. 社会教育主事
30. 教育委員会
31. 社会教育主事補
32. 社会教育主事
33. 助言　**34.** 指導
35. 命令　**36.** 監督

●Reference

■社会教育主事の定数

最低限度として，各都道府県教育委員会事務局に７名，各地方出張所に１名

（社教局長通達 1951.8.9）

■社会教育主事補の採用等について

教育長の推薦によって教育委員会が任命する。

社会教育主事補は特例法２条４項に規定されている専門的教育職員ではない。

（社教局長回答 1959.6.20）

▶この法律で「社会教育関係団体」とは，[37]であると否とを問わず，[38]の支配に属しない団体で[39]に関する事業を行うことを主たる目的とするものをいう。…社教法第10条

▶都道府県及び市町村に[40]を置くことができる。…社教法第15条①

37. 法人
38. 公
39. 社会教育
40. 社会教育委員

41. 教育委員会
42. 意見
43. 公民館
44. 学術
45. 文化
46. 社会福祉
47. 寄与
48. 市町村
49. 施設
50. 利用
51. 管理機関
52. 学校施設
53. 学校の長
54. 国立学校
55. 一般的教養
56. 専門的学術知識
57. 夏期休暇
58. 一般的教養
59. 専門的学術知識
60. 大学
61. 高等専門学校
62. 高等学校
63. 一般的教養
64. 小学校
65. 中学校
66. 義務教育学校

▶社会教育委員は，[41]の会議に出席して**社会教育**に関し[42]を述べることができる。…社教法第17条②

▶[43]は，市町村その他一定区域内の住民のために，実際生活に即する教育，[44]及び[45]に関する各種の事業を行い，もって住民の**教養の向上**，**健康の増進**，**情操の純化**を図り，**生活文化の振興**，[46]の増進に[47]することを目的とする。…社教法第20条

▶**公民館**は，[48]が設置する。…社教法第21条①

▶学校（国立学校又は公立学校をいう。以下この章において同じ。）の管理機関は，学校教育上支障がないと認める限り，その管理する学校の[49]を社会教育のために[50]に供するように努めなければならない。…社教法第44条①

▶社会教育のために学校の施設を利用しようとする者は，当該学校の[51]の**許可**を受けなければならない。…社教法第45条①

▶前項の規定により，学校の**管理機関**が[52]の利用を許可しようとするときは，あらかじめ，[53]の意見を聞かなければならない。…社教法第45条②

▶文部科学大臣は[54]に対し，地方公共団体の長は当該地方公共団体が設置する大学若しくは幼保連携型認定こども園又は当該地方公共団体が設立する公立大学法人が設置する公立学校に対し，（略）その教育組織及び学校の施設の状況に応じ，文化講座，専門講座，夏期講座，社会学級講座等**学校施設**の利用による**社会教育**のための**講座**の開設を求めることができる。…社教法第48条①

▶**文化講座**は，成人の[55]に関し，**専門講座**は，成人の[56]に関し，夏期講座は，[57]中，成人の[58]又は[59]に関し，それぞれ[60]，[61]又は[62]において開設する。…社教法第48条②

▶**社会学級講座**は，成人の[63]に関し，[64]，[65]又は[66]において開設する。…社教法第48条③

2 教育法規

1 日本国憲法

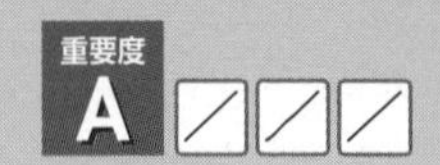

原則と義務

日本国憲法の３大原則	国民の３大義務
○基本的人権の尊重	○普通教育を受けさせる義務（第26条）
○平和主義（戦争の放棄）	○勤労の義務（第27条）
○国民主権（主権在民）	○納税の義務（第30条）

1. 平等
2. 差別

▶すべて国民は，法の下に［ 1 ］であって，人種，信条，性別，社会的身分又は門地により，政治的，経済的又は**社会的**関係において，［ 2 ］されない。

…憲法第14条①

3. 公務員

▶何人も，［ 3 ］の**不法行為**により，損害を受けたときは，法律の定めるところにより，国又は**公共団体**に，その賠償を求めることができる。…憲法第17条

● Reference

■ **クラブ活動に伴う事故**

公立学校の生徒に対する正規の**教育活動**実施に際する**注意義務**違背についても，国賠法１条の適用によって市側に賠償責任が存する。

（熊本地判1970.7.20）

■ **学校行事に伴う事故**

学校の教育活動の一環として実施された**修学旅行**中に生じた事故には国賠法が適用される。（神戸地判1974.5.23）

■ **体罰に基づく生徒被害**

国公立学校において，教師が非行ある生徒に対し，学内の秩序を維持し，且つ教育目的の達成のための生徒指導の方法として**懲戒**をなすことは，国賠法１条の公権力の発動であるが，それは国又は公共団体に限られ，**行為者**としての教師は**直接責任**を負わないと解する。（福岡地飯塚支判1970.8.12）

4. 自由

▶学問の［ 4 ］は，これを保障する。…憲法第23条

● Reference

■ **学習指導要領と高校教師の教育の自由**

国が教育の一定水準を維持しつつ，高校教育の目的達成に資するために，高校教育の内容及び方法について遵守すべき基準を定立する必要があり，特に法規によって基準が定立されている事柄については，教育の**具体的内容**及び**方法**につき，高校教師に認められるべき**裁量**にもおのずから**制約**が存する。

(最判2020.1.18 伝習館訴訟)

■教科書使用義務と学問の自由・教育を受ける権利

学校法21条1項の教科書使用義務は教師の教育活動における創意，工夫，自主性の要請を阻害する虞れはなく，(旧) 教基法10条1項の教育への不当な支配となり得ず，憲法23条の**学問の自由**，26条の**教育を受ける権利**を侵害するとは言えないので，原告の教科書使用義務がないとの主張は採用できない。

(最判2020.1.18 伝習館訴訟)

※条数は旧法のもの。学校法21条は34条に，教基法の10条は16条に，それぞれ相当する。

● Reference

▶すべて国民は，健康で[5]的な[6]の生活を営む**権利**を有する。…憲法第25条①

▶すべて国民は，法律の定めるところにより，その能力に応じて，ひとしく[7]を受ける**権利**を有する。…憲法第26条①

▶すべて国民は，法律の定めるところにより，その保護する子女に[8]を受けさせる**義務**を負う。義務教育は，これを**無償**とする。…憲法第26条②

5. 文化
6. 最低限度
7. 教育
8. 普通教育

■憲法第26条第2項後段の解釈について

国が義務教育を提供するさい有償としないこと，つまり保護者に対し子女の普通教育の**対価**を徴収しないことを定めたものであり，教育提供に対する対価とは授業料を意味するものと認められるから，同条文の無償とは**授業料不徴収**の意味と解すべきである。

(最大判1964.2.26)

● Reference

▶[9]は，これを**酷使**してはならない。…憲法第27条③

▶[10]の団結する権利及び**団体交渉**その他の団体行動をする権利は，これを保障する。…憲法第28条

9. 児童
10. 勤労者

■教育公務員の争議権と教育を受ける権利

教職員の**争議行為**を禁止しても，なお他の方法により教職員の適正な勤務条件が確保されているならば，教職員の**争議行為**を禁止して，民主主義の必要的要件であり生存権の文化的内容をなす教育の平等を制度的に保障し，憲法を貫く法のもとの平等の思想の教育面における発現である国民の教育を受ける権利を保障することが国民全体の利益に合致する。

(東京地判1962.4.18)

● Reference

2 教　育　権

教育権

子供（子女）……教育を受ける権利
親（保護者）……教育を受けさせる義務

日本国憲法第26条 ― 教育基本法 ― 教育関係法規
日本国憲法第26条 ― 民法，児童福祉法，少年法など
日本国憲法第26条 ― 世界人権宣言，国際人権規約などと国際条約

1. 教育
2. 権利
3. 義務
4. 普通教育
5. 義務
6. 親権
7. 児童の権利に関する条約
8. すべて人
9. 児童
10. 教育

▶すべて国民は，法律の定めるところにより，その**能力**に応じて，ひとしく[1]を受ける[2]を有する。…憲法第26条①

▶すべて国民は，法律の定めるところにより，その保護する子女に**普通教育**を受けさせる[3]を負う。(以下略) …憲法第26条②

▶国民は，その保護する子に，別に法律で定めるところにより，[4]を受けさせる[5]を負う。…教基法第5条①

▶[6]を行う者は，子の利益のために子の**監護**及び**教育**をする権利を有し，義務を負う。…民法第820条

▶全て児童は，[7]の精神にのっとり，適切に養育されること，その生活を保障されること，愛され，保護されること，その心身の健やかな**成長**及び**発達**並びにその**自立**が図られることその他の**福祉**を等しく保障される権利を有する。…児童福祉法第1条①

▶[8]は，**教育**を受ける権利を有する。(以下略) …世界人権宣言第26条①

▶[9]は，**教育**を受ける権利を有する。(以下略) …児童権利宣言第7条

▶この規約の締約国は，[10]についてのすべての者

の権利を認める。(以下略) …経済的，社会的及び文化的権利に関する国際規約（A規約）第13条①

▶締約国は，教育についての児童の権利を認めるものとし，この権利を漸進的にかつ**機会の平等**を基礎として達成するため，特に，

(a) [11]を義務的なものとし，すべての者に対して[12]のものとする。

(b) 種々の形態の[13]（一般教育及び職業教育を含む。）の発展を奨励し，すべての児童に対し，これらの**中等教育**が利用可能であり，かつ，これらを利用する機会が与えられるものとし，例えば，**無償教育**の導入，必要な場合における**財政的援助**の提供のような適当な措置をとる。(以下略) …児童の権利に関する条約第28条①

▶全てのこどもについて，**個人**として尊重され，その[14]が保障されるとともに，**差別的取扱い**を受けることがないようにすること。…こども基本法第3条第1号

▶全てのこどもについて，適切に[15]されること，その生活を**保障**されること，愛され**保護**されること，その健やかな成長及び発達並びにその[16]が図られることその他の**福祉**に係る権利が等しく保障されるとともに，[17]の精神にのっとり**教育**を受ける機会が等しく与えられること。…こども基本法第3条第2号

11. 初等教育
12. 無償
13. 中等教育
14. 基本的人権
15. 養育
16. 自立
17. 教育基本法

3 教育基本法-前文と構成

教育基本法改正の歩み

年	主な出来事
1947	教育基本法が制定される
1948	教育勅語が失効する
1984	中曽根首相が臨時教育審議会を発足させる
2000	森首相の教育改革国民会議が教育基本法見直しが必要であるとする最終報告を提出する
2001	文科相が中央教育審議会に諮問する
2003	中央教育審議会が「新しい時代にふさわしい教育基本法と教育振興基本計画の在り方について」を答申
2006	小泉首相が改正教育基本法を国会に提出する
	11月衆議院で可決する
	12月参議院で可決する
	12月22日施行する

教育基本法の構成

日本国憲法（第26条）
①教育を受ける権利
②義務教育
　義務教育の無償

世界人権宣言（第26条）
　①教育を受ける権利
児童権利宣言（第7条）
　教育を受ける権利
国際人権規約＜A規約＞
（第13条）
　①教育を受ける権利

前　文
第1章　教育の目的及び理念
　（第1条～第4条）
第2章　教育の実施に関する基本
　（第5条～第15条）
第3章　教育行政
　（第16条・第17条）
第4章　法令の制定
　（第18条）
附　則

関連法規

※教育関係の法規としては最も重要な法規である。日本国憲法や人権宣言等を受けて学校教育法，社会教育法等の関連法規が制定施行されているが，いずれも日本国憲法や教育基本法の趣旨に逸脱してはならない。

1．前　文

▶我々日本国民は，たゆまぬ努力によって築いてきた[1]で[2]な国家を更に発展させるとともに，世界の[3]と人類の[4]の向上に貢献することを願うものである。

我々は，この理想を実現するため，個人の[5]を重んじ，[6]と[7]を希求し，[8]を尊び，豊かな[9]と[10]を備えた人間の育成を期するとともに，[11]を継承し，新しい文化の[12]を目指す教育を推進する。

ここに，我々は，[13]の精神にのっとり，我が国の[14]を切り拓く教育の基本を確立し，その[15]を図るため，この法律を制定する。

1. 民主的
2. 文化的
3. 平和　**4.** 福祉
5. 尊厳
6. 真理　**7.** 正義
8. 公共の精神
9. 人間性
10. 創造性
11. 伝統　**12.** 創造
13. 日本国憲法
14. 未来　**15.** 振興

● Reference

■教育に関する国際条約・宣言

学習指導要領をはじめ日本の教育政策の基本原則に「**国際化**」があるが，教育に関する主な国際的な取り決めには，以下のようなものがある。

年	内　容
1948年	「世界人権宣言」採択（国連）
1951年	「ユネスコ憲章」に加盟
1959年	「児童権利宣言」採択（国連）
1966年	「国際人権規約」採択，「教員の地位に関する勧告」採択（ユネスコ）
1972年	「公共図書館宣言」改訂（ユネスコ）
1974年	「国際理解，国際協力及び国際平和のための教育並びに人権及び基本的自由についての教育に関する勧告」採択（ユネスコ）
1976年	「成人教育の発展に関する勧告」採択（ユネスコ）
1985年	「学習権宣言」採択（ユネスコ）
1989年	「子どもの権利条約」採択（ユネスコ）

COMMENTS

教育基本法は，前文と４章18条からなる。日本国憲法第26条「すべて国民は，法律の定めるところにより，その**能力**に応じて，ひとしく教育を受ける権利を有する。」「すべて国民は，法律の定めるところにより，その保護する子女に**普通教育**を受けさせる義務を負う。義務教育は，これを**無償**とする。」を受けて，教育の根幹をなす法律である。

4 教育の目的と目標（教基法第1・2条）

重要度 A

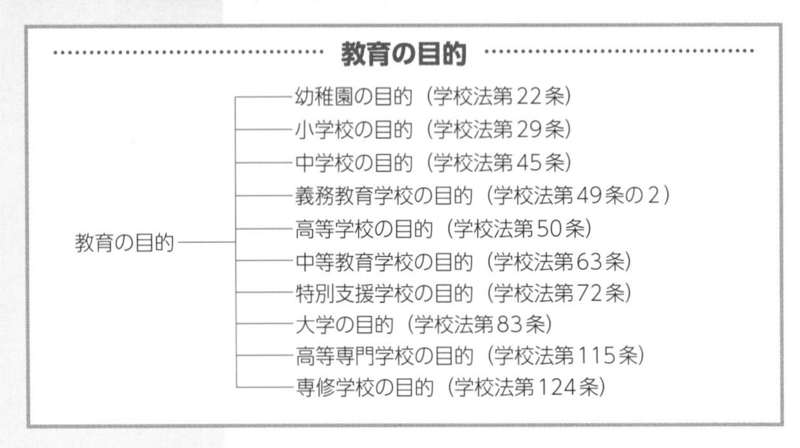

第1章　教育の目的及び理念

第1条　教育の目的

▶教育は，［ 1 ］の完成を目指し，［ 2 ］で［ 3 ］な国家及び社会の形成者として必要な［ 4 ］を備えた［ 5 ］ともに［ 6 ］な国民の育成を期して行われなければならない。

1. 人格　2. 平和
3. 民主的　4. 資質
5. 心身　6. 健康

● Reference

■幼稚園の目的（学校法第22条）

幼稚園は，義務教育及びその後の教育の基礎を培うものとして，幼児を保育し，幼児の健やかな成長のために適当な**環境**を与えて，その心身の**発達**を助長することを目的とする。

■小学校の目的（学校法第29条）

小学校は，心身の**発達**に応じて，義務教育として行われる**普通教育**のうち基礎的なものを施すことを目的とする。

■中学校の目的（学校法第45条）

中学校は，小学校における教育の基礎の上に，心身の**発達**に応じて，義務教育として行われる**普通教育**を施すことを目的とする。

■義務教育学校の目的（学校法第49条の2）

義務教育学校は，心身の**発達**に応じて，義務教育として行われる**普通教育**を基礎的なものから一貫して施すことを目的とする。

■高等学校の目的（学校法第50条）

高等学校は，中学校における教育の基礎の上に，心身の**発達**及び**進路**に応じ

● Reference

て，高度な普通教育及び**専門教育**を施すことを目的とする。

■ **中等教育学校（学校法第63条）**

中等教育学校は，小学校における教育の基礎の上に，心身の**発達**及び**進路**に応じて，義務教育として行われる普通教育並びに高度な普通教育及び**専門教育**を一貫して施すことを目的とする。

■ **特別支援学校（学校法第72条）**

特別支援学校は，視覚障害者，聴覚障害者，知的障害者，肢体不自由者又は病弱者（身体虚弱者を含む。以下同じ。）に対して，幼稚園，小学校，中学校又は高等学校に準ずる教育を施すとともに，障害による学習上又は生活上の困難を克服し**自立**を図るために必要な**知識技能**を授けることを目的とする。

■ **大学の目的（学校法第83条）**

大学は，学術の中心として，広く知識を授けるとともに，深く**専門の学芸**を教授研究し，知的，道徳的及び応用的能力を展開させることを目的とする。

第2条　教育の目標

▶教育は，その目的を実現するため，[7]の自由を尊重しつつ，次に掲げる目標を達成するよう行われるものとする。

1　幅広い[8]と[9]を身に付け，[10]を求める態度を養い，豊かな**情操**と[11]を培うとともに，健やかな身体を養うこと。

2　[12]の価値を尊重して，その[13]を伸ばし，[14]を培い，[15]及び**自律**の精神を養うとともに，**職業**及び生活との関連を重視し，[16]を重んずる態度を養うこと。

3　[17]と責任，[18]の平等，自他の**敬愛**と[19]を重んずるとともに，[20]に基づき，主体的に社会の形成に参画し，その発展に寄与する態度を養うこと。

4　[21]を尊び，**自然**を大切にし，[22]の保全に寄与する態度を養うこと。

5　[23]と文化を尊重し，それらをはぐくんできた我が国と[24]を愛するとともに，**他国**を尊重し，国際社会の[25]と発展に寄与する態度を養うこと。

7. 学問
8. 知識
9. 教養
10. 真理
11. 道徳心
12. 個人
13. 能力
14. 創造性
15. 自主
16. 勤労
17. 正義
18. 男女
19. 協力
20. 公共の精神
21. 生命
22. 環境
23. 伝統
24. 郷土
25. 平和

5 生涯学習（教基法第3条）

重要度 C ／／／

生涯学習とは

生涯学習	人格を磨き，豊かな人生を送るため**生涯**にわたって学習する。
社会教育	○公民館での講座学習，図書館での図書の閲覧。 ○博物館での展示や教育普及活動，青少年の野外の自然体験活動。 ○子育てをする親に対する**家庭教育学級**など。
学校教育	幼稚園，小学校，中学校，特別支援学校，高等学校，大学など教育機関が行う。
家庭教育	ことば，表現，しつけなど**家庭**で行う教育。

1. 人格
2. 人生　3. 生涯
4. 機会　5. 場所
6. 学習　7. 生かす

第3条　生涯学習の理念

▶国民一人一人が，自己の［ 1 ］を磨き，豊かな［ 2 ］を送ることができるよう，その［ 3 ］にわたって，あらゆる［ 4 ］に，あらゆる［ 5 ］において［ 6 ］することができ，その成果を適切に［ 7 ］ことのできる社会の実現が図られなければならない。

● Reference

■ **生涯学習の理念**

今日，社会が複雑化し，また社会構造も大きく変化し続けている中で，年齢や性別を問わず，一人一人が社会の様々な分野で生き生きと活躍していくために，家庭教育，学校教育，社会教育を通じて職業生活に必要な新たな知識・技能を身に付けたり，あるいは**社会参加**に必要な学習を行うなど，**生涯**にわたって学習に取り組むことが不可欠となっている。

教育制度や教育政策を検討する際には，これまで以上に学習する側に立った視点を重視することが必要であり，今後，誰もが**生涯**のいつでも，どこでも，自由に学習機会を選択して学ぶことができるような社会を実現するため，**生涯学習**の理念がますます重要となる。　（中教審答申2003年3月20日）

■ **目的（生涯学習振興法第1条）**

この法律は，国民が**生涯**にわたって学習する機会があまねく求められている状況にかんがみ，**生涯学習**の振興に資するための都道府県の事業に関しその推進体制の整備その他の必要な事項を定め，及び特定の地区において生涯学習に係る機会の総合的な提供を促進するための措置について定めるとともに，都道府県生涯学習審議会の事務について定める等の措置を講ずることにより，**生涯学習**の振興のための施策の推進体制及び地域における**生涯学習**に係る機会の整備を図り，もって**生涯学習**の振興に寄与することを目的とする。

■生涯学習の振興に資するための都道府県の事業（生涯学習振興法第３条①）

都道府県の教育委員会は，**生涯学習**の振興に資するため，おおむね次の各号に掲げる事業について，これらを相互に連携させつつ推進するために必要な体制の整備を図りつつ,これらを一体的かつ効果的に実施するよう努めるものとする。

1　学校教育及び社会教育に係る学習（体育に係るものを含む。以下この項において「学習」という。）並びに文化活動の機会に関する情報を収集し，整理し，及び提供すること。

2　住民の学習に対する需要及び学習の成果の評価に関し，調査研究を行うこと。

3　地域の実情に即した学習の方法の開発を行うこと。

4　住民の学習に関する指導者及び助言者に対する**研修**を行うこと。

5　地域における学校教育，社会教育及び文化に関する機関及び団体に対し，これらの機関及び団体相互の連携に関し，照会及び相談に応じ，並びに助言その他の**援助**を行うこと。

6　前各号に掲げるもののほか，社会教育のための講座の開設その他の住民の学習の機会の提供に関し必要な**事業**を行うこと。

●Reference

■生涯学習概念と生涯学習政策との食い違いに注意！

生涯学習概念は「生涯学習の成果を適切に生かした**社会**の構築・実現」を射程に入れている。国の生涯学習政策は「個人の学習活動への支援」を中心にするにとどまっている（例：ゲートボール，民謡等の生き甲斐趣味的講座など）

COMMENTS

生涯学習（教育）の理念は，1960年代に家庭教育や学校教育だけではなく社会人になっても学習したいという要求が高まり，1965年にパリのユネスコ本部の成人教育国際委員会において提唱された，フランスのポール・ラングラン(1910～2003) による「生涯教育」と題された報告書がその始まりとされる。

ラングランが提唱した生涯教育は，人間の一生を通じて，学習（教育）の機会が与えられるなど，教育は家庭教育，学校教育までという従前の考え方を変えさせた。

日本では，1981年に中央教育審議会が「生涯教育について」を答申。1985年には放送大学が授業を開始した。

家庭教育，学校教育，そして社会人になってからも学習し続ける機会を保障する社会教育。これらを有機的に結び生涯を通じて学習する機会を保障するため，教育基本法第３条に明記されたものといえる。

6 教育の機会均等（教基法第４条）

キーワード

人種	白色人種，黄色人種，黒色人種など
信条	考え方，思想，信仰など
性別	男性，女性
社会的身分	社会においての地位など
経済的地位	収入など
門地	家柄

第４条　教育の機会均等

1. ひとしく
2. 能力
3. 教育

▶①すべて国民は，[1]，その[2]に応じた教育を受ける**機会**を与えられなければならず，人種，信条，性別，社会的身分，経済的地位又は**門地**によって，[3]上差別されない。

■**法の下の平等（憲法第14条①）**

すべて国民は，法の下に平等であって，人種，信条，性別，社会的身分又は門地により，政治的，経済的又は社会的関係において，差別されない。

4. 障害
5. 障害
6. 支援

▶②国及び**地方公共団体**は，[4]のある者が，その[5]の状態に応じ，十分な教育を受けられるよう，教育上必要な[6]を講じなければならない。

■**基本的理念（障害者基本法第３条）**

第一条に規定する社会の実現は，全ての障害者が，障害者でない者と等しく，基本的人権を享有する個人としてその**尊厳**が重んぜられ，その**尊厳**にふさわしい生活を保障される権利を有することを前提としつつ，次に掲げる事項を旨として図られなければならない。

1　全て障害者は，社会を構成する一員として社会，経済，文化その他あらゆる分野の活動に参加する**機会**が確保されること。

2　全て障害者は，可能な限り，どこで誰と生活するかについての選択の**機会**が確保され，地域社会において他の人々と**共生**することを妨げられないこと。

● Reference

3　全て障害者は，可能な限り，言語（手話を含む。）その他の意思疎通のための手段についての選択の**機会**が確保されるとともに，情報の取得又は利用のための手段についての選択の**機会**の拡大が図られること。

■ **教育（障害者基本法第16条）**

①国及び地方公共団体は，障害者が，その年齢及び能力に応じ，かつ，その特性を踏まえた十分な教育が受けられるようにするため，可能な限り障害者である児童及び生徒が障害者でない児童及び生徒と共に教育を受けられるよう配慮しつつ，教育の内容及び方法の改善及び充実を図る等必要な施策を講じなければならない。

②国及び地方公共団体は，前項の目的を達成するため，障害者である児童及び生徒並びにその保護者に対し十分な**情報**の提供を行うとともに，可能な限りその**意向**を尊重しなければならない。

③国及び地方公共団体は，障害者である児童及び生徒と障害者でない児童及び生徒との交流及び共同学習を積極的に進めることによって，その**相互理解**を促進しなければならない。

④国及び地方公共団体は，障害者の教育に関し，調査及び研究並びに人材の確保及び資質の向上，適切な教材等の提供，学校施設の整備その他の環境の整備を促進しなければならない。

● Reference

▶③　国及び**地方公共団体**は，［ 7 ］があるにもかかわらず，［ 8 ］的理由によって修学が［ 9 ］な者に対して，［ 10 ］の措置を講じなければならない。

7. 能力
8. 経済
9. 困難　**10.** 奨学

■ **就学の援助（学校法第19条）**

経済的理由によって，**就学困難**と認められる学齢児童又は学齢生徒の保護者に対しては，市町村は，必要な援助を与えなければならない。

■ **目的（就学奨励法第1条）**

この法律は，経済的理由によって**就学困難**な児童及び生徒について学用品を給与する等就学奨励を行う地方公共団体に対し，国が必要な援助を与えることとし，もって小学校，中学校及び義務教育学校並びに中等教育学校の前期課程における義務教育の円滑な実施に資することを目的とする。

■ **経費の負担（学校給食法第11条①）**

学校給食の実施に必要な施設及び設備に要する経費並びに学校給食の運営に要する経費のうち政令で定めるものは，義務教育諸学校の**設置者**の負担とする。

■ **教育扶助（生活保護法第13条）**

教育扶助は，困窮のため最低限度の生活を維持することのできない者に対して，左に掲げる事項の範囲内において行われる。

1　義務教育に伴って必要な教科書その他の**学用品**
2　義務教育に伴って必要な**通学用品**
3　学校給食その他義務教育に伴って必要なもの

● Reference

7 義務教育（教基法第５条）

義務教育

満６歳　⇒　満12歳　小学校 ｝義務教育年限（学校法第17条）
満12歳　⇒　満15歳　中学校 ｝
義務教育の無償（憲法第26条）
授業料は徴収しない（教基法第５条）
教科用図書の無償給付（教科書無償措置法第３条）
心身に障害を持つ者に対して就学猶予を行う（学校法第18条）

第２章　教育の実施に関する基本
第５条　義務教育

1. 保護
2. 普通教育

▶①国民は，その［ 1 ］する子に，別に法律で定めるところにより，［ 2 ］を受けさせる**義務**を負う。

● Reference

■**教育を受ける権利（憲法第26条①）**
すべて国民は，法律の定めるところにより，その**能力**に応じて，ひとしく教育を受ける権利を有する。

■**義務教育（学校法第16条）**
保護者（子に対して**親権**を行う者〔親権を行う者のないときは，未成年後見人〕をいう。以下同じ。）は，次条に定めるところにより，子に９年の普通教育を受けさせる義務を負う。

■**義務教育の期間（学校法第17条）**
①保護者は，子の満６歳に達した日の翌日以後における最初の学年の初めから，満12歳に達した日の属する学年の終わりまで，これを小学校，義務教育学校の前期課程又は特別支援学校の小学部に就学させる**義務**を負う。ただし，子が，満12歳に達した日の属する学年の終わりまでに小学校の課程，義務教育学校の前期課程又は特別支援学校の小学部の課程を修了しないときは，満15歳に達した日の属する学年の終わり（それまでの間においてこれらの課程を修了したときは，その修了した日の属する学年の終わり）までとする。
②保護者は，子が小学校の課程，義務教育学校の前期課程又は特別支援学校の小学部の課程を修了した日の翌日以後における最初の学年の初めから，満15歳に達した日の属する学年の終わりまで，これを中学校，義務教育学校の後期課程，中等教育学校の前期課程又は特別支援学校の中学部に就学させる**義務**を負う。

■**親権（民法第820条）**
親権を行う者は，子の利益のために子の**監護**及び教育をする権利を有し，**義務**を負う。

▶②義務教育として行われる[3]は，各[4]の有する能力を伸ばしつつ社会において[5]的に生きる基礎を培い，また，**国家**及び**社会**の形成者として必要とされる基本的な[6]を養うことを目的として行われるものとする。

▶③国及び地方公共団体は，[7]の機会を[8]し，その[9]を確保するため，適切な役割分担及び相互の協力の下，その実施に**責任**を負う。

▶④国又は**地方公共団体**の設置する学校における義務教育については，[10]を徴収しない。

3. 普通教育
4. 個人
5. 自立
6. 資質

7. 義務教育
8. 保障
9. 水準

10. 授業料

● Reference

■ **教育の義務（憲法第26条②）**

すべて国民は，法律の定めるところにより，その保護する子女に**普通教育**を受けさせる**義務**を負う。義務教育は，これを**無償**とする。

■ **授業料の徴収（学校法第6条）**

学校においては，授業料を徴収することができる。ただし，国立又は公立の小学校及び中学校，義務教育学校，中等教育学校の前期課程又は特別支援学校の小学部及び中学部における義務教育については，これを徴収することができない。

■ **義務教育諸学校の教科用図書の無償**

義務教育諸学校の教科用図書は，**無償**とする。…教科書無償法第１条①

国は，毎年度，義務教育諸学校の児童及び生徒が各学年の課程において使用する教科用図書で第13条，第14条及び第16条の規定により採択されたものを購入し，義務教育諸学校の設置者に無償で給付するものとする。…教科書無償措置法第３条

ティーチャーズ・ルーム②

職員会議

学校を円滑に運営するために，教職員間で計画の決定や**校務分掌**の調整，情報交換などをする必要がある。そのために設けられるのが，職員会議である。

職員会議の性格については，諮問機関説，補助機関説，指示伝達機関説，最高意思決定機関説など，解釈が分かれていた。しかし2000年１月の省令改正により，校長の職務の円滑な執行を補助するものであるという，「**補助機関**」としての位置付けが明確になった。

8 学校の設置者（教基法第6条）

学校の設置者

設置者	学　校	特　徴
国 地方公共団体	国立学校 公立学校	公の性質→教員の身分保障
放送大学学園	放送大学	放送等による教育
学校法人	私立大学	建学の精神

1. 公

2. 法人

第6条　学校教育

▶①法律に定める学校は，［　1　］の性質を有するものであって，国，**地方公共団体**及び法律に定める［　2　］のみが，これを**設置**することができる。

● Reference

■ **学校の設置者（学校法第2条）**

①学校は，国（国立大学法人法（平成15年法律第112号）第2条第1項に規定する国立大学法人及び独立行政法人国立高等専門学校機構を含む。以下同じ。），地方公共団体（地方独立行政法人法（平成15年法律第118号）第68条第1項に規定する公立大学法人（以下「公立大学法人」という。）を含む。次項及び第127条において同じ。）及び私立学校法（昭和24年法律第270号）第3条に規定する学校法人（以下「学校法人」という。）のみが，これを設置することができる。

②この法律で，国立学校とは，**国**の設置する学校を，公立学校とは，**地方公共団体**の設置する学校を，私立学校とは，**学校法人**の設置する学校をいう。

■ **学校法人（私学法第3条）**

この法律において「学校法人」とは，**私立学校**の設置を目的として，この法律の定めるところにより設立される法人をいう。

■ **放送大学園（放送大学学園法第3条）**

放送大学学園は，大学を設置し，当該大学において，放送による授業を行うとともに，全国各地の学習者の身近な場所において**面接**による授業等を行うことを目的とする**学校法人**（私立学校法（昭和24年法律第270号）第3条に規定する学校法人をいう。）とする。

▶②前項の学校においては，教育の目標が達成されるよう，教育を受ける者の[3]の**発達**に応じて，[4]的な教育が[5]的に行われなければならない。この場合において，教育を受ける者が，**学校生活**を営む上で必要な[6]を重んずるとともに，自ら進んで[7]に取り組む[8]を高めることを重視して行われなければならない。

3. 心身
4. 体系
5. 組織
6. 規律
7. 学習
8. 意欲

COMMENTS

教育基本法第6条の条文を受けて，学校教育法第1条「この法律で，学校とは，幼稚園，小学校，中学校，義務教育学校，高等学校，中等教育学校，特別支援学校，大学及び高等専門学校とする。」と学校の種類が9校ある。

ティーチャーズ・ルーム③

法規の概要その1

〔成文法と不文法〕

○成文法……文章により**公布**されている法律。

○不文法……文章に書き表されていない法律。**慣習法**，**判例法**，行政先例法，条理法など。

〔公法と私法〕

○公　法……日本国憲法，教育基本法，学校教育法，刑法などの公的生活を規定する法規。

○私　法……民法，商法など私益または対等な市民生活を規定する法規。

〔法律と命令〕

○法　律……国会で制定された法律。日本国憲法，教育基本法，学校教育法，地方教育行政の組織及び運営に関する法律など。

○命　令……内閣が発する**政令**と各省大臣が発する**省令**に大別。

政　令……学校教育法施行令，学校保健安全法施行令など。

省　令……学校教育法施行規則，教科用図書検定規則など。

9 大学，私立学校（教基法第7・8条）

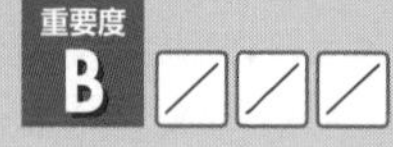

大学の目的

大学は，学術の中心として，広く知識を授けるとともに，深く**専門の学芸**を教授研究し，知的，道徳的及び応用的能力を展開させることを目的とする。（学校法第83条①）

大学は，その目的を実現するための教育研究を行い，その成果を広く社会に提供することにより，社会の発展に寄与するものとする。（学校法第83条②）

私立学校の目的

この法律は，私立学校の特性にかんがみ，その**自主性**を重んじ，**公共性**を高めることによって，私立学校の健全な発達を図ることを目的とする。（私立学校法第1条）

私立学校の定義

項　目	内　容
私立学校	学校法人の設置する学校
学校法人	私立学校の設置を目的として，私立学校法の定めにより設立される法人

1. 学術
2. 教養
3. 専門
4. 探究
5. 知見
6. 提供
7. 自主
8. 自律
9. 公
10. 学校教育
11. 役割
12. 自主性
13. 助成

第7条　大　学

▶①大学は，[1]の中心として，高い[2]と[3]的能力を培うとともに，深く**真理**を[4]して新たな[5]を創造し，これらの成果を広く社会に[6]することにより，社会の発展に寄与するものとする。

▶②大学については，[7]性，[8]性その他の大学における教育及び**研究**の特性が尊重されなければならない。

第8条　私立学校

▶私立学校の有する[9]の性質及び[10]において果たす重要な[11]にかんがみ，国及び**地方公共団体**は，その[12]を尊重しつつ，[13]その他の適当な方法によって**私立学校**教育の振興に努めなければならない。

COMMENTS

教育基本法第8条「私立学校」の規定を受け，私立学校法など私立学校に関する法律がある。今日私立学校の果たす役割は大きく，様々な分野で優れた人材を輩出している。

ティーチャーズ・ルーム④

法規の概要その2

〔規則・条例・条約〕

○規　則……国家行政組織法により，**行政委員会**や各庁長官が制定する命令。または，地方公共団体の長が法令に違反しない範囲内で制定できる規定。

○条　例……地方公共団体の議会が**法律の範囲内**で制定できる法規。

○条　約……**国家間**に締結される国際上の権利・義務を規定する約束の条文。条約も批准されれば法律と同様の効力をもつ。世界人権宣言，経済的・社会的及び文化的権利に関する国際規約，児童権利宣言などがある。

〔訓令・通達・告示〕

○訓　令……各省大臣が所掌事務に関して，所管の**機関**や**職員**に対する命令。

○通　達……各省大臣が所掌事務に関して，所管の**機関**や**職員**に対する示達(指示を通達すること)。

○告　示……各省大臣が所掌事務に関して，広く**一般**に**告知**する公示形式。

10 教員（教基法第９条）

教員の身分

全体の奉仕者
職責の遂行
身分・待遇の保障
「不当な支配」（政治や宗教等）からの自由
研究と修養（研修）の保障

1. 使命
2. 研究　3. 修養
4. 職責
5. 使命　6. 職責
7. 尊重　8. 待遇
9. 養成　10. 研修

第９条　教　　員

▶①法律に定める学校の教員は，自己の崇高な［ 1 ］を深く自覚し，絶えず［ 2 ］と［ 3 ］に励み，その［ 4 ］の遂行に努めなければならない。

▶②前項の教員については，その［ 5 ］と［ 6 ］の重要性にかんがみ，その身分は［ 7 ］され，［ 8 ］の適正が期せられるとともに，［ 9 ］と［ 10 ］の充実が図られなければならない。

● Reference

■ **公務員の本質（憲法第15条②）**

すべて公務員は，全体の奉仕者であって，一部の奉仕者ではない。

■ **服務の根本基準（国公法第96条①）**

すべて職員は，国民全体の奉仕者として，公共の利益のために勤務し，且つ，職務の遂行に当っては，全力を挙げてこれに専念しなければならない。

■ **服務の根本基準（地公法第30条）**

すべて職員は，全体の奉仕者として公共の利益のために勤務し，且つ，職務の遂行に当っては，全力を挙げてこれに専念しなければならない。

■ **この法律の趣旨（特例法第１条）**

この法律は，教育を通じて国民全体に奉仕する教育公務員の職務とその責任の特殊性に基づき，教育公務員の任免，人事評価，給与，分限，懲戒，服務及び研修等について規定する。

■ **研　修（特例法第21条）**

①教育公務員は，その職責を遂行するために，絶えず研究と修養に努めなければならない。

②教育公務員の研修実施者は，教育公務員（公立の小学校等の校長及び教員（臨時的に任用された者その他の政令で定めるものを除く。）を除く。）の研修

● Reference

について，それに要する施設，**研修**を奨励するための方途その他**研修**に関する計画を樹立し，その実施に努めなければならない。

■ **研修の機会（特例法第22条）**

①教育公務員には，**研修**を受ける機会が与えられなければならない。

②教員は，授業に支障のない限り，本属長の承認を受けて，勤務場所を離れて**研修**を行うことができる。

③教育公務員は，任命権者（略）の定めるところにより，現職のままで，長期にわたる**研修**を受けることができる。

■ **教育職員等による児童生徒性暴力等の防止等に関する法律：基本理念（同法第4条）**

①教育職員等による児童生徒性暴力等の防止等に関する施策は，教育職員等による児童生徒性暴力等が全ての児童生徒等の心身の**健全な発達**に関係する重大な問題であるという基本的認識の下に行われなければならない。

②教育職員等による児童生徒性暴力等の防止等に関する施策は，児童生徒等が**安心**して学習その他の活動に取り組むことができるよう，**学校の内外**を問わず教育職員等による児童生徒性暴力等を**根絶**することを旨として行われなければならない。

③教育職員等による児童生徒性暴力等の防止等に関する施策は，被害を受けた児童生徒等を適切かつ迅速に**保護**することを旨として行われなければならない。

ティーチャーズ・ルーム⑤

面接その2

教員採用試験では面接が主に1次ないし2次試験で行われ，かなり人物が重視されている。面接に臨むにあたって留意したい事項をいくつか掲げてみた。

〔服　装〕 清潔感が欲しい。紺またはグレーのスーツ姿が無難なところだろう。ラフな服装は避けること。

〔頭　髪〕 服装に合わせた清潔感のある髪型にしたい。華美にならないように心がけたい。

〔言葉遣い〕 教育活動の根本は授業である。そのため言葉遣いは大切である。日常から気をつけ，意識していないと正しい言葉遣いができない。特に尊敬語・謙譲語・丁寧語を使いこなせるようにしたい。受け応えは，落ち着いてはっきりと明確に伝えよう。

11 家庭教育，幼児期の教育，学校・家庭及び地域住民等の相互の連携協力（教基法第10・11・13条）

重要度 B ／ ／ ／

新旧教育基本法の比較

教育基本法改正のポイントの１つに「家庭教育」「幼児期の教育」「学校，家庭及び地域住民等の相互の連携協力」があげられる。

	旧教育基本法	新教育基本法
家庭教育	記述なし	保護者が子の教育について第一義的責任を有する
幼児期の教育	記述なし	幼児期の健やかな成長，環境の整備
学校，家庭及び地域住民等の相互の連携協力	記述なし	学校，家庭及び地域住民，教育における役割と責任を自覚し，相互の連携協力

第10条　家庭教育

▶①父母その他の**保護者**は，子の教育について［1］を有するものであって，生活のために必要な［2］を身に付けさせるとともに，［3］を育成し，［4］の調和のとれた**発達**を図るよう努めるものとする。

▶②国及び地方公共団体は，［5］の**自主性**を尊重しつつ，［6］に対する［7］の機会及び情報の提供その他の［8］を支援するために必要な施策を講ずるよう努めなければならない。

1. 第一義的責任
2. 習慣
3. 自立心
4. 心身
5. 家庭教育
6. 保護者
7. 学習
8. 家庭教育

第11条　幼児期の教育

▶幼児期の教育は，［9］にわたる［10］の基礎を培う重要なものであることにかんがみ，国及び**地方公共団体**は，幼児の［11］成長に資する良好な［12］の整備その他適当な方法によって，その振興に努めなければならない。

9. 生涯
10. 人格形成
11. 健やかな
12. 環境

第13条　学校，家庭及び地域住民等の相互の連携協力

▶学校，家庭及び［13］その他の関係者は，［14］におけるそれぞれの**役割**と［15］を自覚するとともに，相互の**連携**及び［16］に努めるものとする。

13. 地域住民
14. 教育
15. 責任
16. 協力

■ **これらの家庭教育の在り方**

家庭教育は，乳幼児期の親子のきずなの形成に始まる家族との触れ合いを通じ，［生きる力］の基礎的な資質や能力を育成するものであり，すべての教育の出発点である。しかしながら，近年，家庭においては，過度の受験競争等に伴い，遊びなどよりも受験のための勉強重視の傾向や，日常の生活におけるしつけや感性，情操の涵養など，本来，家庭教育の役割であると考えられるものまで学校にゆだねようとする傾向のあることが指摘されている。(略)

加えて，近年の都市化，核家族化等により地縁的つながりの中で子育ての知恵を得る機会が乏しくなったことや個人重視の風潮，テレビ等マスメディアの影響等による，人々の価値観の大きな変化に伴い，親の家庭教育に関する考え方にも変化が生じている。このようなことも背景に，無責任な放任や過保護・過干渉が見られたり，モラルの低下が生じているなど，家庭の教育力の低下が指摘されている。

我々は，こうした状況を直視し，改めて，子供の教育や人格形成に対し最終的な責任を負うのは家庭であり，子供の教育に対する責任を自覚し，家庭が本来，果たすべき役割を見つめ直していく必要があることを訴えたい。親は，子供の教育を学校だけに任せるのではなく，これからの社会を生きる子供にとって何が重要でどのような資質や能力を身に付けていけばよいのかについて深く考えていただきたい。とりわけ，基本的な生活習慣・生活能力，豊かな情操，他人に対する思いやり，善悪の判断などの基本的倫理観，社会的なマナー，自制心や自立心など［生きる力］の基礎的な資質や能力は，家庭教育においてこそ培われるものとの認識に立ち，親がその責任を十分発揮することを望みたい。

そして，社会全体に［ゆとり］を確保する中で，家庭では，親さらには祖父母が，家族の団らんや共同体験の中で，愛情を持って子供と触れ合うとともに，時には子供に厳しく接し，［生きる力］をはぐくんでいってほしいと考える。同時に，それぞれが自らの役割を見いだし，主体的に役割を担っていくような家庭であってほしいと思う。

(「21世紀を展望した我が国の教育の在り方について」中教審答申1996)

● Reference

COMMENTS

院内学級……日本国憲法第26条の「教育を受ける権利」を保障するために，**病院**内に開設している学級。一般に慢性の心臓，肺，腎臓などの疾患のため入院している子供たちのために，**病院**内に設けられた教室で授業を行ったり，教員が病棟に行って指導したりしている。院内学級設置の形態としては特別支援学校の分教室や小・中学校の特別支援学級などがある。

12 社会教育（教基法第 12 条）

教育の段階の例

幼少期	家庭教育	生涯教育 ⇩ 生涯学習振興法
少年期	家庭教育＋地域教育	
学齢期	家庭教育＋地域教育＋学校教育	
青・壮年期	社会教育	

社会教育機関

講座名	対象	講座内容	開設場所
文化講座	成人	一般的教養	大学 高等専門学校 高等学校
専門講座		専門的学術知識	
夏期講座		<夏季休業中> 一般的教養 専門的学術知識	
社会学級講座		一般的教養	小学校・中学校

法体系

日本国憲法―教育基本法―社会教育法―
- 公民館基準
- 図書館法
- 博物館法
- スポーツ基本法
- 生涯学習振興法　など

第12条　社会教育

▶①個人の要望や社会の要請にこたえ，［ 1 ］において行われる教育は，国及び**地方公共団体**によって［ 2 ］されなければならない。

▶②国及び**地方公共団体**は，［ 3 ］，［ 4 ］，［ 5 ］その他の社会教育施設の設置，学校の施設の利用，**学習**の機会及び**情報**の提供その他の適当な方法によって社会教育の［ 6 ］に努めなければならない。

1. 社会
2. 奨励
3. 図書館
4. 博物館
5. 公民館
6. 振興

Reference

■社会教育施設の附置・目的外利用（学校法第137条）

学校教育上支障のない限り，学校には，**社会教育**に関する施設を附置し，又は学校の施設を**社会教育**その他**公共**のために，利用させることができる。

■この法律の目的（社教法第１条）

この法律は，教育基本法（平成18年法律第120号）の精神に則り，**社会教育**に関する国及び地方公共団体の任務を明らかにすることを目的とする。

■国及び地方公共団体の任務（社教法第３条①）

国及び地方公共団体は，この法律及び他の法令の定めるところにより，**社会教育**の奨励に必要な施設の設置及び運営，集会の開催，資料の作製，頒布その他の方法により，すべての国民があらゆる機会，あらゆる場所を利用して，自ら実際生活に即する**文化的教養**を高め得るような環境を醸成するように努めなければならない。

■教育委員会の職務権限（地方教育行政法第21条抜粋）

教育委員会は，当該地方公共団体が処理する教育に関する事務で，次に掲げるものを管理し，及び執行する。

12　**青少年教育**，**女性教育**及び**公民館**の事業その他社会教育に関すること。

■社会教育関係団体に対する助成の基本方針

憲法にいう教育事業に該当しない事業であって，公共性のある適切な緊急な事業であれば社会教育関係団体に対して，その自主性を尊重しつつ積極的に助成を行なう。

ティーチャーズ・ルーム⑥

学校週５日制

平成４年３月23日付文部省初等中等局長等通知の「学校週５日制の実施について」により，平成４年９月より，公立の幼稚園，小・中・高等学校等において，毎月第２土曜日が休業日になり，さらに平成７年より，毎月第４土曜日も休業日に加わった。

上記の通知とともに，文部省教育助成局地方課長による「学校週５日制の実施等に伴う公立学校の教職員の勤務時間の取扱いについて」の通知が出され，学校週５日制の休業土曜日（毎月の第２・４土曜日）を勤務しない日とすることになった。

完全学校週５日制は，子供たちに「ゆとり」をもたせ，「生きる力」をはぐくむために，休業土曜日を生かして，家庭や地域において，学校ではできない勉強や体験をしてもらうという趣旨のもとに，平成14年度からすべての学校段階で一斉に導入された。

その後の学習指導要領改訂ではゆとり教育が見直され，授業時数が増加された。現在，土曜日は，充実した学習機会にあてられる動きもみられている。

13 政治教育（教基法第14条）

重要度 A ／／／

政治教育

特定の政党の支持
特定の政党の不支持
政治的活動の禁止
} 教育の中立性
↓
全体の奉仕者
↓
義務教育諸学校における教育の政治的中立の確保に関する臨時措置法

1. 公民
2. 政治的教養
3. 政党
4. 政治教育
5. 政治的活動

第14条　政治教育

▶①**良識**ある［1］として必要な［2］は，教育上尊重されなければならない。

▶②法律に定める学校は，特定の［3］を支持し，又はこれに**反対**するための［4］その他［5］をしてはならない。

● Reference

■目　的（中立確保法第1条）

この法律は，教育基本法の精神に基き，義務教育諸学校における教育を党派的勢力の不当な**影響**又は**支配**から守り，もって義務教育の**政治的中立**を確保するとともに，これに従事する教育職員の自主性を擁護することを目的とする。

■服　務（地方教育行政法第11条抜粋）

①教育長は，職務上知ることができた**秘密**を漏らしてはならない。その職を退いた後も，また，同様とする。

⑥教育長は，政党その他の政治的団体の**役員**となり，又は積極的に**政治運動**をしてはならない。

■公立学校の教育公務員の政治的行為の制限（特例法第18条）

①公立学校の教育公務員の政治的行為の制限については，当分の間，地方公務員法第36条の規定にかかわらず，国家公務員の例による。

■国家公務員の政治的行為の制限（国公法第102条）

①職員は，政党又は政治的目的のために，**寄附金**その他の利益を求め，若しくは受領し，又は何らの方法を以てするを問わず，これらの行為に関与し，あるいは選挙権の行使を除く外，人事院規則で定める**政治的行為**をしてはならない。

②職員は，**公選**による公職の**候補者**となることができない。

③職員は，政党その他の政治的団体の**役員**，政治的顧問，その他これらと同様な役割をもつ構成員となることができない。

■ **地方公務員の政治的行為の制限（地公法第36条①）**

職員は，政党その他の政治的団体の**結成**に関与し，若しくはこれらの団体の**役員**となってはならず，又はこれらの団体の構成員となるように，若しくはならないように**勧誘運動**をしてはならない。

■ **政治活動**

教職員は，教育の中立性を堅持するため，学童等に及ぼす影響を考慮し，「**学区**」内において特定政党，特定者の支持，推薦行為を行なってはならない。

（東京高判1959.1.30）

■ **教育基本法第８条の解釈について**（※旧法の第８条）

本法８条２項の趣旨は，学校の**政治的中立**を確保することにある。ここに規定されているのは教育活動の主体としての学校の活動についてであり，学校をはなれて一公民としての行為についてではない。教員が学校教育活動として，また学校を代表してなす等の行為は，学校の活動と考えられる。教員の個々の行為が同法８条２項に抵触するか否かは，具体的実情を精査して大学以外では教育委員会において適切な判断がなされるべきである。**特定政党**の政治活動のため，教員が家庭訪問を行ない，それに学校教育活動の内容が含まれている場合は同法８条２項に抵触する。また教員が**自校の生徒**に対して特定政党のイデオロギーに基づく政治教育を行なう場合は，通常は同法８条２項に抵触すると解釈するが，他校の生徒を対象とする場合は，通常，同法８条２項に抵触しない。

（文部省大臣官房総務課長通達1949.6.11）

■ **高校生徒に対する指導体制の確立について**

高校では**外部の勢力**によって生徒会が政治的活動にまきこまれることのないよう，教職員一体となって指導体制を確立すること。（次官通達1949.6.21）

■ **高校における政治的教養と政治的活動について**

教科・科目の授業はいうまでもなく，クラブ活動，生徒会活動等の教科以外の教育活動も学校の教育活動の一環であるから，生徒がその本来の目的を逸脱して，**政治的活動**の手段としてこれらの場を利用することは許されないことであり，学校がこれらの活動を**黙認**することは，本条（旧教基法第８条）２項の趣旨に反する。

（初中局長通達1969.10.31。なお，下記通知発出により現在は廃止）

■ **高等学校等における政治的教養の教育と高等学校等の生徒による政治的活動等について**

教育基本法第14条第１項には「良識ある公民として必要な政治的教養は，教育上尊重されなければならない。」とある。このことは，国家・社会の形成者として必要な資質を養うことを目標とする学校教育においては，当然要請されていることであり，日本国憲法の下における議会制民主主義など民主主義を尊重し，推進しようとする国民を育成するに当たって欠くことのできないものであること。また，この高等学校等における**政治的教養**の教育を行うに当たっては，教育基本法第14条第２項において，「**特定の政党**を支持し，又はこれに反対するための政治教育その他政治的活動」は禁止されていることに留意することが必要であること。（文部科学省通知2015.10.29）

● Reference

14 宗教教育（教基法第15条）

宗教教育

時　期	内　容
大日本帝国憲法及び教育勅語～戦争	国家神道の強制 修身科を通しての学校教育
第二次世界大戦後の教育改革	国家主義・軍国主義の否定 教育の民主化政策　修身科の廃止
日本国憲法及び教育基本法～現在	信教の自由 特定の宗教教育の禁止

1. 寛容
2. 教養
3. 社会生活
4. 尊重　5. 特定
6. 宗教教育
7. 宗教的活動

第15条　宗教教育

▶①宗教に関する[1]の態度，宗教に関する一般的な[2]及び宗教の[3]における地位は，**教育**上[4]されなければならない。

▶②国及び**地方公共団体**が設置する学校は，[5]の宗教のための[6]その他[7]をしてはならない。

● Reference

■ **信教の自由（憲法第20条③）**

国及びその機関は，**宗教教育**その他いかなる**宗教的活動**もしてはならない。

■ **公の財産の支出又は利用の制限（憲法第89条）**

公金その他の公の財産は，**宗教上**の組織若しくは団体の使用，便益若しくは維持のため，又は**公の支配**に属しない慈善，教育若しくは博愛の事業に対し，これを支出し，又はその利用に供してはならない。

■ **教育課程の編成（学校法規則第50条②）**

私立の小学校の教育課程を編成する場合は，前項の規定にかかわらず，宗教を加えることができる。この場合においては，宗教をもって前項の特別の教科である**道徳**に代えることができる。

■ **公民館の運営方針（社教法第23条②）**

市町村の設置する公民館は，**特定**の宗教を支持し，又は**特定**の教派，宗派若しくは教団を支援してはならない。

■ **学校における宮城遥拝等について**

校長及び教員は教育にさいし，天皇神格化の表現を強制したり，又は指導したりしてはならない。（学校教育局長通達1947.6.3）

■社会科その他，初等・中等教育における宗教の取扱いについて

学校が主催して，礼拝や宗教的儀式・祭典に参加する目的をもって神社・寺院・教会等の宗教施設を訪問してはならない。

(次官通達1949. 10. 25文初庶152)

■旧教基法9条1項について

宗教が人間性を培ううえで重要な役割を果す契機であるにもかかわらず，その重要性の認識が日常生活の利害の追求のなかでなおざりにされる恐れがあるので，人格の完成を目指し国家及び社会の形成者としての資質を育成しようとする（旧）教基法1条の見地から社会生活における宗教の地位の尊重について配慮を促したものである。したがって，右規定は宗教的活動の自由に教育の優先する地位を与えたり，その価値を順序づけようとするものではなく，この規定から日曜日の宗教教育が本件授業の実施に優先して尊重されなければならないものではない。まして公教育の担当機関が児童の出席の要否を決めるために，各宗教活動の教義上の重要性を判断して，公教育に対する優先の度合を測るというようなことは，公教育に要請される宗教的中立性（同法9条2項）に抵触することにもなる。したがって，キリスト教信仰者が日曜日には，自由に教会学校に出席することができるという利益が憲法上保護されるべき程度も，公教育上の特別の必要がある場合に優先するものではなく，本件欠席記載を違法ならしめるものではない。

■宗教団体の教義に従い，学校の体育の種目において格技に参加しない場合の代替措置について（1993.6.12 高専生退学処分事件）

剣道等の実技に参加していないにもかかわらず，信教の自由を理由として，参加したのと同様の評価をするのは，信教の自由の一内容としての他の生徒の消極的な信教の自由と緊急関係を生じるだけでなく，公教育に要求されている宗教的中立を損ない，また（旧）教基法9条1項の宗教に対する寛容等も，この宗教的中立を前提とするものであり，宗教に教育上の理由に対して絶対優先する地位を認めるものでない。

■信教の自由と教育上の代替措置について（1994.12.22 高専生退学処分事件）

高専において，宗教的信条に基く学生の体育課目に代替措置を行なうことは，信教の自由を侵されない状況の下で，教育を受ける機会を保障しようとすることであって，学生が信奉する宗教を援助，促進する効果を生ずるものでない。

■宗教的活動

「宗教的活動」とは，行為の**目的**が宗教的意義をもち，その**効果**が宗教に対する援助，助言，促進又は圧迫，干渉等となる行為をいう。（最判 1977.7.13）

●Reference

15 教育行政，教育振興基本計画等(教基法第16・17・18条)

重要度 A

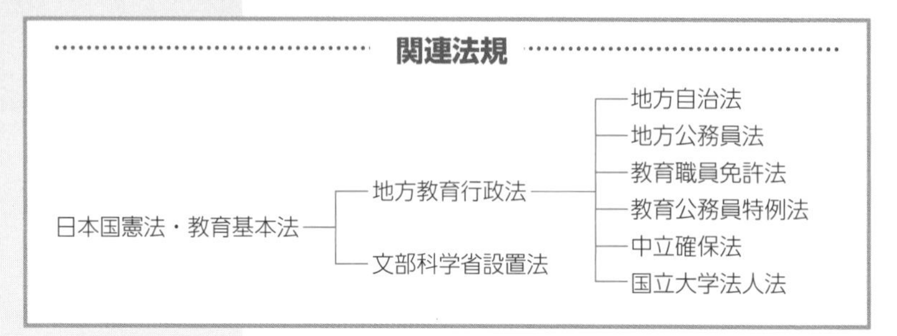

1. 不当な支配
2. 教育行政
3. 公正
4. 機会均等
5. 教育水準
6. 施策
7. 振興
8. 実情
9. 施策
10. 円滑
11. 財政

第3章

第16条　教育行政

▶①教育は，［ 1 ］に服することなく，この法律及び他の法律の定めるところにより行われるべきものであり，［ 2 ］は，国と地方公共団体との適切な**役割分担**及び**相互の協力**の下，［ 3 ］かつ適正に行われなければならない。

▶②国は，全国的な教育の［ 4 ］と［ 5 ］の維持向上を図るため，教育に関する［ 6 ］を総合的に策定し，実施しなければならない。

▶③地方公共団体は，その地域における教育の［ 7 ］を図るため，その［ 8 ］に応じた教育に関する［ 9 ］を策定し，実施しなければならない。

▶④国及び地方公共団体は，教育が［ 10 ］かつ**継続的**に実施されるよう，必要な［ 11 ］上の措置を講じなければならない。

● Reference

■目　的（中立確保法第1条）

この法律は，教育基本法の精神に基き，義務教育諸学校における教育を党派的勢力の不当な**影響**又は**支配**から守り，もって義務教育の**政治的中立**を確保するとともに，これに従事する教育職員の自主性を擁護することを目的とする。

■国及び地方公共団体との関係（社教法第12条）

国及び地方公共団体は，社会教育関係団体に対し，いかなる方法によっても，不当に**統制的支配**を及ぼし，又はその事業に**干渉**を加えてはならない。

Reference

■ **身分保障（教員の地位に関する勧告45）**

教職における**雇用の安定**及び**身分の保障**は，教育及び教員の利益に欠くことができないものであり，学制又は学校内の組織の変更があった場合にも保護されるものとする。

■ **身分保障（教員の地位に関する勧告46）**

教員は，教員としての**地位**又は**分限**に影響を及ぼす恣意的処分から十分に保護されるものとする。

■ **公務員の本質（憲法第15条②）**

すべて公務員は，**全体**の奉仕者であって，一部の奉仕者ではない。

■ **服務の根本基準（国公法第96条①）**

すべて職員は，**国民全体**の奉仕者として，**公共**の利益のために勤務し，且つ，職務の遂行に当っては，全力を挙げてこれに**専念**しなければならない。

■ **この法律の趣旨（特例法第１条）**

この法律は，教育を通じて**国民全体**に奉仕する教育公務員の職務とその責任の特殊性に基づき，教育公務員の任免，人事評価，給与，分限，懲戒，服務及び研修等について規定する。

第17条　教育振興基本計画

▶①政府は，教育の振興に関する施策の総合的かつ［ 12 ］な推進を図るため，教育の**振興**に関する施策についての基本的な［ 13 ］及び講ずべき施策その他必要な事項について，基本的な［ 14 ］を定め，これを［ 15 ］に報告するとともに，**公表**しなければならない。

▶②地方公共団体は，前項の計画を参酌し，その地域の［ 16 ］に応じ，当該地方公共団体における教育の**振興**のための施策に関する基本的な［ 17 ］を定めるよう努めなければならない。

12. 計画的
13. 方針
14. 計画
15. 国会
16. 実情
17. 計画

Reference

■ **第４期教育振興基本計画（閣議決定2023.6.16）**

【基本的な方針】

1. グローバル化する社会の**持続的**な発展に向けて学び続ける人材の育成
2. 誰一人取り残されず，全ての人の可能性を引き出す**共生社会**の実現に向けた教育の推進
3. 地域や家庭で共に学び支え合う社会の実現に向けた教育の推進
4. 教育デジタルトランスフォーメーション（DX）の推進
5. 計画の実効性確保のための基盤整備・対話

16 教育委員会の組織

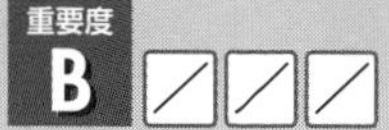

教育委員会の組織

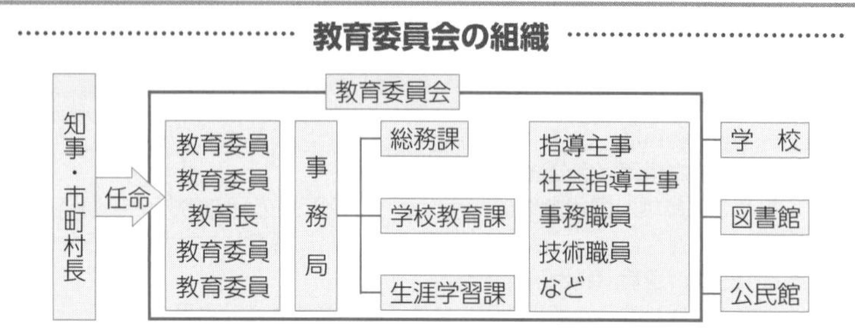

※知事や市町村長は議会の同意を得て，教育長及び教育委員を任命

委員数は原則４人。ただし，条例で定めるところにより都道府県・指定都市は５人以上，町村は２人以上にすることが可能。

１．教育委員会の組織

▶教育委員会は，**教育長**及び[1]人の委員をもって組織する。ただし，**条例**で定めるところにより，都道府県若しくは市又は地方公共団体の組合のうち都道府県若しくは市が加入するものの教育委員会にあっては**教育長**及び[2]人以上の委員，町村又は地方公共団体の組合のうち町村のみが加入するものの教育委員会にあっては教育長及び[3]人以上の委員をもって組織することができる。…地方教育行政法第３条

1. 4
2. 5
3. 2

２．委員等の任命

▶教育長は，当該地方公共団体の長の**被選挙権**を有する者で，人格が高潔で，教育行政に関し識見を有するもののうちから，[4]の長が，**議会**の同意を得て，任命する。…地方教育行政法第４条①

▶委員は，当該地方公共団体の長の**被選挙権**を有する者で，人格が高潔で，教育，学術及び文化(以下単に「教育」という。)に関し識見を有するもののうちから，[5]の長が，**議会**の同意を得て，任命する。

…地方教育行政法第４条②

4. 地方公共団体
5. 地方公共団体

▶教育長及び委員の任命については，そのうち委員の定数に1を加えた数の［ 6 ］以上の者が**同一**の［ 7 ］に所属することとなってはならない。…地方教育行政法第4条④

▶地方公共団体の長は，第2項の規定による委員の任命に当たっては，委員の**年齢**，**性別**，**職業**等に著しい偏りが生じないように配慮するとともに，委員のうちに［ 8 ］（**親権**を行う者及び**未成年後見人**をいう。第47条の5第2項第2号及び第5項において同じ。）である者が含まれるようにしなければならない。…地方教育行政法第4条⑤

6. 2分の1
7. 政党
8. 保護者

3．委員等の任期

▶教育長の任期は［ 9 ］年とし，委員の任期は［ 10 ］年とする。ただし，補欠の教育長又は委員の任期は，前任者の**残任期間**とする。…地方教育行政法第5条①

▶教育長及び委員は，［ 11 ］されることができる。
…地方教育行政法第5条②

9. 3
10. 4
11. 再任

4．教育長

▶教育長は，教育委員会の会務を総理し，教育委員会を［ 12 ］する。…地方教育行政法第13条①

▶教育長に事故があるとき，又は教育長が欠けたときは，あらかじめその**指名**する**委員**がその職務を行う。…地方教育行政法第13条②

▶教育委員会の会議は，［ 13 ］が招集する。…地方教育行政法第14条①

12. 代表
13. 教育長

5．事務局

▶教育委員会の**権限**に属する事務を処理させるため，教育委員会に［ 14 ］を置く。…地方教育行政法第17条①

14. 事務局

6．指導主事

▶都道府県に置かれる教育委員会（以下「都道府県委員会」という。）の事務局に，［ 15 ］，事務職員及び**技術職員**を置くほか，所要の職員を置く。…地方教育行政法第18条①

15. 指導主事

17 教育委員会の仕事

重要度 B

教育委員会の主な職務

1．就学等に関すること
2．学校の管理等に関すること
3．研修に関すること
4．免許状の発行（授与）に関すること
5．その他

1．職務の種類

▶教育委員会は，別に法律の定めるところにより，学校その他の[1]を管理し，学校の**組織編制**，[2]，**教科書**その他の教材の取扱及び教育職員の**身分取扱**に関する事務を行い，並びに**社会教育**その他教育，学術及び文化に関する事務を管理し及びこれを執行する。…地方自治法第180条の8

▶この法律は，**教育委員会**の設置，学校その他の教育機関の職員の**身分取扱**その他地方公共団体における[3]の組織及び運営の基本を定めることを目的とする。…地方教育行政法第1条

▶地方公共団体における教育行政は，教育基本法（平成18年法律第120号）の趣旨にのっとり，**教育の機会均等**，**教育水準の維持向上**及び**地域の実情**に応じた教育の振興が図られるよう，[4]との適切な**役割分担**及び**相互の協力**の下，公正かつ適正に行われなければならない。…地方教育行政法第1条の2

▶教育委員会は，当該[5]が処理する教育に関する事務で，次に掲げるものを管理し，及び執行する。

1　教育委員会の所管に属する第30条に規定する学校その他の教育機関（以下「学校その他の教育機関」という。）の**設置**，**管理**及び**廃止**に関すること。
2　教育委員会の所管に属する学校その他の教育機関の用に供する財産（以下「教育財産」という。）の管理に関すること。

1. 教育機関
2. 教育課程
3. 教育行政
4. 国
5. 地方公共団体

3　教育委員会及び教育委員会の所管に属する学校その他の教育機関の職員の**任免**その他の人事に関すること。

4　学齢生徒及び学齢児童の[6]並びに生徒，児童及び幼児の**入学**，**転学**及び**退学**に関すること。

5　教育委員会の所管に属する学校の**組織編制**，[7]，学習指導，生徒指導及び職業指導に関すること。

6　[8]その他の教材の取扱いに関すること。

7　校舎その他の施設及び教具その他の設備の整備に関すること。

8　校長，教員その他の教育関係職員の[9]に関すること。

9　校長，教員その他の教育関係職員並びに**生徒**，**児童**及び**幼児**の保健，安全，厚生及び福利に関すること。

10　教育委員会の所管に属する学校その他の教育機関の[10]に関すること。

11　[11]に関すること。

12　**青少年教育**，**女性教育**及び**公民館**の事業その他社会教育に関すること。

13　**スポーツ**に関すること。

14　**文化財**の保護に関すること。

15　**ユネスコ**活動に関すること。

16　教育に関する[12]に関すること。

17　教育に係る調査及び基幹統計その他の統計に関すること。

18　所掌事務に係る広報及び所掌事務に係る教育行政に関する相談に関すること。

19　前各号に掲げるもののほか，当該地方公共団体の区域内における[13]に関する事務に関すること。…地方教育行政法第21条

▶市町村委員会は，県費負担教職員の[14]を監督する。…地方教育行政法第43条①

6. 就学
7. 教育課程
8. 教科書
9. 研修
10. 環境衛生
11. 学校給食
12. 法人
13. 教育
14. 服務

2．就学関係

▶市（特別区を含む。以下同じ。）町村の教育委員会

15. 学齢簿
16. 住民基本台帳
17. 5月前
18. 満6歳
19. 学齢簿
20. 市町村
21. 都道府県
22. 健康診断
23. 教育委員会規則
24. 研修

は，当該市町村の区域内に住所を有する学齢児童及び学齢生徒（それぞれ学校教育法（以下「法」という。）第18条に規定する**学齢児童**及び**学齢生徒**をいう。以下同じ。）について，[15]を編製しなければならない。…学校法施令第1条①

▶前項の規定による学齢簿の編製は，当該市町村の[16]に基づいて行なうものとする。…学校法施令第1条②

▶市町村の教育委員会は，**毎学年の初め**から[17]までに，文部科学省令で定める日現在において，当該市町村に住所を有する者で前学年の初めから終わりまでの間に[18]に達する者について，あらかじめ，前条第1項の学齢簿を作成しなければならない。この場合においては，同条第2項から第4項までの規定を準用する。…学校法施令第2条

▶学校教育法施行令第2条の規定による[19]の作成は，10月1日現在において行うものとする。…学校法施規第31条

3．管理関係

▶公立の学校（大学を除く。）の学期並びに夏季，冬季，学年末，農繁期等における**休業日**又は家庭及び地域における体験的な学習活動その他の学習活動のための**休業日**（「体験的学習活動等休業日」）は，市町村又は都道府県の設置する学校にあっては当該[20]又は[21]の**教育委員会**が，公立大学法人の設置する学校にあっては当該公立大学法人の理事長が定める。…学校法施令第29条①

▶教育委員会は，[22]その他学校における保健に関し，政令で定めるところにより，**保健所**を設置する地方公共団体の長に対し，**保健所**の協力を求めるものとする。…地方教育行政法第57条①

▶教育委員会は，法令又は条例に違反しない限りにおいて，その権限に属する事務に関し，[23]を制定することができる。…地方教育行政法第15条①

4．研　修

▶市町村委員会は，都道府県委員会が行う県費負担教職員の[24]に協力しなければならない。…地方教育行政法

第45条②

▶公立の小学校等の教諭等の**研修実施者**は，当該教諭等（臨時的に任用された者その他の政令で定める者を除く。）に対して，その採用（現に教諭等の職以外の職に任命されている者を教諭等の職に任命する場合を含む。）の日から［25］の教諭又は保育教諭の職務の遂行に必要な事項に関する実践的な**研修**（以下「初任者研修」という。）を実施しなければならない。…特例法第23条①

▶指導助言者は，**初任者研修**を受ける者（次項において「初任者」という。）の所属する学校の副校長，教頭，主幹教諭（養護又は栄養の指導及び管理をつかさどる主幹教諭を除く。），指導教諭，教諭，主幹保育教諭，指導保育教諭，保育教諭又は講師のうちから，［26］を命じるものとする。…特例法第23条②

▶公立の小学校等の教諭等（臨時的に任用された者その他の政令で定める者を除く。）の**研修実施者**は，当該教諭等に対して，個々の**能力**，**適性**等に応じて，公立の小学校等における教育に関し相当の経験を有し，その教育活動その他の学校運営の円滑かつ効果的な実施において**中核**的な役割を果たすことが期待される［27］等としての職務を遂行する上で必要とされる資質の向上を図るために必要な事項に関する**研修**（以下「［28］」という。）を実施しなければならない。…特例法第24条①

▶指導助言者は，中堅教諭等資質向上研修を実施するに当たり，中堅教諭等資質向上研修を受ける者の**能力**，**適性**等について評価を行い，その結果に基づき，当該者ごとに中堅教諭等資質向上研修に関する［29］を作成しなければならない。…特例法第24条②

▶公立の小学校等の教諭等の任命権者は，児童，生徒又は幼児（以下「児童等」という。）に対する指導が［30］であると認定した教諭等に対して，その**能力**，**適性**等に応じて，当該指導の**改善**を図るために必要な事項に関する**研修**（以下「［31］」という。）を実施しなければならない。…特例法第25条①

▶任命権者は，前条第４項の認定において指導の改善が**不十分**でなお児童等に対する指導を適切に行うことができないと認める教諭等に対して，［32］その他の必要

25. １年間

26. 指導教員

27. 中堅教諭

28. 中堅教諭等資質向上研修

29. 計画書

30. 不適切

31. 指導改善研修

32. 免職

な措置を講ずるものとする。…特例法第25条の2

5．免許状

33. 都道府県

▶免許状は，[33]の**教育委員会**（以下「授与権者」という。）が授与する。…免許法第5条⑥

34. 普通免許状

▶[34]は，全ての都道府県（中学校及び高等学校の教員の宗教の教科についての免許状にあっては，国立学校又は公立学校の場合を除く。以下この条において同じ。）において効力を有する。…免許法第9条①

35. 特別免許状

▶[35]は，その免許状を授与した授与権者の置かれる都道府県においてのみ効力を有する。…免許法第9条②

36. 臨時免許状
37. 3年間

▶[36]は，その免許状を授与したときから[37]，その免許状を授与した授与権者の置かれる都道府県においてのみ効力を有する。…免許法第9条③

6．その他

38. 市町村
39. 保護者
40. 出席停止

▶[38]の教育委員会は，次に掲げる行為の1又は2以上を**繰り返し**行う等性行不良であって他の児童の教育に妨げがあると認める児童があるときは，その[39]に対して，児童の[40]を命ずることができる。

1　他の児童に**傷害**，心身の**苦痛**又は財産上の**損失**を与える行為
2　職員に**傷害**又は心身の**苦痛**を与える行為
3　施設又は設備を**損壊**する行為
4　授業その他の教育活動の実施を**妨げる**行為

…学校法第35条①

41. 都道府県

▶[41]の教育委員会は，当該都道府県内の義務教育諸学校において使用する教科用図書の**採択**の適正な実施を図るため，義務教育諸学校において使用する教科用図書の**研究**に関し，計画し，及び実施するとともに，市（特別区を含む。以下同じ。）町村の教育委員会及び義務教育諸学校（公立の義務教育諸学校を除く。）の**校長**の行う**採択**に関する事務について，適切な**指導**，**助言**又は**援助**を行わなければならない。…教科書無償措置法第10条

※教員免許状は10年毎の更新制が行われていたが，2022年，研修履歴を活用した新たな研修のしくみに発展的解消した。

学齢児童・生徒の就学・入学に関する手続き

法規	特別支援学校	小・中学校	時期
学校法施令 第2条 学校法施規 第31条	**学齢簿の作成** 市町村教育委員会		10月1日 現在 10月31日 まで （5か月前）
学校保健安全法施令 第1条	**就学時の健康診断** 市町村教育委員会		11月30日 （4か月前）
学校法施令 第11条①	**都道府県教育委員会へ認定特別支援学校就学者の通知** 市町村教育委員会		12月31日 （3か月前）
学校法施令 第5条① 第14条① 第15条①	**保護者へ入学期日の通知 就学学校長及び当該児童生徒等の住所の存する市町村教育委員会へ氏名・入学期日の通知** 都道府県教育委員会	**保護者へ入学期日の通知** 市町村教育委員会	1月31日 （2か月前）
学校保健安全法施令 第4条②		**入学学校長へ就学時健康診断票送付** 市町村教育委員会	（15日前）
学校法施規 第59条 第79条 第135条①	**就学**		4月1日

18 教職員の配置

必要な所属教職員

	校長 園長	教頭	副校長 副園長	教諭	主幹 教諭	指導 教諭	養護 教諭	栄養 教諭	事務 職員
幼稚園	◎	○	□	◎	□	□	※	□	※
小学校	◎	○	□	◎	□	□	○	□	○
中学校	◎	○	□	◎	□	□	○	□	○
義務教育学校	◎	○	□	◎	□	□	○	□	○
高等学校	◎	○	□	◎	□	□	※	□	◎
中等教育学校	◎	○	□	◎	□	□	○	□	◎
特別支援学校	◎	○	□	◎	□	□	○	□	○

◎……置かなければならない
○……特別の事情があるときは置かないことができる
□……置くことができる
※……置くように努めなければならない

1．教員とは

▶①小学校には，校長，教頭，教諭，養護教諭及び事務職員を置かなければならない。

②小学校には，前項に規定するもののほか，**副校長**，**主幹教諭**，**指導教諭**，**栄養教諭**その他必要な職員を置くことができる。

③第１項の規定にかかわらず，副校長を置くときその他特別の事情のあるときは教頭を，養護をつかさどる主幹教諭を置くときは養護教諭を，特別の事情のあるときは事務職員を，それぞれ置かないことができる。

④［　1　］は，校務をつかさどり，**所属職員**を監督する。

⑤［　2　］は，**校長**を助け，命を受けて校務をつかさどる。

⑥［　3　］は，**校長**に事故があるときはその職務を**代理**し，**校長**が欠けたときはその職務を行う。この場合において，副校長が２人以上あるときは，あらかじめ**校長**が定めた順序で，その職務を代理し，又は行う。

1. 校長
2. 副校長
3. 副校長

⑦[4]は，**校長**（副校長を置く小学校にあっては，校長及び副校長）を助け，校務を整理し，及び必要に応じ児童の教育をつかさどる。

⑧[5]は，**校長**（副校長を置く小学校にあっては，校長及び副校長）に事故があるときは**校長**の職務を代理し，**校長**（副校長を置く小学校にあっては，校長及び副校長）が欠けたときは**校長**の職務を行う。この場合において，教頭が２人以上あるときは，あらかじめ**校長**が定めた順序で，**校長**の職務を代理し，又は行う。

⑨[6]は，**校長**（副校長を置く小学校にあっては，校長及び副校長）及び**教頭**を助け，命を受けて校務の一部を整理し，並びに児童の教育をつかさどる。

⑩[7]は，児童の教育をつかさどり，並びに教諭その他の職員に対して，教育指導の**改善**及び**充実**のために必要な指導及び助言を行う。

⑪[8]は，児童の教育をつかさどる。

⑫[9]は，児童の**養護**をつかさどる。

⑬[10]は，児童の**栄養**の指導及び**管理**をつかさどる。

⑭事務職員は，事務をつかさどる。

⑮助教諭は，**教諭**の職務を助ける。

⑯[11]は，教諭又は助教諭に準ずる職務に従事する。

⑰養護助教諭は，**養護教諭**の職務を助ける。

⑱特別の事情のあるときは，第１項の規定にかかわらず，教諭に代えて助教諭又は講師を，養護教諭に代えて養護助教諭を置くことができる。

⑲学校の実情に照らし必要があると認めるときは，第９項の規定にかかわらず，校長（副校長を置く小学校にあっては，校長及び副校長）及び教頭を助け，命を受けて校務の一部を整理し，並びに児童の養護又は栄養の指導及び管理をつかさどる**主幹教諭**を置くことができる。

…学校法第37条（同条の準用規定あり）

▶①小学校には，**研修主事**を置くことができる。

②研修主事は，指導教諭又は教諭をもって，これに充てる。

③研修主事は，校長の監督を受け，**研修計画**の立案その他の研修に関する事項について連絡調整及び指導，助言に当たる。…学校法施規第45条の２（同条の準用規定あり）

4. 教頭

5. 教頭

6. 主幹教諭

7. 指導教諭

8. 教諭

9. 養護教諭

10. 栄養教諭

11. 講師

12. 教員

▶前条に規定する学校に，法律で定めるところにより，学長，校長，園長，［ 12 ］，事務職員，技術職員その他の所要の職員を置く。…地方教育行政法第31条①

▶①この法律において「教育公務員」とは，地方公務員のうち，学校（学校教育法（昭和22年法律第26号）第1条に規定する学校及び就学前の子どもに関する教育，保育等の総合的な提供の推進に関する法律（平成18年法律第77号）第2条第7項に規定する幼保連携型認定こども園）であって地方公共団体が設置するもの（以下「公立学校」という。）の学長，校長（園長を含む。以下同じ。），教員及び部局長並びに教育委員会の専門的教育職員をいう。

②この法律において「教員」とは，公立学校の教授，准教授，助教，副校長（副園長を含む。以下同じ。），教頭，主幹教諭（幼保連携型認定こども園の主幹養護教諭及び主幹栄養教諭を含む。以下同じ。），指導教諭，教諭，助教諭，養護教諭，養護助教諭，栄養教諭，主幹保育教諭，指導保育教諭，保育教諭，助保育教諭及び講師をいう。

③この法律で「部局長」とは，大学（公立学校であるものに限る。）の副学長，学部長その他政令で指定する部局の長をいう。

⑤この法律で「専門的教育職員」とは，指導主事及び社会教育主事をいう。…特例法第2条

●Reference

■校長の資格（学校法施規第20条）

校長（学長及び高等専門学校の校長を除く。）の資格は，次の各号のいずれかに該当するものとする。

1　教育職員免許法（昭和24年法律第147号）による教諭の専修免許状又は1種免許状（高等学校及び中等教育学校の校長にあっては，専修免許状）を有し，かつ，次に掲げる職（以下「教育に関する職」という。）に5年以上あったこと

イ　学校教育法第1条に規定する学校及び同法第124条に規定する専修学校の校長（就学前の子どもに関する教育，保育等の総合的な提供の推進に関する法律（平成18年法律第77号）第2条第7項に規定する幼保連携型認定こども園（以下「幼保連携型認定こども園」という。）の園長を含む。）の職

ロ　学校教育法第1条に規定する学校及び幼保連携型認定こども園の教授，

准教授，助教，副校長（幼保連携型認定こども園の副園長を含む。），教頭，主幹教諭（幼保連携型認定こども園の主幹養護教諭及び主幹栄養教諭を含む。），指導教諭，教諭，助教諭，養護教諭，養護助教諭，栄養教諭，主幹保育教諭，指導保育教諭，保育教諭，助保育教諭，講師（常時勤務の者に限る。）及び同法第124条に規定する専修学校の教員（以下本条中「教員」という。）の職

ハ　学校教育法第1条に規定する学校及び幼保連携型認定こども園の事務職員（単純な労務に雇用される者を除く。本条中以下同じ。），実習助手，寄宿舎指導員及び学校栄養職員の職（略）

2　教育に関する職に10年以上あったこと

2．教員の配置

〔小・中学校〕

▶小（中）学校に置く**主幹教諭**，**指導教諭**及び教諭（以下この条において「教諭等」という。）の数は，1学級当たり[13]以上とする。…小（中）学校設置基準第6条①

▶教諭等は，特別の事情があり，かつ，教育上支障がない場合は，**校長**，**副校長**若しくは**教頭**が兼ね，又は**助教諭**若しくは[14]をもって代えることができる。…小（中）学校設置基準第6条②

▶小（中）学校に置く[15]等は，教育上必要と認められる場合は，**他の学校**の教員等と兼ねることができる。…小（中）学校設置基準第6条③

〔幼稚園〕

▶幼稚園には，**園長**のほか，各学級ごとに少なくとも専任の**主幹教諭**，**指導教諭**又は[16]（次項において「教諭等」という。）を1人置かなければならない。…幼稚園設置基準第5条①

13. 1人

14. 講師

15. 教員

16. 教諭

● Reference

■ **所要の職員とは**

○養護助教諭，実習助手，技術職員など（学校法第60条）

○寄宿舎指導員（学校法第79条）

○学校用務員（学校法施規第65条）

○学校医，学校歯科医，学校薬剤師，学校保健技師（学校保健安全法第22・23条）

○学校給食栄養管理者（学校給食法第7条）など。

19 教職員の服務

身分上の義務，制限

①服務の宣誓（地公法第31条）
②法令等及び上司の職務上の命令に従う義務（地公法第32条）
③信用失墜行為の禁止（地公法第33条）
④秘密を守る義務（地公法第34条）
⑤職務に専念する義務（地公法第35条）
⑥政治的行為の制限（地公法第36条）
⑦争議行為等の禁止（地公法第37条）
⑧営利企業への従事等の制限（地公法第38条）

公立学校教員の身分は，地方公務員法に準ずる。かつ憲法第15条第２項の「すべて公務員は，全体の奉仕者であって，一部の奉仕者ではない。」は特に大切である。この条文を受けて，国家公務員法，地方公務員法，学校教育法，教育公務員特例法などの法令が適用されるのである。

１．公務員の性格

▶すべて公務員は，［ 1 ］の奉仕者であって，［ 2 ］の奉仕者ではない。…憲法第15条②

▶法律に定める学校の教員は，自己の［ 3 ］を深く自覚し，絶えず**研究**と**修養**に励み，その［ 4 ］の遂行に努めなければならない。…教基法第９条①

▶前項の教員については，その**使命**と**職責**の重要性にかんがみ，その［ 5 ］は尊重され，［ 6 ］の適正が期せられるとともに，**養成**と**研修**の充実が図られなければならない。…教基法第９条②

▶すべて職員は，［ 7 ］として［ 8 ］のために勤務し，且つ，職務の遂行に当っては，［ 9 ］を挙げてこれに**専念**しなければならない。…地公法第30条

２．教職員の義務

▶職員は，**条例**の定めるところにより，［ 10 ］の宣誓をしなければならない。…地公法第31条

1. 全体
2. 一部
3. 崇高な使命
4. 職責
5. 身分
6. 待遇
7. 全体の奉仕者
8. 公共の利益
9. 全力
10. 服務

▶職員は，その職務を遂行するに当って，**法令**，**条例**，[11]及び[12]に従い，且つ，[13]の職務上の命令に忠実に従わなければならない。…地公法第32条

▶職員は，その職の[14]を傷つけ，又は職員の職全体の[15]となるような行為をしてはならない。…地公法第33条

▶職員は，職務上知り得た[16]を漏らしてはならない。その職を退いた後も，また，[17]とする。…地公法第34条①

▶職員は，法律又は条例に特別の定がある場合を除く外，その**勤務時間**及び職務上の[18]のすべてをその[19]遂行のために用い，当該地方公共団体がなすべき[20]を有する職務にのみ従事しなければならない。…地公法第35条

▶職員は，[21]その他の政治的団体の**結成**に関与し，若しくはこれらの団体の**役員**となってはならず，又はこれらの団体の構成員となるように，若しくはならないように**勧誘運動**をしてはならない。…地公法第36条①

▶職員は，地方公共団体の機関が代表する使用者としての[22]に対して[23]，**怠業**その他の[24]をし，又は地方公共団体の機関の活動能率を低下させる[25]をしてはならない。又，何人も，このような違法な行為を企て，又はその遂行を**共謀**し，そそのかし，若しくはあおってはならない。…地公法第37条①

▶職員は，任命権者の許可を受けなければ，商業，工業又は金融業その他**営利**を目的とする[26]を営むことを目的とする会社その他の団体の**役員**その他人事委員会規則（人事委員会を置かない地方公共団体においては，地方公共団体の規則）で定める地位を兼ね，若しくは自ら[27]を営み，又は**報酬**を得ていかなる事業若しくは事務にも従事してはならない。ただし，**非常勤職員**については，この限りでない。…地公法第38条①

11. 地方公共団体の規則
12. 地方公共団体の機関の定める規程
13. 上司
14. 信用
15. 不名誉
16. 秘密
17. 同様
18. 注意力
19. 職責
20. 責
21. 政党
22. 住民
23. 同盟罷業
24. 争議行為
25. 怠業的行為
26. 私企業
27. 営利企業

20 おもな主体と対象

重要度 B

1．国・地方公共団体

主体	対象
国・地方公共団体	経済的修学困難者の奨学（教基法４③）
文部科学大臣	学習指導要領の公示（学校法施規52，74，84，129）
都道府県	特別支援学校の設置義務（学校法80）
市町村	経済的就学困難者の援助（学校法19） 小・中学校の設置義務（学校法38，49）

2．教育委員会

主体	対象
都道府県教育委員会	特別支援学校の入学期日等の通知，学校の指定（学校法施令14） 免許状の授与（免許法５） 免許の取上げ（免許法11） 県費負担教職員の任免等（地方教育行政法38，40）
市町村教育委員会	病弱等に因る就学義務の猶予・免除（学校法18） 性行不良の児童・生徒の出席停止（学校法35，49） 学齢簿の編製・作成等（学校法施令１，２，３） 入学期日等の通知，学校の指定（学校法施令５） 就学児童・生徒の学校長への通知（学校法施令７） 認定特別支援学校就学者の都道府県教育委員会への通知（学校法施令11） 就学時の健康診断（学校保健安全法11） 初任者研修に係る非常勤講師派遣の依頼（地方教育行政法47の３）

3．校長・教員

主体	対象
校長・教員	児童・生徒等に対する懲戒（学校法11，学校法施規26）
校長	学齢児童・学齢生徒の出席状況把握義務（学校法施令19，20） 指導要録の作成（学校法施規24） 出席簿の作成（学校法施規25） 職員会議の主宰（学校法施規48，79，104） 卒業証書の授与（学校法施規58，79，104） 授業の終始時刻の決定（学校法施規60，79，104） 非常変災等による臨時休業（学校法施規63） 感染症に関する出席停止（学校保健安全法19）

4．その他

主体	対象
本属長	教育公務員の短期の研修の承認（特例法22②）
任命権者	教育公務員の長期の研修の承認（特例法22③）
国民	教育を受けさせる義務（憲法26②，教基法５①）
保護者	就学させる義務（学校法17）
親権者	子の監護及び教育をする権利及び義務（民法820）

21 重要数量

(アドバイス) 重要数量は下記の設問のほか，学習指導要領に示されている各学年の授業時数や教室環境（照明・騒音レベル，空気・学習机の高さ）など，よく整理して理解するように。

【1】

▶ 1 1学級当たりの教諭等〔人以上〕
▶ 2 1学級当たりの教諭等〔人以上〕
▶ 3 研修の期間〔年間〕
▶ 4 任用期間の延長可能期間〔年間〕

【2】

▶ 5 へ入学期日の通知〔月前まで〕
▶ 6 の教育委員会の委員の定数（条例）〔人〕

【3】

▶ 7 の修業年限〔年〕
▶ 8 全日制の修業年限〔年〕
▶ 9 免許状の有効期間〔年〕
▶ 10 教育委員会へ認定特別支援学校就学者の通知〔月前まで〕
▶ 11 の欠格事由〔(免許失効後）年〕
▶ 12 の入園資格〔歳から〕

【4】

▶教育委員会の委員の 13 〔年〕
▶就学時の 14 〔月前まで〕
▶ 15 の1日の教育時間〔時間を標準〕
▶ 16 の修業年限（医・歯学課程等を除く）〔年〕
▶都道府県・市町村の 17 の委員の定数〔人〕

【5】

▶ 18 の作成〔月前まで〕
▶ 19 の保存期間（指導要録の学籍に関する記録を除く）〔年間〕
▶ 20 になるための教員在籍資格〔年以上〕
▶ 21 の修業年限（商船学科を除く）〔年〕

1. 小学校
2. 中学校
3. 初任者
4. 条件付
5. 保護者
6. 町村
7. 中学校
8. 高等学校
9. 臨時
10. 都道府県
11. 校長・教員
12. 幼稚園
13. 任期
14. 健康診断
15. 幼稚園
16. 大学
17. 教育委員会
18. 学齢簿
19. 表簿
20. 校長，副校長，教頭
21. 高等専門学校

22. 教育委員会
23. 小学校
24. 医学・歯学
25. 学齢児童
26. 学校
27. 義務教育
28. 校長，副校長，教頭
29. 義務
30. 特別支援
31. 健康診断票
32. 指導要録
33. 全日制
34. 小学校１学年
35. 中学校
36. 高等学校
37. 学級編制
38. 幼稚園
39. 小学校
40. 中学校・高等学校
41. 高等学校

▶都道府県・指定都市の[22]の定数（条例）〔人〕

【6】

▶[23]の修業年限〔年〕

▶[24]課程の大学の修業年限〔年以上〕

▶[25]の就学〔歳〕

【9】

▶[26]の範囲〔種類〕

▶[27]期間〔年〕

【10】

▶[28]になるため，教育に関する職への在籍期間〔年以上〕

【15】

▶就学させる[29]〔歳まで〕

▶[30]学校の１学級の児童・生徒数〔人以下を標準〕

▶入学学校長へ就学時[31]送付〔日前まで〕

【20】

▶[32]の学籍に関する記録の保存期間〔年間〕

【30】

▶[33]高等学校の週当たりの授業時数〔単位時間を標準〕

【34】

▶[34]の年間授業週数〔週以上〕

【35】

▶小学校・[35]の年間授業週数〔週以上〕

▶[36]の１単位に相当する授業時数〔単位時間〕

▶小学校（義務教育学校の前期課程を含む）の[37]の標準

【39】

▶[38]の毎学年の教育週数〔週を下らない〕

【45】

▶[39]の授業の１単位時間〔分を常例〕

【50】

▶[40]の授業の１単位時間〔分を常例・標準〕

【74】

▶[41]の卒業に必要な修得単位数〔単位以上〕

3

生徒指導・安全指導

1 学級担任の生徒指導

重要度 A

生徒指導の留意点

⊙生徒指導上の立場

(1) 学級担任の教師の役割
(2) 校内の他の教師との**協力的**な指導

⊙生徒指導上の問題

(1) 生徒の家庭との連絡方法
(2) 学級の児童・生徒との間の望ましい人間関係の育成上の配慮
(3) 学級内の児童・生徒相互の望ましい人間関係の育成上の配慮
(4) 児童・生徒の適応上の問題の**解決**を助け，さらに精神的な健康を**助長**する上での配慮
(5) 学級内で起こった**偶発的な問題**の指導上の配慮

1．学級と学級担任の教師の立場

▶他の教師との協力のもとに，生徒指導を**直接**的，**継続**的に推進する立場にある。

▶さまざまな[1]を通して，学級の生徒と最も多く**接触**する[2]をもつことができ，種々の点についてよく知りうる立場にある。

▶学級の中のすべての生徒について，[3]な指導が必要であり，それができるのは学級担任の教師である。

▶一人ひとりの生徒について，そのおかれている諸条件を[4]にとらえ，**計画**的に**指導**を進めるには，生徒とより多く接し，よく理解できる立場にある**学級担任**の教師が最も適している。

2．学級担任の教師による生徒指導上の役割

▶望ましい**人間関係**で結びついた[5]を育成するように配慮すること。

▶[6]から生徒との**接触**を密にし，生徒理解を深めるように努めること。

▶各種の**集団活動**へ参加し，**協力**する態度を助長する

1. 機会
2. 機会
3. 継続的
4. 総合的
5. 学級集団
6. 日常

とともに，積極的に活動する［ 7 ］を育てること。

▶教室やその**周囲**の環境の［ 8 ］を図ること。

▶［ 9 ］との**連絡**を密にし，**協力**し合うようにすること。

▶「学級指導」の充実を図ること。

▶学級担任の教師の処理することを**総合**的に考え，生徒指導に役立てること。

7. 意欲
8. 整備や美化
9. 家庭

3．偶発的な問題の指導上の留意点

▶問題の［ 10 ］を明確にすること。

▶教師の［ 11 ］を明確にすること。

▶生徒自身が問題の発生の**原因**を［ 12 ］できるようにすること。

▶広く［ 13 ］の**協力**を求めること。

10. 背景
11. 態度
12. 認知
13. 他の教師

4．指導の機会と方法

▶学級の生徒全体として考えてみる必要のある場合

……短時間の学級の時間や学級会活動の時間に，それに関連した題材を取り上げ，**話し合い**をさせることによって，**集団全体**に適宜，注意を喚起するように働きかける必要もあろう。また，**学級指導**や**道徳**にかかわる問題の内容として，相互に［ 14 ］に関連させ取り上げ，真の友情や信頼の意味について考えさせたり，**人間関係**を深めたりするように指導を行い，生徒相互がより深く理解し合えるような指導を進めることも考えられよう。

▶当事者である生徒に対する指導の場合

……［ 15 ］をもとにして**教育相談**の［ 16 ］を図るとともに，**継続**的な**観察**を続けたり，**作文**，**日記**などを通して指導を積み重ねていくこともたいせつである。また，同時に，**人間関係**の［ 17 ］を図っていくような配慮をすることもたいせつなことである。

14. 有機的
15. 個人資料
16. 計画化
17. 調整

2 児童生徒理解

1．総合的
2．観察力
3．部活動
4．複眼的
5．養護教諭
6．教育相談
7．傾聴
8．共感的理解

1．生徒指導における生徒理解の重要性

児童生徒理解においては，児童生徒を心理面のみならず，学習面，社会面，健康面，**進路**面，**家庭**面から［ 1 ］に理解していくことが重要です。また，学級・**ホームルーム**担任の日頃のきめ細かい［ 2 ］が，指導・**援助**の成否を大きく左右します。また，学年担当，教科担任，［ 3 ］等の**顧問**等による［ 4 ］な広い視野からの児童生徒理解に加えて，［ 5 ］，SC，SSW の**専門**的な立場からの児童生徒理解を行うことが大切です。特に，［ 6 ］では，児童生徒の声を，**受容**・［ 7 ］し，相手の**立場**に寄り添って理解しようとする［ 8 ］が重要になります。

（『生徒指導提要』文部科学省 令和4年）

9．正確
10．悩み

2．生徒指導の対象

児童生徒の**個性**とか，**人格**とかといわれるものは，極めて複雑な構成をもち，その表れ方も**多様**である。生徒指導においては，それらをできるだけ広く，かつ［ 9 ］に把握することが望ましいが，とくに重要と思われるものは，**能力**の問題，**性格**的な特徴，興味，要求，［ 10 ］などの問題，**交友関係**，環境状況などであろう。

11．個性
12．個性
13．個性
14．児童生徒理解
15．児童生徒理解

3．児童生徒理解の資料

一人ひとりの児童生徒の［ 11 ］を理解し，その［ 12 ］に応じた指導を進めていくということが大切であるが，その前提として一人ひとりの児童生徒の［ 13 ］の理解という仕事は，決して生易しい仕事ではない。しかも，本当に正しい効果的な生徒指導を行うためには，その基本となる［ 14 ］が正しく行われていなければ，とうていその成果を期待することはできない。

正しい［ 15 ］のためには，一体一人ひとりの生徒について，どのような事柄がわかっていればいいのであろうか。

生徒指導，とくに[16]など個別の生徒指導を進める上で必要な事柄を列挙してみよう。

16. 教育相談

⑴　**一般的な資料**

児童生徒の氏名，住所，その他の資料……これは，指導要録に記載されている程度の事柄で十分であろう。

⑵　**[17]についての資料**

17. 生育歴

ア　乳児期における**病気**

イ　乳児期および幼児期における**しつけ**など

⑶　**[18]についての資料**

18. 家庭環境

ア　家庭の**社会**的，**経済**的状況

イ　家族の**生活**態度……いわゆる円満な家庭かどうかなど

ウ　家族の**教育**的な関心

エ　**両親**の関係……和合的かどうかなど

オ　本人に対する**親**の態度……理解的，合理的，民主的，あるいは溺愛的，過保護的，強制的，強圧的，拒否的など

カ　**家族**間での本人の地位……一人っ子，長子，末子など，あるいは無視されている，偏愛されているなど

キ　両親の**しつけ**の態度……厳格，不公平，感情的など

ク　兄弟姉妹間の関係

ケ　同居人，祖父母などと本人との関係

コ　家庭に対する本人の態度など

⑷　**[19]的な問題についての資料**

19. 情緒

ア　**過敏性**

イ　**爆発性**

ウ　気分の変移性

エ　精神的な打撃を受けた経験の有無やその内容

オ　不安，反抗などの経験の有無など

⑸　**[20]についての資料**

20. 習癖

ア　食事についての特異な傾向

イ　睡眠の習慣や特異傾向

ウ　性についての特異な習癖など
エ　神経症的な習癖，しかめっつら，顔面けいれん，爪をかむことなど
オ　排便，排尿についての習慣や便秘，消化不良の有無など
カ　言語の異常や早口，無口など
キ　攻撃的，反社会的な行動の記録など

21. 友人関係

(6)　[21]についての資料
ア　友人関係の推移や現状
イ　交友関係についての本人の特徴……わがまま，いじわる，独占的，付和雷同的など
ウ　問題グループとの関係など

22. 学校生活

(7)　[22]についての資料
ア　教育歴……幼稚園（保育所を含む）や小学校から現在に至るまで
イ　学業成績……教科の好ききらい，得手不得手，学校や家庭での学習の習慣など
ウ　出席状況……不規則な欠席，長期欠席，ずる休みなど
エ　学校に対する態度……本人，両親，兄弟姉妹などの学校や教師に対する態度など
オ　学校生活への適応……教師や友人との関係，集団内での役割，退学・停学・訓告などの記録など

(8)　検査や調査の結果についての資料
ア　知能について
イ　学力について
ウ　知能と学力との関係について
エ　性格，適性などについて
オ　悩みや問題行動などについて
カ　興味，趣味などについて
キ　将来の希望および進路など

(9)　現在当面している困難点についての資料
ア　身体的な困難
イ　家族関係
ウ　学校生活……学業上の問題，学校における人間関係（教師との関係を含む）など
エ　学校内外の交友関係

オ　進路の問題など

4．児童生徒理解のための資料の収集

(1) 　23　法

①叙述的観察記録法

②組織的観察記録法

ア　時間見本法

イ　品等尺度法

(2) 　24　法

①調査面接法

②相談面接法

③集団面接法

(3) 　25　法

(4) 　26　法

(5) 作文や日記などによる方法

(6) 交友関係の理解の方法

5．児童生徒理解の留意点

(1) 主観的な誤り

(2) 資料の偏り

(3) 検査結果の見方

(4) 生徒指導に結びついた生徒理解

(5) 共感的な理解

23. 観察

24. 面接

25. 質問紙

26. 検査

3 教育相談

重要度 B

1．生徒指導と教育相談

教育相談は全ての児童生徒を対象に，発達支持・[1]・**困難課題**対応の機能を持った教育活動です。また，教育相談は[2]を通して気付きを促し，**悩みや問題**を抱えた児童生徒を支援する働きかけです。その点において，**主体**的・**能動**的な[3]を支えるように働きかけるという生徒指導の考え方と重なり合うものです。したがって，両者が相まってはじめて，[4]な児童生徒支援が可能になります。児童生徒の**発達**上の課題や**問題行動**の[5]・**深刻化**が進む中で，今起こっていることの**意味**を探り今後起こり得る**展開**を予測し，ばらばらな理解による**矛盾**した対応を避けて，**共通理解**に基づく[6]を行うことの必要性が高まっています。そのため，学校として**組織**的な生徒指導を進める上で，心理的・**発達**的な理論に基づいて問題の見立てを行う**アセスメント**力や実際の指導場面での[7]で柔軟な**対応**力，学校内外の[8]を可能にする**コーディネート**力などを備えることが求められます。

生徒指導は児童生徒理解に始まり，児童生徒理解に終わると言われるように，生徒指導における**アセスメント**（見立て）の重要性は言うまでもありません。理解の側面を抜きにした指導・**援助**は，[9]の幅が狭くなり，長い目で見たときの効果が上がりにくくなります。例えば，すぐに暴力をふるう児童生徒に対する指導において，どうしてその児童生徒が暴力に訴えるのかという「理解」をせずに一方的な**働きかけ**をしても，問題の**根本**的解決に至ることは難しいからです。児童生徒理解とは，一人一人の児童生徒に対して適切な指導・**援助**を計画し[10]することを目指して，学習面，心理・社会面，**進路**面，**家庭**面の状況や[11]についての**情報**を収集し，**分析**するためのプロセスを意味します。その点において，教育相談の基盤となる**心理学**の理論や[12]の

1. 課題予防
2. コミュニケーション
3. 自己決定
4. 包括的
5. 多様化
6. 組織的対応
7. 臨機応変
8. 連携
9. 働きかけ
10. 実践
11. 環境
12. カウンセリング

考え方，技法は児童生徒理解において有効な方法を提供するものと考えられます。

（『生徒指導提要』文部科学省 令和４年）

2．生徒指導と教育相談一体のチーム支援

教育相談，**キャリア教育**，**特別支援教育**は，生徒指導と同様に児童生徒に対する指導・**援助**を行う分野として学校内の［ 13 ］に位置付けられ，それぞれに教育活動を展開しています。そのため，一人の児童生徒に対する指導・**援助**がお互いに［ 14 ］した働きかけとして展開される場合も見受けられます。いじめや暴力行為，非行は生徒指導，不登校は教育相談，進路についてはキャリア教育（進路指導），障害に関することは特別支援教育が担う，というように［ 15 ］の意識と**分業**的な体制が強すぎると，［ 16 ］・**重層**的な課題を抱えた児童生徒への適切な指導・**援助**を行うことが阻害されてしまう状況も生じかねません。児童生徒一人一人への［ 17 ］な指導・**援助**が行えるように，それぞれの分野の垣根を越えた［ 18 ］な**支援体制**をつくることが求められます。

（『生徒指導提要』文部科学省 令和４年）

13. 校務分掌
14. 独立
15. 縦割り
16. 複合的
17. 最適
18. 包括的

3．教育相談の方法

教育相談においては，訴えられた問題や障害をいかに［ 19 ］し指導していくかがもっとも重要な課題であるが，このために用いられる方法には，大別して**判定**（診断）的な方法と**処置**（治療）的な方法がある。

判定（診断）とは，問題の**原因**やその**形成**の［ 20 ］を明らかにすることである。問題となる行動や性格の偏りの原因は複雑で，能力の欠陥や病気が原因になることもあるし，また，**心理**的もしくは**環境**的な原因に根ざしていることもある。

心理的な原因による問題は，いわゆる［ 21 ］から生ずることが多いとされている。人は，すべてその欲求の充足が阻まれれば，不満の感情を抱く。その不満の感情が根強く，または持続的であり，それに耐えることができなくなれば，異常な形で不満を表現したり，社会的に認められないしかたでその欲求の充足を図ろうとしたりす

19. 助言
20. 過程
21. 欲求不満

22. 除去

23. 治療

24. 把握

25. 自由

26. 診断

27. 助言
28. 激励

るようになる。このような表れが，**問題行動**になってくる。

……**処置**（治療）とは，それによって**問題の解決**を図る**実践の過程**である。この場合，本質的には，問題によってきたる原因を[22]することが最も重要な点である。外に表れている症状や兆候を取り去るだけでも意味がないことはないが，これだけでは根本的な解決とはいいがたい。

問題の解決のためには，さまざまな方法・手段が用いられる。例えば，その生徒に即して進路の選択に必要な**知識・情報**を提供することによって，**問題**が**解決**されることもあれば，生徒の**考え方**や**感じ方**あるいは**行動**のしかたの変化というような心理的な変化を与える心理的な[23]（心理療法やカウンセリング）が必要になることもある。

4．教育相談の過程

⑴　受理面接

通常，教育相談の最初の面接は，**受理面接**と呼ばれる。この面接のねらいは，来談者の訴えようとしていることが何であるかを[24]するとともに，**教育相談**の進め方や機能を説明することにある。

……学校における教育相談としては，前述の大きな項目ぐらいを念頭において，相手の[25]な**陳述**の中から適宜に記録に残していくという程度が妥当なところであろう。

⑵　判　　定

判定または[26]と呼ばれる段階。しかし，病気の診断などをするわけではない。教育相談においても，何らかの分類は行うが，病気の診断はしない。ここではむしろ教育相談の対象になるかならないかの判定を行うことが大切である。

⑶　処　　置

処置は，助言，紹介，継続などに大別できる。助言は問題が比較的具体的なことで，それに応じた指示や[27]で解決するような場合，あるいは比較的軽い問題で，**指示**，[28]などで一応済ませておけるような場合にあてはまる。

紹介は，他の機関に紹介することである。問題がその相談室では扱えないと判断された場合，例えば医学的な治療や診断のために［29］に送ったり，公的な扶助が必要な場合に［30］に紹介したりすることである。

継続は，**相談室**で［31］すること，すなわち，面接相談や心理療法を**相談室**で続けていくことである。

29. 医療機関
30. 福祉事務所
31. 継続

ティーチャーズ・ルーム⑦

人物重視の採用傾向

教員採用試験の際，近年多くの自治体で人物評価に重きをおきはじめた。

学力試験より人物を見極めることのできる選考方法を優先する傾向にある。学力試験のほかに大学の推薦や教育実習の評価，課外体験の実績なども選考の資料として活用されている。また，制限年齢幅を広げたりするのも一例である。さらに講師や助教諭，民間企業経験者などに門戸を広げ，スポーツで全国大会上位入賞者や国際大会出場者などには，スポーツ特別選考を実施し，筆記試験が免除になったりしている。

また，模擬授業や指導案作成などが２次試験で実施されるなど，多くの自治体において，指導性については筆記試験や論文，適性検査以外の方法での選考が実施されている。

4 不登校（登校拒否）

重要度 B ／／／

不登校の様態区分

区　分	区分の説明
学校生活に起因する型	いやがらせをする生徒の存在や教師との人間関係等，明らかにそれと理解できる学校生活上の原因から登校せず，その原因を除去することが指導の中心となると考えられる型。
あそび・非行型	遊ぶためや非行グループに入ったりして登校しない型。
無気力型	無気力でなんとなく登校しない型。登校しないことへの罪悪感が少なく，迎えに行ったり強く催促すると登校するが長続きしない型。
不安など情緒的混乱の型	登校の意志はあるが身体の不調を訴えて登校できない，漠然とした不安を訴えて登校しない等，不安を中心とした情緒的な混乱によって登校しない型。
意図的な拒否の型	学校に行く意義を認めず，自分の好きな方向を選んで登校しない型。
複合型	上記の型が複合していていずれが主であるかを決めがたい型。
その他	上記のいずれにも該当しない型。

1．不登校問題に対応する上での基本的な視点

(1) 不登校は［ 1 ］児童生徒にも起こりうるものであるという視点からとらえていく必要があること。支援の目標は，**社会的自立**を果たすことである。

(2) **いじめ**や**学業**の不振，教職員に対する［ 2 ］など学校生活上の問題が起因して**不登校**になってしまう場合がしばしばみられるので，学校や教職員一人ひとりの努力が極めて重要であること。

(3) 学校，家庭，関係機関，本人の［ 3 ］等によって，不登校の問題はかなりの部分を**改善**ないし**解決**することができること。

(4) 児童生徒の**自立**を促し，学校生活への**適応**を図るために多様な方法を検討する必要があること。

(5) 児童生徒の好ましい変化は，たとえ小さなことであってもこれを**自立**のプロセスとしてありのままに受け止め，**積極**的に**評価**すること。

1. どの
2. 不信感
3. 努力

2．学校における取り組みの充実

(1) 学校は，児童生徒にとって自己の**存在感**を実感でき精神的に**安心**していることのできる場所―「[4]の居場所」―としての役割を果たすことが求められる。

(2) 学校においては，全教職員が不登校問題についてあらかじめ十分に理解し，認識を深め，個々の問題の対応にあたって一致協力して取り組むとともに，**校内研修**等を通じて教職員の**意識**の啓発と**指導力**の向上に努めること。また，不登校児童生徒への具体的な指導にあたっては，次の点に留意する必要があること。

①不登校となる何らかの**前兆**や**症状**を見逃さないよう常日ごろから児童生徒の様子や[5]をみていくことが大切であり，**変化**に気づいたときは，[6]適切な対応をとること。

②不登校が長期におよぶなど，学校が指導・援助の手を差しのべることがもはや困難と思われる状態になる場合もあるが，このような状態に陥りそうな場合には，適切な時期をとらえて，**教育センター**等の[7]に相談して適切な対応をとる必要があること。その際，**保護者**に対し，専門的観点から適切な対応をすることの必要性を**助言**し，十分な理解を得ることが大切であること。

③不登校児童生徒が登校してきた場合には，[8]**雰囲気**のもとに[9]な形で迎え入れられるよう配慮するとともに，徐々に学校生活への**適応力**を高めていくような指導上の工夫を行うこと。

3．義務教育の段階における普通教育に相当する教育の機会の確保等に関する法律

第９条（支援の状況等に係る情報の共有の促進等）　国及び地方公共団体は，不登校児童生徒に対する適切な支援が**組織**的かつ**継続**的に行われることとなるよう，不登校児童生徒の状況及び不登校児童生徒に対する支援の状況に係る**情報**を学校の教職員，心理，福祉等に関する専門的知識を有する者その他の関係者間で[10]することを促進するために必要な措置その他の措置を講ずるものとする。

4. 心
5. 変化
6. 速やかに
7. 専門機関
8. 温かい
9. 自然
10. 共有

5 安全指導

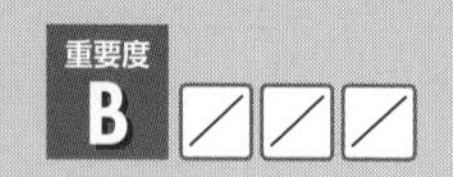

◉小学校・中学校安全指導

学級指導における安全指導	学校行事における安全指導
児童・生徒活動における安全指導	学校における安全管理
安全指導と安全管理における組織活動	

◉小学校・中学校安全計画

(1) 安全管理に関する事項
　ア　施設・設備の安全点検
　イ　通学路の設定と点検
　ウ　通学の安全のきまりの設定
　エ　各教科，特別活動の学校行事，クラブ活動，休憩時間その他の学校生活の安全のきまりの設定
　オ　火災・地震などの防災に関する事項（防災の組織・避難場所・経路の点検・防災設備の点検）
　カ　安全に関する意識や行動などの調査
　キ　その他必要な事項

(2) 安全教育に関する事項
　ア　学年別・月別の関連教科，道徳の時間における安全に関する指導事項
　イ　学年別・月別の安全指導の指導事項
　　○学級指導における指導事項（生活安全，交通安全の内容についての主題名，指導の時間数等）
　　○学校行事における指導事項（主として避難訓練，交通安全の内容についての主題名，指導の時間数等）
　　○児童会活動・生徒会活動，クラブ活動等の児童活動・生徒活動での安全に関して予想される活動
　　○課外における安全指導（希望者に対する自転車教室等）
　　○個別指導（けがをしやすい傾向をもつ者などの相談・指導）に関する事項

(3) 安全に関する組織活動
　ア　安全指導，応急処置等に関する校内研修
　イ　学校参観日等を活用した保護者の研修
　ウ　学校，家庭，地域社会との連携を密にするための学校保健（安全）委員会
　エ　その他必要な事項

1．法　規

〈学校教育法，学校保健安全法〉

▶義務教育として行われる普通教育は，教育基本法（平成18年法律第120号）第5条第2項に規定する目的を実現するため，次に掲げる目標を達成するよう行われるものとする。

8　**健康**，**安全**で幸福な生活のために必要な**習慣**を養うとともに，**運動**を通じて体力を養い，心身の［ 1 ］を図ること。…学校法第21条（抜粋）

▶学校においては，児童生徒等及び職員の**心身**の**健康**の保持増進を図るため，児童生徒等及び職員の［ 2 ］，**環境衛生検査**，児童生徒等に対する指導その他**保健**に関する事項について計画を策定し，これを実施しなければならない。…学校保健安全法第5条

▶文部科学大臣は，学校における換気，採光，照明，保温，清潔保持その他［ 3 ］に係る事項（学校給食法（昭和29年法律第160号）第9条第1項（中略）に規定する事項を除く。）について，児童生徒等及び職員の**健康**を**保護**する上で維持されることが望ましい基準を定めるものとする。…学校保健安全法第6条①

2．学習指導要領

〈小学校〉

▶**健康**や**安全**に気を付け，物や金銭を大切にし，［ 4 ］を整え，**わがまま**をしないで，規則正しい生活をすること。…道徳第1学年及び第2学年

▶日常の生活や学習への適応と自己の成長及び［ 5 ］

ア）基本的な**生活習慣**の形成　イ）よりよい**人間関係**の形成　ウ）**心身**ともに**健康**で［ 6 ］な**生活態度**の形成　エ）**食育**の観点を踏まえた**学校給食**と望ましい**食習慣**の形成…特別活動 学級活動

▶**心身**の**健全**な発達や［ 7 ］の保持増進，事件や事故，災害等から身を守る［ 8 ］な行動や**規律**ある**集団行動**の体得，運動に親しむ態度の育成，**責任感**や**連帯感**の涵養，**体力**の向上などに資するようにすること。…特別活動 学校行事 健康安全・体育的行事

1．調和的発達
2．健康診断
3．環境衛生
4．身の回り
5．健康安全
6．安全
7．健康
8．安全

9. 健康
10. 安全

〈中学校〉

▶**心身**の**健全**な発達や[9]の保持増進，事件や事故，災害等から身を守る[10]な行動や**規律**ある**集団行動**の体得，**運動**に親しむ態度の育成，**責任感**や**連帯感**の涵養，**体力**の向上などに資するようにすること。…特別活動 学校行事 健康安全・体育的行事

▶日常の生活や学習への適応と自己の成長及び健康安全

ウ）思春期の**不安**や**悩み**の解決，性的な発達への対応

11. 安全

エ）**心身**ともに**健康**で[11]な**生活態度**や**習慣**の形成

オ）**食育**の観点を踏まえた**学校給食**と望ましい**食習慣**の形成 …特別活動 学級活動（抜粋）

〈高等学校〉

12. 健康で安全

▶**生命**の尊重と心身ともに[12]な**生活態度**や**規律**ある**習慣**の確立…特別活動 ホームルーム活動

13. 発達
14. 安全

▶**心身**の**健全**な[13]や健康の保持増進，事件や事故，災害等から身を守る[14]な行動や**規律**ある**集団行動**の体得，**運動**に親しむ態度の育成，**責任感**や**連帯感**の涵養，**体力**の向上などに資するようにすること。…特別活動 学校行事 健康安全・体育的行事

3．小学校安全指導の内容

⑴ 生活安全に関する指導

ア　始業前，放課後および昼休み時間等休憩時間中の安全

15. 休憩時間

[15]中の校舎内外におけるけがの発生状況と安全のきまりについて理解し，**安全**な**行動**ができるようにする。

イ　各教科やクラブ活動などの学習時の安全

16. クラブ活動

各教科や[16]などの学習時におけるけがの発生状況と安全なきまりについて理解し，**安全**な**学習**ができるようにする。

ウ　遠足や修学旅行のときの安全

17. 修学旅行

遠足や[17]などのときに起こるけがの発生状況と安全のきまりについて理解し，**安全**な**行動**ができるようにする。

エ　清掃活動等作業時の安全

［ 18 ］や学校給食の運搬などの作業のときのけがの発生状況と安全のきまりについて理解し，**安全**な**作業**ができるようにする。

18. 清掃活動

オ　校外における遊びや運動のときの安全

校外における［ 19 ］や運動のときの**けが**の**発生状況**と**安全**の**きまり**について理解し，安全に遊びや運動ができるようにする。

19. 遊び

カ　緊急時の安全

火災，［ 20 ］及び**風水（雪）害**のときに起こる危険と安全な行動の仕方について理解し，**安全**な**行動**ができるようにする。

20. 地震

キ　家庭生活の安全

家庭生活で起こる事故や災害について理解し，**安全**な**行動**ができるようにする。

ク　登下校時の安全

寄り道，立ち寄りの危険や寄り道とその防止について理解し，**安全**な［ 21 ］ができるようにする。

21. 登下校

ケ　事故発生時の心得

事故が発生したときの**通報**や簡単な［ 22 ］の仕方について理解し，それらが適切にできるようにする。

22. 応急処置

コ　けがの原因

けがは，危険な場所，心身の状態，危険な行動，持ち物，服装などのいろいろな**要因**が**関係**しあって起こることを理解し，**安全**な**行動**を［ 23 ］しようとする心構えを持つ。

23. 実践

⑵　交通安全に関する内容

ア　道路の歩行

道路で安全な［ 24 ］の仕方や道路におけるいろいろな交通の危険について理解し，**安全**な**歩行**ができるようにする。

24. 歩行

イ　道路の横断

信号機のある道路，信号機のない道路及び踏切の横断の仕方について理解し，**安全**な［ 25 ］ができるようにする。

25. 横断

26. 乗車
27. 歩行者保護
28. 自動車
29. 交通規制
※令和5年4月1日より自転車乗車用ヘルメット着用の努力義務が課された。
30. クラブ活動
31. 運動会
32. 作業時
33. 作業時
34. 放課後
35. 放課後

ウ　自転車の安全な利用と点検・整備

　自転車の**安全**な**利用**の仕方，**点検**や手入れの仕方について理解し，**安全**な[26]ができるようにするとともに，[27]に必要な態度を身につける。

エ　乗り物の安全な利用と自転車の機能

　自転車や電車などの乗り物の**安全**な**利用**の仕方や初歩的な[28]の働きについて理解し，**安全**な**行動**ができるようにする。

オ　交通安全施設や交通規制

　歩行者のための交通安全施設の種類や[29]について理解し，**安全**に**行動**するとともに，進んで交通の円滑化に**協力**する。

4．中学校安全指導の内容

(1)　生活安全に関する内容

ア　各教科の学習時における安全

　各教科の学習時における事故の**発生状況**と**安全**の**きまり**について理解し，**安全**に**学習**できるようにする。

イ　クラブ活動等生徒活動時における安全指導

　[30]等生徒活動時における**事故**の**発生状況**と**安全**の**きまり**について理解し，**安全**に**活動**ができるようにする。

ウ　運動会，校内球技大会等の学校行事における安全

　[31]，校内球技大会等の学校行事における**事故**の**発生状況**と**安全**の**きまり**について理解し，**安全**な**行動**ができるようにする。

エ　清掃活動等[32]における安全

　清掃活動等[33]における**事故**の**発生状況**と**安全**の**きまり**について理解し，**安全**な**行動**ができるようにする。

オ　始業前や[34]等休憩時間における安全

　始業前や[35]等休憩時間における**事故**の**発生状況**と**安全**の**きまり**について理解し，**安全**な**行動**ができるようにする。

カ　火災，地震などの災害発生時の安全

　火災，**地震**及び**風水**（**雪**）**害**など緊急時に起こる

危険について理解し，**安全**な**行動**ができるようにする。

キ　校外における運動や家庭生活における安全

校外における運動や［36］の時に起こる事故や**家庭生活**において起こる事故について理解し，**安全**な**行動**ができるようにする。

36. 野外活動

⑵　交通安全に関する内容

ア　道路の歩行と横断

道路の**役割**や道路における様々な**危険**について理解し，安全な［37］と**横断**ができるようにする。

37. 歩行

イ　自転車の安全な利用

自転車の**安全**な**利用**について理解を深めるとともに，交通の［38］を守り**安全**に**行動**できるようにする。

38. きまり

ウ　自転車

自転車の簡単な**構造**・**機能**について理解し，道路の**安全**な**歩行**や［39］の**安全**な**走行**ができるようにする。

39. 自転車

エ　交通事故防止と安全な生活

交通事故防止のために，地域の**交通安全**に関する諸機関や団体が行っている対策や活動について理解し，**安全**な**社会**を築こうとする［40］を持つようにする。

40. 自覚

3 生徒指導・安全指導

●Reference

■早期に安全教育で身に付ける力

危険を予測し回避する能力と他者や社会の安全に貢献できる資質や能力を育てる安全教育の３領域

1　生活安全

登下校時の安全，家庭生活での安全，校内での安全，地域や社会生活での安全，**スマートフォン・携帯電話**使用時の安全

2　交通安全

道路の歩行と横断及び交通機関の利用，二輪車・自動車の特性と心得，自転車の**安全**な**利用**と**点検**・**整備**，交通事故防止と安全な生活

3　災害安全

火災時の安全，火山災害時の安全，地震災害時の安全，気象災害時の安全，原子力災害時の安全，避難所の役割と貢献

6 いじめ

いじめ防止対策推進法

いじめは深刻な**人権侵害**である。2013年6月21日いじめ防止対策推進法が成立した。「いじめが，いじめを受けた児童等の教育を受ける権利を著しく侵害し，その心身の健全な成長及び人格の形成に重大な影響を与えるのみならず，その生命又は身体に重大な危険を生じさせるおそれがある」（同法第1条）とし，「児童等は，**いじめを行ってはならない。**」（同法第4条）といじめを明確に禁じた。同法は，地方公共団体や学校，教職員，保護者の**責務**を明確にした。

「学校は，児童等の豊かな**情操**と**道徳心**を培い，心の通う対人交流の能力の素地を養うことがいじめの**防止**に資することを踏まえ，全ての教育活動を通じた**道徳教育**及び**体験活動**等の充実」（同法第15条①）とし，**道徳教育**や**体験活動**の充実を図らなければならない。

1. いじめ防止対策推進法

1. 人的関係
2. 心理
3. 物理

▶この法律において「いじめ」とは，児童等に対して，当該児童等が在籍する学校に在籍している等当該児童等と一定の[1]にある他の児童等が行う[2]的又は[3]的な影響を与える行為(**インターネット**を通じて行われるものを含む。)であって，当該行為の対象となった児童等が**心身の苦痛**を感じているものをいう。…いじめ防止法第2条①

4. いじめ

▶児童等は，[4]を行ってはならない。…いじめ防止法第4条

5. 保護者
6. 児童相談所
7. 早期発見

▶学校及び学校の教職員は，基本理念にのっとり，当該学校に在籍する児童等の[5]，**地域住民**，[6]その他の関係者との連携を図りつつ，学校全体でいじめの**防止**及び[7]に取り組むとともに，当該学校に在籍する児童等がいじめを受けていると思われるときは，**適切**かつ**迅速**にこれに対処する**責務**を有する。…いじめ防止法第8条

8. 行う

▶**保護者**は，子の教育について**第一義**的責任を有するものであって，その保護する児童等がいじめを[8]こ

とのないよう，当該児童等に対し，[9]を養うための**指導**その他の必要な**指導**を行うよう努めるものとする。…いじめ防止法第９条①

▶**保護者**は，その保護する児童等がいじめを受けた場合には，適切に当該児童等をいじめから[10]するものとする。…いじめ防止法第９条②

▶学校の設置者及びその設置する学校は，児童等の豊かな[11]と[12]を培い，**心**の通う**対人交流**の能力の素地を養うことがいじめの**防止**に資することを踏まえ，全ての[13]を通じた[14]及び[15]等の充実を図らなければならない。…いじめ防止法第15条①

▶**学校**の**設置者**及びその設置する**学校**は，当該学校におけるいじめを[16]するため，当該学校に在籍する児童等の**保護者**，**地域住民**その他の関係者との連携を図りつつ，いじめの**防止**に資する活動であって当該学校に在籍する児童等が**自主**的に行うものに対する**支援**，当該学校に在籍する児童等及びその保護者並びに当該学校の教職員に対するいじめを**防止**することの重要性に関する理解を深めるための**啓発**その他必要な措置を講ずるものとする。…いじめ防止法第15条②

▶**学校**の**設置者**及びその設置する**学校**は，当該学校に在籍する児童等及びその保護者が，発信された情報の高度の**流通性**，発信者の**匿名性**その他の[17]を通じて送信される情報の特性を踏まえて，[18]を通じて行われるいじめを**防止**し，及び効果的に対処することができるよう，これらの者に対し，必要な**啓発**活動を行うものとする。…いじめ防止法第19条①

▶国及び地方公共団体は，児童等が[19]を通じて行われるいじめに**巻き込まれ**ていないかどうかを**監視**する関係機関又は関係団体の取組を支援するとともに，[20]を通じて行われるいじめに関する事案に対処する体制の整備に努めるものとする。…いじめ防止法第19条②

▶**校長**及び**教員**は，当該学校に在籍する児童等がいじめを行っている場合であって教育上必要があると認めるときは，[21]第11条の規定に基づき，適切に，当該児童等に対して[22]を加えるものとする。…いじめ防止法第25条

9．規範意識
10. 保護
11. 情操
12. 道徳心
13. 教育活動
14. 道徳教育
15. 体験活動
16. 防止
17. インターネット
18. インターネット
19. インターネット
20. インターネット
21. 学校教育法
22. 懲戒

23. 市町村

24. 出席停止

▶[23]の**教育委員会**は，いじめを行った児童等の**保護者**に対して学校教育法第35条第１項(同法第49条において準用する場合を含む。)の規定に基づき当該児童等の[24]を命ずる等，いじめを受けた児童等その他の児童等が**安心**して**教育**を受けられるようにするために必要な措置を**速やかに**講ずるものとする。…いじめ防止法第26条

2. 生徒指導提要

▶いじめ問題への対応

25. 自殺

26. 防止

27. 共有

28. 連携

29. 困難課題対応

30. 環境

各学校や教育委員会等において，いじめの積極的な**認知**と併せていじめの**解消**に向けた取組が進む一方で，未だにいじめを背景とする[25]などの深刻な事態の発生は後を絶たない状況です。このような状況下において，法の定義に則り積極的にいじめの**認知**を進めつつ，教職員一人一人のいじめ[26]のための**生徒指導力**の向上を図るとともに，次の段階として，①各学校の「いじめ防止基本方針」の具体的展開に向けた見直しと[27]，②学校内外の[28]を基盤に**実効**的に機能する**学校いじめ対策組織**の構築，③事案発生後の[29]的生徒指導から，全ての児童生徒を対象とする**発達支持**的生徒指導及び**課題予防**的生徒指導への転換，④いじめを生まない[30]づくりと児童生徒がいじめをしない**態度**や**能力**を身に付けるような働きかけを行うこと，が求められます。

(『生徒指導提要』文部科学省 令和４年)

▶インターネット・携帯電話にかかわる課題

31. 匿名性

32. 拡散性

33. 未然防止

34. 関係機関

インターネットには，[31]，[32]などの特徴があり，児童生徒へ**指導**や**啓発**を行う際には，こうした特質を十分に把握しながら進めることが肝要です。また，インターネットの問題は，トラブルが起きてしまうと完全に**解決**することが極めて難しいため，[33]を含めて，対策を講じるための体制を**事前**に整えておくことが必要です。ただし，学校だけで取り組むことは難しく，それぞれの[34]等と**連携**しながら，「**チーム学校**」として対策を進めることが必要です。

（『生徒指導提要』文部科学省 令和４年）

■ 早期に警察へ相談・通報すべきいじめ事案について

1　いじめの認知に当たっては，個々の行為がいじめに当たるか否かの判断を，いじめられた児童生徒の立場に立って行い，認知したいじめには，**迅速に**対応することが必要であるが，このいじめの中には，**犯罪行為**として取り扱われるべきと認められるものが含まれる。このため，このいじめの対応に当たっては，早期に**警察**に**相談・通報**の上，**警察**と連携した対応を取ることが必要であること。
2　個々のいじめ事案が，「**犯罪行為**として取り扱われるべきと認められるもの」に当たるか否かについては，いじめの態様や加害児童生徒の状況等によって，的確に判断することが必要であり，平素より，どのような行為が**刑罰法規**に該当するかについて，教職員の理解を深めておくことが必要であること。このため，各学校や教育委員会等においては，別紙１も参考に，指導資料の作成や研修の充実等を図ることが必要であること。
3　上記１の判断に迷う場合も含め，**積極的**に**警察**に**相談**できるよう，学校及び教育委員会等においては，学校と警察との**緊密**な**連携体制**を構築しておくことが必要であること。

（文部科学省初等中等教育局長通知 2013.5.16）

●Reference

7 いじめに対する指導 重要度B

いじめの構造

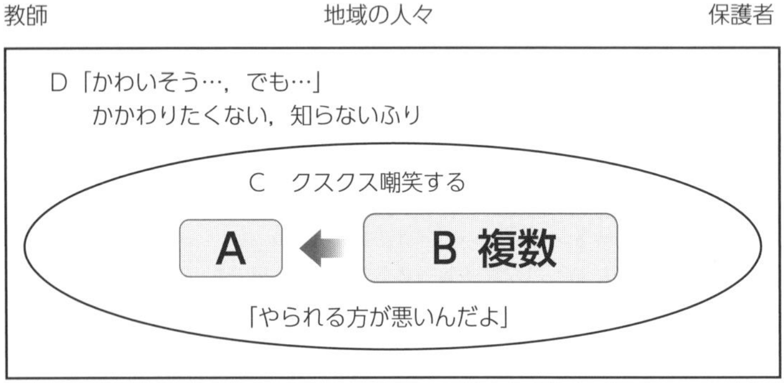

A……いじめられている児童生徒（主に１人）
B……いじめている児童生徒（複数が多い）
C……実際に手出しはしないが，見てはやし立てる児童生徒
D……「かかわりたくない」「仕返しが怖い」などの理由から見て見ぬふりをする児童生徒
※CやDの立場の児童生徒もいじめを助長・荷担させていることに気付かせる必要がある。

1．教師として

⑴　教師としての言動と態度について

▶教師自ら自分の**言動**と**態度**についての[1]に努める。

▶**校内研修会**や学年会などの機会を通して，教師の**言動**と**態度**についての[2]に努める。

▶**保護者**や**地域住民**の意見を取り入れ，日々の指導等の**改善**・**充実**に努める。

1．自己評価
2．相互評価

⑵　いじめられている児童生徒に対して

▶自ら訴えてきたことを**温かく**受け止め，いじめから**全力**で守ることを約束する。

▶いじめられている内容やつらい思いなどを**親身に**なって聞くことにより**安心感**を持たせる。

▶本人の活躍を認め励ますことによって，**自信**や**存在感**を持たせる。

⑶ **いじめている児童生徒に対して**

▶いじめは「[3]」という**毅然**とした態度で臨み，まずいじめることをやめさせる。

▶いじめられている児童生徒の気持ちに着目させ，いじめることが相手をどれだけ**傷つけ**，**苦しめている**かに**気づかせる**。

▶[4]気持ちを聞き，心の安定を図り，教師との**信頼関係**を築く。

▶当番活動や係活動など，**具体的**な場での良い行いを**積極的に**見つけて**ほめる**。

⑷ **学級の児童生徒に対して**

▶見て見ないふりをすることは，いじめの**助長**になることに気づかせる。

▶いじめを発見したら，**教師**や**友達**に知らせて，すぐに**やめさせる**ことを徹底する。

▶友達の言いなりにならず，**自らの意志**で行動することの大切さに気づかせる。

▶一人ひとりかけがえのない存在として尊重し，**温かな人間関係**を築くと共に**安心**して生活できるようにする。

2. 保護者との連携強化を図るためには

▶保護者の悩みや気持ちを真摯に受け止め**信頼関係**を深める。

▶**事実**を正確に伝え，**家庭**での対応の仕方，学校との**連携**について**助言**するようにする。

▶いじめの問題を，**児童生徒**と**保護者**との関係を見直す機会とするように**助言**する。

▶相談機関等について，積極的に**情報提供**を行う。

▶状況に応じて，関係機関との**連携**をとるように働きかけを行う。

3. 絶対に許さない

4. いじめてしまう

3. 学校の指導体制として

▶いじめに関する**情報**を**共有**し，問題の状況や指導方法などについて**共通理解**を図る。

▶定期的にいじめなど児童生徒の行動にかかわる**情報交換会**等を実施する。

▶いじめの**兆候**が見られた場合，**迅速に組織的**な対応を行う仕組みをつくる。

▶児童生徒や保護者が何でも**気軽に相談**できる学校全体の雰囲気作りに努める。

▶**スクールカウンセラー**を含めた関係諸機関との連携を密にすると共に学校における相談機能の充実を図り，いじめの**早期発見・早期対応**に努める。

▶サポートチーム等の積極的な運用を図り，**学校全体**でいじめの[5]に努める。

▶日頃から**児童生徒**や**保護者**に対して，いじめ等の悩みを受け付ける相談機関等について，**積極的な紹介**を行う。

5．早期対応

4. いじめの未然防止に向けた指導や取組として

▶児童生徒の[6]が図れるよう，日々の授業の充実を図る。

▶児童生徒の[7]を育む**道徳教育**の充実を図る。

▶**開かれた**学校作りの推進，地域社会との**連携**強化を図るために積極的な授業公開や PTA 活動等を充実する。

6．自己実現

7．思いやりの心

4
人権尊重の教育

1 同和教育・人権教育 重要度 A

同和問題関係史

年	元号	主な同和問題関係史
1591	天正19	豊臣秀吉，身分統制令発令
1856	安政3	渋染一揆，岡山藩内53の被差別部落民が蜂起
1871	明治4	**身分解放令**（太政官布告第448号）
1872	明治5	壬申戸籍編製
1906	明治39	島崎藤村『破戒』出版
1922	大正11	**全国水平社創立**（京都岡崎公会堂）
1923	大正12	中央融和事業協会，民間融和団体を統合し結成
1946	昭和21	部落解放全国委員会結成，日本国憲法公布
1951	昭和26	オール・ロマンス事件
1955	昭和30	部落解放全国委員会を部落解放同盟と改称
1960	昭和35	全日本同和会結成　第35回臨時国会　同和対策審議会設置法可決 同和対策審議会（総理府）設置
1965	昭和40	**同和対策審議会答申**
1968	昭和43	法務省，壬申戸籍の閲覧禁止通達
1969	昭和44	同和対策事業特別措置法　※10年間の時限立法後3年延長
1982	昭和57	地域改善対策特別措置法　※5年間の時限立法　地域改善対策協議会（総理府）設置
1984	昭和59	「今後における啓発活動のあり方について」意見具申
1987	昭和62	地域改善対策特定事業に係る国の財政上の特別措置に関する法律 ※当初5年間の時限立法。2002（平成14）年3月まで延長，その後失効した。
1996	平成8	人権擁護施策推進法　※5年間の時限立法
1997	平成9	「人権教育のための国連10年」に関する国内行動計画　人権擁護推進審議会（法務省）設置
2001	平成13	「人権救済制度の在り方について」答申
2002	平成14	「人権教育・啓発に関する基本計画」策定
2016	平成28	「部落差別の解消の推進に関する法律」施行

1．同和対策の基本法規

1. 平等

▶すべて国民は，**法**の下に［ 1 ］であって，人種，信条，性別，社会的身分又は門地により，**政治**的，**経済**的

又は**社会**的関係において，［ 2 ］されない。…憲法第14条①

▶すべて国民は，法律の定めるところにより，その能力に応じて，ひとしく**教育**を受ける権利を有する。…憲法第26条①

2．同和対策審議会答申（抄）〔1965（昭和40）年8月11日〕

▶いわゆる同和問題とは，日本社会の歴史的発展の過程において形成された**身分階層構造**に基づく差別により，日本国民の一部の集団が経済的・社会的・文化的に低位の状態におかれ，現代社会においても，なおいちじるしく［ 3 ］を侵害され，とくに，近代社会の原理として何人にも保障されている市民的権利と自由を完全に保障されていないという，もっとも深刻にして重大な社会問題である。（略）

▶この「未解放部落」または「同和関係地区」〔以下単に「同和地区」という。〕の起源や沿革については，人種的起源説，宗教的起源説，職業的起源説，政治的起源説などの諸説がある。（略）ただ世人の偏見を打破するためにはっきり断言しておかなければならないのは，同和地区の住民は異人種でも異民族でもなく，疑いもなく**日本民族**，**日本国民**である，ということである。

すなわち，同和問題は，日本民族，日本国民のなかの**身分的差別**をうける少数集団の問題である。同和地区は，中世末期ないしは近世初期において，封建社会の政治的，経済的，社会的諸条件に規制せられ，一定地域に定着して居住することにより形成された集落である。（略）

▶実に部落差別は，半封建的な**身分的差別**であり，わが国の社会に潜在的または顕在的に厳存し，多種多様の形態で発現する。それを分類すれば，**心理的差別**と［ 4 ］とにこれを分けることができる。

▶**心理的差別**とは，人々の観念や意識のうちに**潜在**する差別であるが，それは言語や文字や行為を媒介として顕在化する。たとえば，言葉や文字で封建的身分の賤称をあらわして侮蔑する差別，非合理な偏見や嫌悪の感情によって交際を拒み，婚約を破棄するなどの行動にあらわれる差別である。［ 5 ］とは，同和地区住民の生活実

2. 差別

3. 基本的人権

4. 実態的差別

5. 実態的差別

態に具現されている差別のことである。たとえば，**就職・教育の機会均等**が実質的に保障されず，政治に参与する権利が選挙などの機会に阻害され，一般行政諸施策がその対象から疎外されるなどの差別であり，このような劣悪な生活環境，特殊で低位の職業構成，平均値の数倍にのぼる高率の生活保護率，きわだって低い教育文化水準など同和地区の特徴として指摘される諸現象は，すべて差別の具象化であるとする見方である。（略）

▶同和問題の解決に当って教育対策は，人間形成に主要な役割を果すものとしてとくに重要視されなければならない。すなわち，基本的には**民主主義**の**確立**の基礎的な課題である。

▶（略）同和教育の中心的課題は［ 6 ］の原則に基づき，社会の中に根づよく残っている**不合理**な部落差別をなくし，**人権尊重**の精神を貫ぬくことである。この教育では，教育を受ける権利〔憲法第26条〕および教育の機会均等〔教育基本法第3条（現第4条）〕に照らして，同和地区の教育を高める施策を強力に推進するとともに個人の尊厳を重んじ，合理的精神を尊重する教育活動が積極的に，全国的に展開されねばならない。特に直接関係のない地方においても**啓蒙的教育**が積極的に行なわれなければならない。

6. 法のもとの平等

3．地域改善対策協議会意見具申（抄）

〔1984（昭和59）年6月19日〕

▶学校等の役割

児童，生徒の人間形成に当たって学校の果たす重要な役割を十分認識し，これを踏まえての［ 7 ］の根本的な払拭という目標に向けて同和問題に関する**正しい**［ 8 ］の提供とこれを可能にする教職員の**資質**の向上に努めなければならない。（略）

7. 差別意識
8. 知識

4. 人権教育及び人権啓発の推進に関する法律

〔2000（平成12）年12月6日〕

▶この法律は，人権の尊重の緊要性に関する認識の高まり，社会的身分，門地，人種，信条又は性別による不当な［ 9 ］の発生等の**人権侵害**の現状その他**人権**の**擁護**

9. 差別

に関する内外の情勢にかんがみ，[10]及び**人権啓発**に関する施策の推進について，国，地方公共団体及び**国民**の責務を明らかにするとともに，必要な措置を定め，もって**人権**の**擁護**に資することを目的とする。…人権教育及び人権啓発の推進に関する法律第１条

▶この法律において，**人権教育**とは，[11]の精神の涵養を目的とする教育活動をいい，**人権啓発**とは，国民の間に[12]の理念を普及させ，及びそれに対する国民の理解を深めることを目的とする広報その他の**啓発活動**（人権教育を除く。）をいう。…人権教育及び人権啓発の推進に関する法律第２条

▶国及び地方公共団体が行う**人権教育**及び**人権啓発**は，学校，地域，家庭，職域その他の様々な場を通じて，国民が，その[13]に応じ，[14]の理念に対する理解を深め，これを体得することができるよう，多様な**機会**の提供，効果的な**手法**の採用，国民の**自主性**の尊重及び実施機関の**中立性**の確保を旨として行われなければならない。 …人権教育及び人権啓発の推進に関する法律第３条

10. 人権教育
11. 人権尊重
12. 人権尊重
13. 発達段階
14. 人権尊重

5．人権教育・啓発に関する基本計画 〔2002（平成14）年３月閣議決定〕

▶人権教育の意義・目的

人権教育とは，「[15]の精神の涵養を目的とする教育活動」を意味し（人権教育・啓発推進法第２条），「国民が，その**発達段階**に応じ，**人権尊重**の理念に対する理解を深め，これを体得することができるよう」にすることを旨としており（同法第３条），日本国憲法及び教育基本法並びに国際人権規約，児童の権利に関する条約等の精神に則り，**基本的人権の尊重**の精神が正しく身に付くよう，[16]の実情を踏まえつつ，学校教育及び社会教育を通じて推進される。

学校教育については，それぞれの学校種の教育目的や目標の実現を目指して，自ら学び自ら考える力や豊かな**人間性**などを培う教育活動を組織的・計画的に実施するものであり，こうした学校の[17]を通じ，幼児児童生徒，学生の**発達段階**に応じて，[18]の意識を高める教育を行っていくこととなる。

15. 人権尊重
16. 地域
17. 教育活動全体
18. 人権尊重

4 人権尊重の教育

2 児童虐待

児童虐待の分類

①**身体的虐待**……殴る，蹴る，投げ落とす，激しく揺さぶる，やけどを負わせる，溺れさせる，首を絞める，縄などにより一室に拘束する，など
②**性的虐待**……子供への性的行為，性的行為を見せる，性器を触る又は触らせる，ポルノグラフィの被写体にする，など
③**ネグレクト**……家に閉じ込める，食事を与えない，ひどく不潔にする，自動車の中に放置する，重い病気になっても病院に連れて行かない，など
④**心理的虐待**……言葉による脅し，無視，きょうだい間での差別的扱い，子供の目の前で家族に対して暴力を振るう（ドメスティック・バイオレンス：DV），など

1. 児童虐待の定義，早期発見，通告

▶この法律において，「児童虐待」とは，**保護者**（親権を行う者，未成年後見人その他の者で，児童を現に監護するものをいう。以下同じ。）がその**監護**する児童（18歳に満たない者をいう。以下同じ。）について行う次に掲げる行為をいう。

1　児童の身体に［ 1 ］が生じ，又は生じるおそれのある**暴行**を加えること。

2　児童に［ 2 ］な行為をすること又は児童をして［ 3 ］な行為をさせること。

3　児童の心身の正常な［ 4 ］を妨げるような著しい**減食**又は**長時間の放置**，保護者以外の同居人による前2号又は次号に掲げる行為と同様の行為の**放置**その他の保護者としての**監護**を著しく怠ること。

4　児童に対する著しい［ 5 ］又は著しく**拒絶**的な対応，児童が同居する家庭における配偶者に対する［ 6 ］（配偶者（婚姻の届出をしていないが，事実上婚姻関係と同様の事情にある者を含む。）の身体に対する不法な攻撃であって生命又は身体に危害を及ぼすもの及びこれに準ずる心身に**有害**な**影響**を及ぼす**言動**をいう。）その他の児童に著しい［ 7 ］を与える言動を行うこと。…児

1. 外傷
2. わいせつ
3. わいせつ
4. 発達
5. 暴言
6. 暴力
7. 心理的外傷

童虐待防止法第２条

▶何人も，児童に対し，[8]をしてはならない。…児童虐待防止法第３条

▶学校，児童福祉施設，病院，都道府県警察，女性相談支援センター，教育委員会，配偶者暴力相談支援センターその他児童の福祉に業務上関係のある団体及び[9]の教職員，児童福祉施設の職員，医師，歯科医師，保健師，助産師，看護師，弁護士，警察官，女性相談支援員その他児童の福祉に職務上関係のある者は，**児童虐待**を**発見**しやすい立場にあることを自覚し，**児童虐待**の[10]に努めなければならない。…児童虐待防止法第５条①

▶児童虐待を受けたと思われる児童を[11]した者は，**速やかに**，これを市町村，都道府県の設置する福祉事務所若しくは児童相談所又は児童委員を介して市町村，都道府県の設置する**福祉事務所**若しくは**児童相談所**に[12]しなければならない。…児童虐待防止法第６条①

▶刑法の秘密漏示罪の規定その他の[13]に関する法律の規定は，第１項の規定による通告をする義務の遵守を妨げるものと解釈してはならない。…児童虐待防止法第６条③

8. 虐待
9. 学校
10. 早期発見
11. 発見
12. 通告
13. 守秘義務

2．学校の対応

①虐待を**発見**又は[14]したら校長や学年の教員に報告し情報を発見，[15]する体制を作り，対応を協議する。

②児童の**安全**を確保する体制を作る。様子をみる場合にも**万一**の体制を作っておく。

③虐待か，否かの[16]を迷うような場合にも，**児童相談所**や関係機関（医師，弁護士，児童民生委員，警察署，社会福祉事務所，保健所，教育委員会，法務局（人権擁護委員），カウンセラー）に**相談**する。

④児童を観察し**身体的外傷**（あざ，やけど，骨折）や学習（集中力，学力低下，落ち着きがない），**生活**（服の汚れ，提出物忘れの増加，空腹，過食，無気力，暴言，凍った表情），交友関係（いじめる，孤立）などに見られる**異変**を発見した場合は，**相談**し**家庭訪問**等

14. 予見
15. 共有
16. 判断

も実施する。

3．児童虐待の早期発見と適切な対応のためのチェックリスト（例）

⑴　登校時の出席調査や健康観察

①傷跡やあざ，やけどの跡などが見られる。
②過度に緊張し教師と視線が合わせられない。
③季節にそぐわない服を着ている。
④きょうだいに服装や持ち物などに差が見られる。
⑤連絡もなく欠席する。

⑵　授業中や給食時などの生活場面

①教師等の顔色をうかがったり，接触を避けようとしたりする。
②最近急に気力がなくなる。字が乱雑になるなどの様子が見られる。
③他者とうまくかかわれず，ささいなことでもすぐカッとなるなど乱暴な言動が見られる。
④握手などの身体的接触に対して過度の反応をする。
⑤他の人を執拗に責める。
⑥動植物など命あるものをいじめたり，生命を奪ったりする。
⑦虚言が多かったり，自暴自棄な言動があったりする。
⑧用事がなくても，教師のそばに近づいてこようとする。
⑨集団から離れていることが多い。
⑩食べ物への執着が強く，過度に食べる。
⑪極端な食欲不振が見られる。
⑫何かと理由をつけてなかなか家に帰りたがらない。
⑬必要以上に丁寧な言葉遣いやあいさつをする。
⑭必要以上に人に気に入られるように振る舞ったり，笑わせたりする。
⑮日常の会話や日記・作文の中に，放課後や休日の生活の様子が出てこない。

⑶　健康診断の場面で

①衣服を脱ぐことに過剰な不安を見せる。
②発育や発達の遅れ（やせ，低身長，歩行や言葉の後

れ等），虫歯等要治療の疾病等を**放置**している。
③**説明がつかない**けが，やけど，出血斑（痕跡を含む）が見られる。
④からだや衣服の不潔感，汚れ，におい，垢の付着，爪が伸びている等がある。

⑷　**保護者とのかかわりの中で**
①子どもとのかかわり方に**不自然**なところが見られる。
②発達にそぐわない厳しい**しつけ**や**行動制限**をしている。
③長期にわたって欠席が続き，訪問しても子どもに**会わせようとしない**。
④家庭訪問や担任との**面談**を**拒否**する。
⑤連絡帳への返事がなく，学校からの電話には出ない。
⑥子どもの外傷などに対する説明に**不自然**なところがある。
⑦教材費や給食費を**滞納**する。
⑧保護者会やPTA 行事等への出席を拒否する。

●Reference

■児童の人格尊重等（児童虐待防止法第14条）

①児童の親権を行う者は，児童の**しつけ**に際して，児童の**人格**を尊重するとともに，その年齢及び発達の程度に配慮しなければならず，かつ，**体罰**その他の児童の心身の**健全な発達**に有害な影響を及ぼす言動をしてはならない。

②児童の**親権**を行う者は，**児童虐待**に係る暴行罪，傷害罪その他の犯罪について，当該児童の親権を行う者であることを理由として，その責めを免れることはない。

3 特別支援教育に関する法制

特別支援教育の考え方

⊙障害児から健常児をみる発想転換

FOR disabled person	
障害者彼岸視	一般教育に追随する障害児教育

発想 ↓ 転換

OF disabled person	
障害者此岸視	一般教育に範示する障害児教育

⊙主な法規の構造

主な法規
日本国憲法（第11条） 基本的人権の享有と本質
日本国憲法（第12条） 自由・権利の保持の責任とその濫用の禁止
日本国憲法（第13条） 個人の尊重，生命・自由・幸福追求の権利の尊重
日本国憲法（第14条） ①法の下の平等：「……差別されない」
日本国憲法（第26条） ①能力に応じてひとしく教育を受ける権利 ②普通教育を受けさせる義務
教育基本法（第4条） ①教育の機会均等：「……教育上差別されない」
教育基本法（第5条） ①普通教育を受けさせる義務
学校教育法（第17条） 就学させる義務
学校教育法（第18条） 病弱等による就学義務の猶予・免除
学校教育法（第72～82条） 特別支援教育

1. 都道府県

▶［ 1 ］は，その区域内にある学齢児童及び学齢生徒のうち，視覚障害者，聴覚障害者，知的障害者，肢体不自由者又は病弱者で，その障害が第75条の政令で定める程度のものを就学させるに必要な**特別支援学校**を設置しなければならない。…学校法第80条

2. 市町村
3. 都道府県
4. 3月前

▶［ 2 ］の**教育委員会**は，第2条に規定する者のうち認定特別支援学校就学者について，［ 3 ］の教育委員会に対し，翌学年の初めから［ 4 ］までに，その氏名及び**特別支援学校**に**就学**させるべき旨を**通知**しなければならない。…学校法施令第11条①

5. 都道府県

▶［ 5 ］の**教育委員会**は，第11条第1項（第11条

の2，第11条の3，第12条第2項及び第12条の2第2項において準用する場合を含む。）の通知を受けた児童生徒等及び特別支援学校の新設，廃止等によりその就学させるべき特別支援学校を変更する必要を生じた児童生徒等について，その**保護者**に対し，第11条第1項（第11条の2において準用する場合を含む。）の通知を受けた児童生徒等にあっては翌学年の初めから［ 6 ］までに，その他の児童生徒等にあっては速やかに**特別支援学校**の［ 7 ］を**通知**しなければならない。…学校法施令第14条①

▶［ 8 ］の**教育委員会**は，前条第1項の通知と同時に，当該児童生徒等を就学させるべき特別支援学校の［ 9 ］及び当該児童生徒等の住所の存する［ 10 ］の**教育委員会**に対し，当該児童生徒等の**氏名**及び**入学期日**を**通知**しなければならない。…学校法施行令第15条①

▶法第75条の政令で定める視覚障害者，聴覚障害者，［ 11 ］，肢体不自由者又は病弱者の障害の程度は，次の表に掲げるとおりとする。…学校法施令第22条の3

6. 2月前
7. 入学期日
8. 都道府県
9. 校長
10. 市町村
11. 知的障害者

4 人権尊重の教育

● Reference

■ **障害のある児童生徒の就学について**

「学校教育法等の一部を改正する法律（平成18年法律第80号）」が2006年6月21日に公布され，2007年4月1日から施行された。

改正ポイントとしては①特別支援学校制度の創設。盲学校，聾学校及び養護学校を特別支援学校とする。②特別支援学校の目的は，幼稚園，小学校，中学校又は高等学校に準ずる教育を施すとともに，障害による学習上又は生活上の困難を克服し自立を図るために必要な知識技能を授けることとした。③教育職員免許法の一部を改正し，「特殊の教科」の名称を「自立教科等」にした。

■ **特別支援学校設置基準**

在籍者数の増加により，慢性的な教室不足が続いている特別支援学校の教育環境を改善する観点から，2021年9月に特別支援学校設置基準が公布された。総則・学科の規定は2022年4月から，編制・施設・設備の規定は2023年4月から施行。

ティーチャーズ・ルーム⑧

2016年4月に障害者差別解消法が施行された。国・都道府県などの役所や会社等事業者の，障害のある人に対する正当な理由なき障害を理由とした差別を禁止している。障害の状態や性別，年齢などを考慮した変更やサービスを提供することを「合理的配慮」といい，2024年4月から提供が義務化された。

12. 0.3

13. 60

14. 意思疎通

15. 補装具

16. 悪性新生物

区　分	障害の程度
視覚障害者	両眼の視力がおおむね[12]未満のもの又は視力以外の視機能障害が高度のもののうち，拡大鏡等の使用によっても通常の文字，図形等の視覚による認識が不可能又は著しく困難な程度のもの
聴覚障害者	両耳の聴力レベルがおおむね[13]デシベル以上のもののうち，補聴器等の使用によっても通常の話声を解することが不可能又は著しく困難な程度のもの
知的障害者	1　知的発達の遅滞があり，他人との[14]が困難で日常生活を営むのに頻繁に援助を必要とする程度のもの 2　知的発達の遅滞の程度が前号に掲げる程度に達しないもののうち，社会生活への適応が著しく困難なもの
肢体不自由者	1　肢体不自由の状態が[15]の使用によっても歩行，筆記等日常生活における基本的な動作が不可能又は困難な程度のもの 2　肢体不自由の状態が前号に掲げる程度に達しないもののうち，常時の医学的観察指導を必要とする程度のもの
病弱者	1　慢性の呼吸器疾患，腎臓疾患及び神経疾患，[16]その他の疾患の状態が継続して医療又は生活規制を必要とする程度のもの 2　身体虚弱の状態が継続して生活規制を必要とする程度のもの

（学校法施令第22条の3）

●Reference

■障害者差別解消法で禁止している2種類の差別

1　**不当な差別**的取り扱い

○機能障害を理由にして，区別や排除，制限をする。

○車いすや補装具，盲導犬や介助者など，障害に関連することを理由にして，区別や排除，制限する。

※誰がみても目的が正当で，かつ，その扱いがやむを得ないときは差別にならない。

2　**合理的配慮**を行わないこと（**合理的配慮**の不提供）

○時間や順番，ルールなどを変える。

例）精神障害がある人の通勤ラッシュ時間帯の時間を変更する／知的障害のある人に対して，ルビをふったりわかりやすい言葉で資料を提供する

○設備や施設などの形を変える。

例）車イス利用者のために建物の段差を解消するためにスロープを設置する

○補助器具やサービスを提供する。

例）視覚障害がある人のために，パソコンに音声読み上げソフトを導入する／発達障害者のために，他人の視線などを遮る空間を用意する／書字障害のある障害者のために，解答用紙を拡大して提供する

▶特別支援学校の小学部の教育課程は，国語，社会，算数，理科，生活，音楽，図画工作，家庭，体育及び外国語の各教科，特別の教科である道徳，外国語活動，［ 17 ］，特別活動並びに**自立活動**によって編成するものとする。…学校法施規第126条①

▶前項の規定にかかわらず，知的障害者である児童を教育する場合は，生活，国語，算数，音楽，図画工作及び体育の各教科，特別の教科である道徳，特別活動並びに**自立活動**によって教育課程を編成するものとする。ただし，必要がある場合には，外国語活動を加えて教育課程を編成することができる。…学校法施規第126条②

▶特別支援学校の中学部の教育課程は，国語，社会，数学，理科，音楽，美術，保健体育，技術・家庭及び外国語の各教科，特別の教科である道徳，［ 18 ］，特別活動並びに**自立活動**によって編成するものとする。…学校法施規第127条①

▶前項の規定にかかわらず，知的障害者である生徒を教育する場合は，国語，社会，数学，理科，音楽，美術，保健体育及び職業・家庭の各教科，特別の教科である道徳，総合的な学習の時間，特別活動並びに**自立活動**によって教育課程を編成するものとする。ただし，必要がある場合には，外国語科を加えて教育課程を編成することができる。…学校法施規第127条②

▶第1条に規定する社会の実現は，全ての障害者が，障害者でない者と等しく，基本的人権を享有する個人としてその**尊厳**が重んぜられ，その［ 19 ］にふさわしい生活を保障される権利を有することを前提としつつ，次に掲げる事項を旨として図られなければならない。

1　全て障害者は，社会を構成する一員として**社会**，**経済**，**文化**その他あらゆる分野の活動に参加する［ 20 ］が確保されること。（略）…障害者基本法第3条

▶国民の間に広く基本原則に関する関心と理解を深めるとともに，障害者が**社会**，**経済**，**文化**その他あらゆる分野の活動に参加することを促進するため，**障害者週間**を設ける…障害者基本法第9条①

▶障害者週間は，12月3日から12月9日までの一週間とする。…障害者基本法第9条②

17. 総合的な学習の時間

18. 総合的な学習の時間

19. 尊厳

20. 機会

4 特別支援教育の実際

1．心身障害児の教育

▶障害のある子供の学びの場については，障害者権利条約の理念を踏まえ，障害のある子供と障害のない子供が可能な限り**共に教育を受けられる**ように条件整備を行うとともに，障害のある子供の**自立**と**社会参加**を見据え，一人一人の［ 1 ］に最も的確に応える指導を提供できるよう，通常の学級，通級による指導，特別支援学級，特別支援学校といった，**連続性**のある多様な学びの場の整備が必要である。

▶就学先となる学校や学びの場の判断・決定に当たっては，学校や地域の状況，［ 2 ］や専門家の意見等を総合的に勘案して，**個別**に判断・決定する。［ 3 ］を見据え，その時点で教育的ニーズに最も的確に応える指導を提供できる就学先となる学校や学びの場について，**教育支援委員会**等における検討，**市区町村教育委員会**の**総合**的な判断，本人及び保護者，教育委員会及び学校との**合意形成**を進めた上，最終的には［ 4 ］が決定する。

▶学校教育は，障害のある子供の**自立**と**社会参加**を目指した取組を含め，「［ 5 ］」の形成に向けて，重要な役割を果たすことが求められている。そのためにも「［ 6 ］」の形成に向けた**インクルーシブ教育**システム構築のための特別支援教育の推進が必要とされている。

▶対象となる子供の教育的ニーズを整理するには，3つの観点（①障害の状態等，②特別な指導内容，③教育上の［ 7 ］を含む必要な支援の内容）を踏まえることが大切である。

1. 教育的ニーズ
2. 保護者
3. 自立と社会参加
4. 市区町村教育委員会
5. 共生社会
6. 共生社会
7. 合理的配慮

2．障害の種類

(1) 視覚障害

視機能の永続的な低下により，学習や生活に支障がある状態をいう。学習では，動作の模倣，文字の読み書き，事物の確認の困難等がある。生活では，慣れない場所においては，物の位置や人の動きを即時的に把握することが困難であったり，他者の存在に気付いたり，顔の表情を察したりすることが困難であり，単独で移動することや相手の意図や感情の変化を読み取ったりすることが難しい等がある。

⑵　聴覚障害

身の周りの音や話し言葉が聞こえにくかったり，ほとんど聞こえなかったりする状態をいう。程度や聞こえ方，言語発達の状態は異なるため，聴覚障害のある子供には，できるだけ早期から適切な対応を行い，音声言語をはじめその他**多様**な**コミュニケーション手段**を活用してその可能性を最大限に伸ばすことが大切である。

⑶　知的障害

一般に同年齢の子供と比べて「認知や言語などにかかわる**知的機能**」の発達に遅れが認められ，「他人との意思の交換，日常生活や社会生活，安全，仕事，余暇利用などについての適応能力」も不十分であり，特別な支援や配慮が必要な状態をいう。**環境**的・**社会**的条件で**変わり得る可能性**があるともいわれている。

⑷　肢体不自由

身体の動きに関する器官が，病気やけがで損なわれ，歩行や筆記などの**日常生活動作**が困難な状態をいう。

⑸　病弱・身体虚弱

病弱とは，**心身**が**病気**のため弱っている状態をいう。身体虚弱とは，病気ではないが**身体**が**不調**な状態が続く，**病気**にかかりやすいといった状態をいう（このような状態が継続して起こる，または繰り返し起こる場合を指し，風邪のように一時的な場合は該当しない）。

⑹　言語障害

発音が不明瞭であったり話し言葉のリズムがスムーズでなかったりするため，話し言葉による**コミュニケーション**が**円滑に進まない**状況であること，また，そのため本人が引け目を感じるなど社会生活上不都合な状態であることをいう。

⑺　情緒障害

周囲の環境から受ける**ストレス**によって生じた**ストレス反応**として状況に合わない心身の状態が持続し，それらを自分の意思ではコントロールできないことが継続している状態をいう。

3．発達障害

▶発達障害とは，発達障害者支援法において「自閉症，アスペルガー症候群その他の広汎性発達障害，学習障害，注意欠陥多動性障害その他これに類する脳機能の障害であってその症状が通常[8]において発現するものとして政令で定めるもの」と定義されている。

8. 低年齢

▶発達障害の可能性のある児童生徒は，通常の学級を含め全ての学校・学級に在籍していると考えられている。

⑴ 学習障害（LD）

全般的に[9]に遅れはないが，「聞く」「話す」「読む」「書く」「計算する」「推論する」といった学習に必要な基礎的な能力のうち，１つないし複数の特定の能力についてなかなか習得や発揮ができなかったりすることで，学習上，様々な困難に直面しており，一部特別な指導を必要とする程度のものをいう。

9. 知的発達

⑵ 注意欠陥多動性障害（ADHD）

身の回りの特定のものに意識を集中させる脳の働きである注意力に様々な問題がある，または衝動的で落ち着きのない行動により，生活上，様々な困難に直結している状態で，年齢または発達に不釣合いな注意力，または衝動性・多動性が認められ，社会的な活動や学業の機能に支障をきたすもので，一部特別な指導を必要とする程度のものをいう。

5 教育心理

1 教育心理概説

⊙記憶

○長期記憶――宣言的記憶（言語に置き換え可能な記憶）
　　　　　　　├**エピソード**記憶（いつどこで等体験に基づく）
　　　　　　　└意味記憶（一般的な知識）
　　　　　手続き記憶（非言語的な記憶）

○**レミニセンス**…記憶した事柄についてある程度時間を経たほうが，かえって明確に想起される。

○レストルフ効果…明らかに異なるものは記憶に残りやすい。

⊙人格に関する理論

[類型論]

性格をいくつかの典型的な型に分類

○**クレッチマー**…細長型（分裂気質），肥満型（躁うつ気質），闘士型（粘着気質）

○シェルドン…内胚葉型（内臓緊張型）：肥満型（社交的），中胚葉型（身体緊張型）：がっしり型（活動的），外胚葉型（頭脳緊張型）：やせ型（抑圧的）

○ユング…外向型，内向型

[特性論]

性格の形成を特性の集まりとして理解

○**オルポート**…初めて人格特性論を提唱。個人特性と共通特性。心誌（サイコグラフ）の作成。

○キャッテル…因子分析法。表面特性と根源特性。

○**アイゼンク**…類型・特性・習慣的反応・特殊反応による人格の4層構造。MPI（モーズレイ性格検査）のもとに。

1．主な人物

▶**ヴォルフ**［ドイツ］…「心理学」という用語をはじめて用いた。能力心理学の祖。

▶**ヴント**［ドイツ］…[1]心理学の基礎をはじめて確立。

▶**ディルタイ**［ドイツ］…了解を基にして独自の類型学をつくる。

▶**プライエル**［ドイツ］…[2]の創始者。『児童の心』

1. 実験

2. 児童心理学

▶**ジェームズ**［アメリカ］…**プラグマティズム**。
［ 3 ］主義の先駆者。

▶**ホール**［アメリカ］…アメリカ心理学の創始者。質問紙法〔心理学の［ 4 ］〕

▶**パブロフ**［ロシア］…［ 5 ］に関する実験的研究。古典的条件付け。

▶**エビングハウス**［ドイツ］…［ 6 ］曲線。

▶**ビネー**［フランス］…［ 7 ］の基礎。

▶**シュテルン**［ドイツ］…［ 8 ］説。人格主義。

▶**ソーンダイク**［アメリカ］…問題箱等の設置考案。試行錯誤説。

▶**ユング**［スイス］…**内向**，**外向**の概念。

▶**ワトソン**［アメリカ］…［ 9 ］心理学提唱。(刺激—反応の連鎖により行動を説明)

▶**ゲゼル**［アメリカ］…［ 10 ］

▶**ケーラー**［ドイツ］…［ 11 ］の概念を提唱。

▶**レヴィン**［ドイツ］…［ 12 ］の力学観。

▶**モレノ**［ルーマニア］…［ 13 ］・テストを開発。

▶**ピアジェ**［スイス］…［ 14 ］説。［ 15 ］論。アニミズム。自己中心性。

▶［ 16 ］［ドイツ］…アイデンティティ〔自我同一性〕。

▶**ロジャーズ**［アメリカ］…［ 17 ］的カウンセリングの提唱者。

▶**スキナー**［アメリカ］…［ 18 ］の条件付け理論。新行動主義。

▶**エリクソン**［アメリカ］…人間の一生を［ 19 ］つの発達段階で捉えた。

▶［ 20 ］…人間の欲求を５つの階層で理論化。『人間性の心理学』

▶［ 21 ］…個人の生活を，理論，経済，審美，社会，政治，宗教に類型化した。

▶［ 22 ］…身体の発達を，伸長期と充実期に分類。

▶［ 23 ］…身体の発達を，**リンパ**，**神経**，**一般**，**生腺**に類型化した。

▶［ 24 ］…思考の**発達段階**を，感覚運動期，前操作期，具体的操作期，形式的操作期に分類した。

3. 機能
4. 父
5. 条件反射
6. 忘却
7. 知能検査
8. 輻輳
9. 行動主義
10. 成熟優位説
11. 洞察
12. 場の理論
13. ソシオメトリック
14. 均衡化
15. 発生的認識
16. エリクソン
17. 非指示
18. 自発的行動
19. 8
20. マズロー
21. シュプランガー
22. シュトラッツ
23. スキャモン
24. ピアジェ

2 学習理論

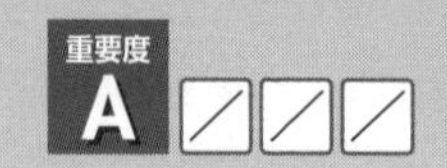

⊙学習とは，同一あるいは類似の経験が繰り返された結果生じる，永続性のある行動の**変容**をいう。ある学習の際に，その学習に必要な準備が整っていることを**レディネス**という。

⊙学習に関する理論

連合理論　[刺激（Stimulus）－反応（Response）理論＝S－R理論]

刺激（S）と人や動物の反応（R）の間にある連合あるいは結合によって学習が成立するという考え方。

- 条件反射説・古典的条件付け理論　―　パブロフ
- **試行錯誤説**　―　ソーンダイク
- **行動主義理論**　―　ワトソン
- 自発的行動の条件付け理論　―　スキナー
- 刺激反応接近説　―　ガスリー

認知理論　[記号（Sign）－意味（Significate）理論＝S－S理論]

学習による行動の変容は，刺激による新しい**認知**で形成されるという考え方。1つの事象・記号（S）と学習者の意味のある目標対象（S）とによって学習が成立する

- 洞察説　―　ケーラー
- **場の理論**　―　レヴィン
- サインゲシュタルト説　―　トールマン

⊙学習の転移

○**正**の転移…先行の学習が，その後の学習を促すこと。
○**負**の転移…先行の学習が，その後の学習を妨害してしまうこと。

1.　連合理論

⑴　[　1　]条件づけ（**古典的条件づけ**）

▶犬に音を聞かせた（**条件刺激**）あとに餌を与える（**無条件刺激**）ことを繰り返し行ううちに，音が鳴っただけで唾液分泌が生じるようになった。

▶[　2　]は，この実験から，学習を**条件反射**で説明する古典的条件づけ（レスポンデント条件づけ）を唱えた。

1.　レスポンデント
2.　パブロフ

⑵ [3]条件づけ

▶レバーを押すと餌が出る仕掛け箱にネズミを入れて観察したところ，偶然レバーに触れることで餌を獲得したネズミが，その経験を繰り返すうち**自発的**にレバーを押すようになった。

▶[4]は，この実験から，学習を**自発行動**の条件づけによって説明するオペラント条件づけを唱えた。

⑶ **試行錯誤説**

▶猫を問題箱に入れ，外に出てくる時間を測定することなどから，[5]が唱えた説。

▶また，学習の原理として，**効果**の法則，**練習**の法則，**準備**の法則があるとした。

2．認知理論

⑴ [6]

▶檻の中にいるチンパンジーが，手の届かないバナナをどのように取るか観察を行ったところ，やがて棒を使ってバナナを取るようになった。

▶[7]は，この実験から，手段と目的の見通しを得るその場の**構造の洞察**が大切であるとした。

⑵ **場の理論**

▶[8]は，行動(B)は個人(P)と環境(E)の相互作用に依存しているとし，$B = f(P \cdot E)$ の式を示した。

⑶ [9]

▶ネズミを迷路に入れ，学習させる実験を行ったところ，動き回るうちに迷路を潜在的に学んで**認知地図**を形成し，ゴールに素早く着くようになった。

▶[10]は，この実験から，学習は特定の記号（サイン）について手段－目的関係が**認知**されることであると唱えた。

⑷ [11]（**観察学習**）

▶**バンデューラ**は，モデルの行動やその結果を**観察**することで，観察者自身の行動に変化が生じて**学習**が成立するとした。[12]理論。

3. オペラント

4. スキナー

5. ソーンダイク

6. 洞察説

7. ケーラー

8. レヴィン

9. サイン・ゲシュタルト説

10. トールマン

11. モデリング

12. 社会的学習

3 発達の特徴（新生児期～青年期）

⊙遺伝と環境に関係する発達の理論

理　論	提唱者	内　容
遺伝（生得）説	ゲゼル	先天性を重視する運命論的な考え方。
環境（経験）説	ワトソン	発達は環境からの外部的感化・影響に決定付けられる。
輻輳説	シュテルン	発達は先天的な素質と後天的な環境とが重なり合って発達が展開している。
環境閾値説	ジェンセン	遺伝と環境との組み合わせを，視覚，聴覚，味覚，嗅覚，触覚等の分析で発達をとらえる。

⊙スキャモンの発達曲線　（⇒P.167参照）

生まれてから20歳までの身体発達を4つの型に分けて曲線で表した。

1．発達の初期学習

1. インプリンティング

⑴　［　1　］（刻印づけ）

▶鳥類が卵から孵化して最初に目に入った動く対象の後を追う現象について，**ローレンツ**が示した。

▶孵化後一定期間に限り起こる初期学習で，成立するための適切な時期を［　2　］という。

2. 臨界期

⑵　**代理母実験**

3. ハーロウ

▶［　3　］は，生まれたばかりの子ザルに2種類の代理母模型（針金製と，針金を柔らかい布で覆ったもの）から授乳する比較実験をした。

▶両者とも授乳時以外は布模型に接触して過ごしたことから，**接触**の快感，安心感の重要性が示された。

4. アタッチメント（愛着）

⑶　［　4　］

▶**ボウルヴィ**は，幼児と養育者との情愛的な結びつきについて，アタッチメントと名づけた。

▶ボウルヴィはまた，あたたかい接触が欠如することで情緒，性格，知能などに諸症状が発生しやすくなることを［　5　］と称した。

5. マターナル・デプリベーション

⑷　［　6　］法

6. ストレンジ・シチュエーション

▶**エインズワース**は，養育者との分離・再会における子供の反応の実験を行った。

▶この実験により，愛着について，**回避型**（平静），**安定型**（少し混乱），**アンビバレント型**（強い混乱），**無秩序型**（一貫性なき混乱）の４つに分類した。

2．新生児期の発達の特徴

▶新生児期にだけみられる反射を［ 7 ］という。

▶**モロー反射**（外部の刺激で腕を外側に広げたあと身体に引き寄せる），**バビンスキー反射**（足の裏の刺激に親指が反り返る），自動歩行反射，把握反射，など。

3．児童期の発達の特徴

▶ギャングエイジ…仲間意識の芽生えによる発達における特徴。小集団の形成。ギャング・グループ。

▶［ 8 ］…児童期後半～青年期初期にみられる，同一言語での共通性を重視する仲間集団。

4．青年期の発達の特徴

▶アイデンティティ（［ 9 ］）… 自分の存在意義が確立していく。**エリクソン**の説いた８つの発達段階における青年期の最も重要な課題とされる。

▶［ 10 ］…子供と大人の世界の境界に位置し，所属集団が明確でない。**マージナル・マン**，周辺人とも。**レヴィン**による。

▶［ 11 ］…親からの精神的な乳離れ。**ホリングワース**による。

▶**疾風怒濤**の時代…自我の発達，精神的な不安定さから反社会的行動となるなど。ホールによる。

▶［ 12 ］…大人として社会的な責任や義務を果たすことが**猶予**されている時期をさす。

7. 原始反射

8. チャム・グループ

9. 自我同一性

10. 境界人

11. 心理的離乳

12. モラトリアム

4 発達の諸理論

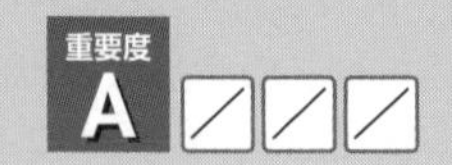

◉道徳性の発達理論
○ピアジェの道徳的判断…他律的な道徳観から自律的へ
○コールバーグの道徳性発達理論…３水準６段階

1．ピアジェの（認知）発達理論

⑴ 認知発達における基本的な４つの概念

▶**シェマ**…周囲の環境について理解し，適応していく認知の枠組み。

▶**同化**…外界の対象を自分の中のシェマに取り入れて統合する。

▶**調節**…外界に適応させるために自分のシェマを変更していく。

▶**均衡化**…同化と調節のバランスをとりながら，さらなるシェマを形成していく。

⑵ 発達の四段階

▶［ 1 ］…運動や感覚を通し，外界への働きかけをする。**言葉**の使用による象徴的思考。

▶［ 2 ］…言語活動が活発になる。**自己**を中心とした思考。ごっこ遊びをする。

▶［ 3 ］…**論理的**な思考の発達。思考の保存概念の取得。自己中心的から社会的な行動へ。

▶［ 4 ］…**抽象的**な思考ができる。抽象的な概念の分析ができる。

2．エリクソンの発達理論

▶エリクソンは人間の一生を８つの段階で捉え，各段階には［ 5 ］（発達課題）があり，乗り越えることで得られる力，乗り越えられないことによる危機があるとした。

1. 感覚運動期
2. 前操作期
3. 具体的操作期
4. 形式的操作期
5. 心理社会的危機

乳児期	基本的信頼　—　基本的不信
幼児前期	自律性　—　恥，疑惑
幼児後期	自発性　—　罪悪感
児童期	勤勉性　—　劣等感
青年期	同一性　—　同一性拡散
成人前期	親密性　—　孤独
成人後期	生殖性　—　停滞性
老年期	統合　—　絶望

3．[6]の発達理論

▶人間が健全で幸福な発達をとげるための6つの発達段階を示し，次の発達段階へとスムーズに移行するためには，各発達段階で習得しておくべき**課題**があるとした。

乳幼児期	歩行・食べること・話すこと・排泄の学習，**生理的な安定**の達成，人間関係の学習，現実の単純な概念の学習，善悪の区別・良心の学習，など。
児童期	仲間とうまくつき合う学習，基礎能力（読み・書き・計算），良心・道徳・価値観や社会集団に対する態度の発達，**個人的独立**の達成，など。
青年期	大人からの**情緒的独立**の達成，経済的独立のめやす，行動を導く価値観や倫理体系の形成，など。

6. ハヴィガースト

※表は前半3段階。

4．フロイトの発達理論

▶フロイトは[7]（性的エネルギー）が向かう身体部位で,発達段階を5つに分類した。

7. リビドー

5．コールバーグの道徳性発達理論

▶ピアジェの説を受け，道徳性は[8]にわたり発達するものであると捉えた。

8. 生涯

⑴ **前慣習的水準**

①罪と服従の段階　　②[9]の段階

9. 報酬と取引

⑵ **慣習的水準**

①対人的同調の段階　　②[10]の段階

10. 法と秩序

⑶ **後慣習的水準**

①**社会契約**と[11]の段階

②普遍的倫理原理の段階

11. 個人の権利

5 教育心理

5 教育評価

⊙教育測定

知能，学力，性格・行動等教育に関する**心的属性**について，**客観的資料**に基づいて教育を行うことを目的とし，教育現象に一定の測定単位をもった尺度で**数量**的に記述すること。

⊙ブルームの教育評価の３分類

①**診断的**評価…学習・指導を開始するのに先立って，その前提となるレディネス把握のための評価。児童生徒の実態を把握し，それに適応した**学習指導法**の決定に活用。事前テストなど。

②**形成的**評価…学習・指導の各段階で，その学習の**進度・状態**を把握し，児童生徒及び教師に**フィードバック**して学習の進行に活用。毎時間中の小テストなど。

③**総括的**評価…学習・指導のおわりの段階で，学力の**進歩**，目標の**達成度**を把握し，教育課程や学習コース指導計画の改善・検討事項を明らかにすることに活用。中間テスト，期末テストなど。

⊙ルーブリック

成功の度合いを示す数レベル程度の尺度と、各レベルに対応するパフォーマンス特徴を示した**記述語**（評価規準）からなる評価基準表をいう。学習者の**パフォーマンスの質**を評価する指標。

１．評価基準による分類

1. 相対評価

▶[1]…評価基準は**集団**が決定し，個々の児童生徒は，これと比較して，集団内に位置づけられる。個人の得点を**集団構成員**の得点と比較し，その相対的位置づけをする。客観的で信頼性が高い反面，学習者の**学習到達度**がわかりにくい面がある。

2. 絶対評価

▶[2]…評価基準は，教師等が評価に先立ち指導目標に基づいて決定し，カリキュラムや指導目標に照らして，各児童生徒や集団の到達度・成功・失敗を明らかにする。**到達度**がわかりやすく学習への**意欲**や**努力**を評価するのに適しているが，教師が評価基準を設定するのが至難。

▶[3]…評価基準は，評価対象である児童生徒等の**個人内**で決定され，基準（規準）が合理的に設定されれば，本人の**長所**や**短所**を明示でき，**進歩**の状況が把握できる。本人独自の生涯にわたる**長期展望**をもたせるのに適しているといえるが，評価基準の設定が難しい。

3. 個人内評価

▶[4]…個人内評価の一手法。学習者が特定の目的に沿って学習し，その学習過程や学習シート，ワークシート，レポートなど様々な**資料**を用いて学習効果について評価する。**数値化**が困難な質的側面の評価方法として有効。

4. ポートフォリオ評価

▶[5]…知識やスキルを使いこなすことを求めるような評価方法。論説文・レポートや展示物といった完成作品（**プロダクト**）や，スピーチ・プレゼンテーション・協同での問題解決や実験の実施といった**実演**（狭義のパフォーマンス）を評価する。

5. パフォーマンス評価

2．評価の阻害要因

▶[6]…一つのよい（悪い）印象で，他の面までよい（悪い）評価に傾く現象。**ソーンダイク**らが実証。

6. ハロー効果

▶[7]…教師が学習者の成績が上がることを期待することで，実際に成績が向上する現象。**ローゼンタール**らが報告。逆に，期待しないことで成績が下がる現象を**ゴーレム**効果という。

7. ピグマリオン効果

▶[8]…自分がよく知るものを評価する際，好ましい特性が強調され，好ましくない特性が寛大に評価されやすい現象。

8．寛大（寛容）化

▶[9]…評価者が高評価・低評価とするのをためらい，**平均的**な評価を行いやすい現象。

9. 中心化傾向

▶[10]…論理的に関係がありそうだと推論して他の要素を評価してしまう現象。

10. 論理誤差

▶[11]…先に**総合評価**をし，後からその評価に**合致**するように評価をしてしまう現象。

11. 逆算化傾向

▶[12]…絶対基準ではなく，評価者が自分か誰かを基準にして学習者を評価してしまう現象。

12. 対比効果

▶[13]…**直近**の出来事が影響してしまう現象。

13. 期末誤差

6 カウンセリングと心理療法

◉カウンセリング

指示的カウンセリング	**ウィリアムソン**実践。問題においてクライエントに不足している部分に情報提供や具体的な提案を示す。
非指示的カウンセリング	**ロジャーズ**創始。来談者自身の自発的な言動・その人自身の自己変革の力を引き出す援助をしていく。来談者中心療養。

◉おもな心理療法

○ゲシュタルト療法　—　パールズ
○行動療法　—　**ウォルピ**
○認知療法　—　**ベック**
○論理療法　—　エリス
○精神分析療法　—　フロイト
○交流分析　—　バーン

1．様々な心理療法

1. ゲシュタルト療法
2. 行動療法
3. 認知療法
4. 論理療法
5. 精神分析療法

▶［　1　］…パールズら。「**今ここで**」の体験と欲求の全体性（ゲシュタルト）に着目。

▶［　2　］…行動を変えることで問題解決を図る。この考えを応用した技法として，ウォルピの**系統的脱感作法**（作成した不安階層表に準じ段階的に不安を緩和していく）や，**トークンエコノミー**（適切な行動ができたら報酬を与えることを反復することで自己コントロール力を高める）などがある。

▶［　3　］…ベック創始。偏った物事の捉え方（認知）を低減させていくことで，考え方や行動を**変化**させる療法。行動療法と組み合わせた認知行動療法と同意にされる場合もある。

▶［　4　］…エリス提唱。非合理な信念に対して論理性・現実性・実用性の観点から論駁を行い，合理的な信念に変容させる。

▶［　5　］…フロイトの精神分析論に基づく自由連想法，夢分析などによる療法。無意識下に抑圧された内容を意識化させ解決を図る。フロイトは心の構造をエス・

自我・超自我で示した。

▶[6]…バーン提唱。自身や他人のやり取りのパターンを分析し，コミュニケーションの改善を図る。**ゲーム分析**，**脚本分析**などの技法がある。

▶[7]…ヘルムートが考案。遊具のある部屋で自由に遊びをさせることで，感情や抱えている問題を治療する。アスクラインは実行する場合の８原則を提起した。

▶[8]…ローエンフェルドが創始しカルフが発展。木箱に家などのミニチュアを配置して好きな風景をつくり，配置のしかたから心の在り様があらわれる。

▶[9]…個人的な心理の問題を家族全体の問題として考え，**家族システム**の中で解決していく療法。

▶[10]…モレノが創始。即興劇を自由に演じさせ，自己への洞察を深めていく集団療法。

▶[11]…森田正馬創始。**神経症**に対する日本独自の心理療法。症状(気分)を「あるがまま」に受け入れ，こうあるべきなどの囚われから解放していく。

▶[12]…吉本伊信が精神修養法をもとに開発。徹底した自己の見つめなおしによる改善・回復。

2．教育相談等に活用できる手法・技法

▶[13]…集団での自由な発言活動を通して，相互理解や問題解決力を育成する技法。あらかじめ課題が用意されたものを**構成的**グループエンカウンターという。

▶[14]活動…児童生徒同士など仲間同士が互いに支え合う関係をつくる。

▶[15]トレーニング…社会的な技能を育成する。リバーマン考案。

▶[16]トレーニング…円滑な社会行動のための，自分も相手も大切に考える**主張**訓練。

▶[17]…怒りの感情のコントロール。

▶[18]…ストレスへの対処法。

▶[19]トレーニング…自分の心身・命を守り健康に生きるためのトレーニング。**セルフエスティーム**（自尊心）の維持，意思決定スキルなど。

6. 交流分析

7. プレイセラピー（遊戯療法）

8. 箱庭療法

9. 家族療法

10. サイコドラマ（心理劇）

11. 森田療法

12. 内観療法

13. グループエンカウンター

14. ピア・サポート

15. ソーシャルスキル

16. アサーション

17. アンガーマネジメント

18. ストレスコーピング

19. ライフスキル

7 適応と行動

⦿**基本的欲求**

○適　応

○基本的欲求 ─┬─ 生理的欲求
　　　　　　 └─ 人格的欲求 ─┬─ 社会的欲求
　　　　　　　　　　　　　　 └─ 自我的欲求

⦿**自己実現の欲求**

所与の条件下で自己を最大限に生かして，新しい世界を創造すること。

○マズロー（アメリカ）の５段階**欲求階層**

⦿**欲求不満耐性**

○フラストレーション（欲求不満）の状態下で示す３つの行動タイプ

①攻撃的行動　②退行的行動　③異常行動の固着

○フラストレーション・トレランス（欲求不満耐性）…欲求不満に耐えられる個人の能力をいう。

⦿**葛藤（コンフリクト）**

○レヴィン…葛藤の３基本系（⇒P.161参照）

○アンビバレンス（両面感情）…愛と憎しみなど

○コンプレクス（複合体）

⦿**適応機制（防衛機制）**

抑圧，反動形成，投影，同一視，補償，合理化，置き換え，など

1．生理的
2．自尊
3．自己実現

1．マズローの５段階欲求階層

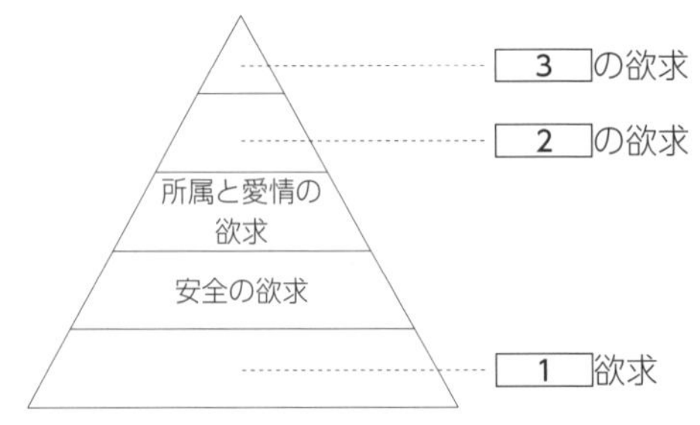

2．適応機制

▶［ 4 ］…自覚されない自己の矛盾や不満を**自我**を傷つけないような**受容**しやすい説明によって**正当化**する。

▶［ 5 ］…**罪の意識**が不安を呼び起こすような衝動・経験・感情などを意識化しないように**無意識**のうちに抑えてしまう。

▶［ 6 ］…摂取ともいう。他人の一部又は全部を自己のものとして取り込み，**自己**と**同一視**し**同化**しようとする。

▶［ 7 ］…自己の欠点や不愉快なことに目をつぶるため，それを**他人へ転嫁・帰属**させる。

▶［ 8 ］…無意識の受容しにくい欲求が社会的に承認される，より**高次元活動**へと方向づけられる。

▶［ 9 ］…情動の抗争などの内的障害から**逃避**する働きであり，各種の疾病を用いる（疾病逃避）のが１つの典型である。

▶［ 10 ］…それを自覚すると自我が傷付くような衝動が**抑圧**され，その**代理**としてそれと**正反対**の態度や行動が表出される。

▶［ 11 ］…情動（正・負）を本来の対象や目標へ向けずに**別の対象**へ向ける。

▶［ 12 ］…自己の欠陥や劣性による**劣等感**を**解消**するための積極的及び消極的な努力によってなされる行動や意識の働き方をいう。

▶［ 13 ］…現在の発達段階にふさわしい適応をしないで，より**早期**の**未熟**な**段階**の**適応**をすることによって**安易**な**解決**をはかる。

▶［ 14 ］…白昼夢のように**イメージ**だけの活動によって満足し，**現実**から**逃避**する。

▶［ 15 ］…一群の心理的な過程が**意識**から**分離**して独立的ないし自動的に働くことにより，自我の責任・苦痛・努力が**回避**される。

▶［ 16 ］…欲求阻止の本質的解決ではないが，**攻撃**をしたり**破壊的行動**をすることで，阻止するものや脅威を与えるものに対しての**緊張緩和**を試みる。

4. 合理化
5. 抑圧（抑制）
6. 同一視
7. 投影（投射）
8. 昇華
9. 転換
10. 反動形成
11. 置き換え（置換）
12. 補償
13. 退行
14. 白昼夢（空想）
15. 解離（分離）
16. 攻撃

8 心理検査

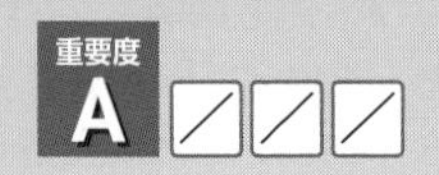

心理検査の分類

◉質問紙法

ある問題について，十分な質問を書いた**質問紙**を配り，自分の行動・性格を自己診断させ，その回答を分析して**個人の性格**を知る方法。

◉投影法

はっきりしない形のものを見せて，**被験者の解釈**を分析して，その人間の性格や，**精神の状態**を明らかにする方法。

◉作業検査法

言語を用いないで，**単純な作業**をやらせて，**適性**や**技能**を調べる方法。

1. TAT

▶［ 1 ］…絵画統覚テストともいう。マレー考案。漠然とした場面の絵画を見せ，被験者に**空想的物語**をつくらせ，語られた主題内容を分析して被験者の人格や行動特徴を理解しようとするもの。

2. ゾンディ・テスト

▶［ 2 ］…複数の顔写真を見せて，好きな顔と嫌いな顔を選ばせ，隠された**衝動**や**葛藤**を分析する。

3. ロールシャッハ・テスト

▶［ 3 ］…インクブロットテストともいう。左右対称のインクのしみのカードを10枚提示して，被験者にそれぞれ何に見えるかを診断させ，**知的水準**，**葛藤**，**性格特性**などをみる。

4. P-Fスタディ

▶［ 4 ］…欲求不満を引き起こさせるような2人の人物が描かれている漫画風の絵カードを用いて，**欲求不満**に対する反応を分析して診断させる。

5. SCT

▶［ 5 ］…文章完成法ともいう。被験者に不完全な文章を提示し，それを自由に補足させて全文を完成させ，**潜在する歪み**をみる。

6. YG性格検査

▶［ 6 ］…120の質問項目に答えさせ，神経質・劣等感・活動性など12の**性格特性**を表示する。

7. MMPI

▶［ 7 ］…550の質問項目により，心気症・抑うつ・ヒステリーなど10の**臨床尺度**で表示する。

8. 向性検査

▶［ 8 ］…ユングの考え方を基にした，内向性と外向性を測る検査。おもに**質問紙法**で行われる。

▶ 9 …一定時間，連続的な**加算作業**を課し，作業経過と結果から**性格・適性**を診断する。

▶ 10 …問題の難易度を**客観的**に決定し，各年齢級の問題を一定にし，知能の**発達率**を示す検査。

▶ 11 …ウェクスラーが考察した児童用の知能検査。主要指標は，言語理解，視空間，流動性推理など。

▶ 12 … 家 (house)，木 (tree)，人 (person) を描かせて心理状態を分析する。

▶ 13 …ゴールドバーグが提唱した，人間のパーソナリティを大きく５つに集約した考え方。

▶ 14 …あらかじめ特定の**人格特性**について一定の尺度を作っておき，観察の結果，その尺度上のどの位置にあるかを測定する。

▶ 15 …ビネー・シモン式知能検査を改訂したもの。この検査によって初めて**知能指数**による表示がなされた。

▶ 16 …TATの子供版。

▶ 17 …描画法のうち**樹木**を描かせる方法。コッホが投影法の一方法とした。彼によれば，**樹木**は内なるものを外に出す法則を有し，内面と外面，深層と表層の混合だという。また描画することで**受動**的な**投影**を**能動**的な**形成**に変えることができるとした。

9. 内田クレペリン精神作業検査
10. ビネー・シモン式知能検査
11. WISC
12. HTP
13. ビッグ・ファイブ
14. 評定尺度法
15. スタンフォード・ビネー式知能検査
16. CAT
17. バウム・テスト

資料；コンフリクトとは

■レヴィンによるコンフリクト（葛藤）

型	内　容	例　示
接近―接近型	２つまたは２つ以上の要求の対象が，同時に同じ強さの正の**誘意性**（魅力）をもって生活体にせまる。	＊２つの学校から，ぜひ教員に採用したいと同時に懇願され，進路決定に迷っている場合
接近―回避型	同一の要求の対象が，正（魅力）と負（嫌悪）の両面を持った場合，または，**負の面**を通過しないと**正へ到達**できない場合がある。	＊良薬は口に苦し ＊手術は不安だが受けなければ健康な体は取り戻せない ＊受験勉強は嫌だが合格はしたい
回避―回避型	２つまたは２つ以上の**要求の対象**が，ともに負（嫌悪）の**誘意性**をもち，そのいずれも回避したいが，回避できない場合。	＊生きたくもなければ，死にたくもない ＊練習もしたくないし，試合に負けるのもいやだ

9 学級集団

集団の区分法

第一次集団 …親密，直接的。家族など **第二次集団** …意図的，間接的。会社など	フォーマルグループ（公式集団） …人為的な組織。学級など インフォーマルグループ（非公式集団） …個人の意思による。自然発生的
ゲマインシャフト …共同体組織。本質的な意志に基づく ゲゼルシャフト …機能体組織。組織自体に目的がある	**サイキグループ** …心理的集団。インフォーマル **ソシオグループ** …社会的集団。フォーマル

1．集団の測定

1. ソシオメトリック・テスト

(1) 1

「一緒に遊びたい人は誰か」「親切な人は誰か」といった集団の中での選択基準を示して回答させることで，**人間関係**を測定する。実施の際は**守秘**に注意が必要である。

2. ソシオグラム

(2) 2

ソシオメトリック・テストの結果から選択・排斥・孤立といった集団内の関係性を，矢印線種を用いて**視覚的**に表現した図のこと。

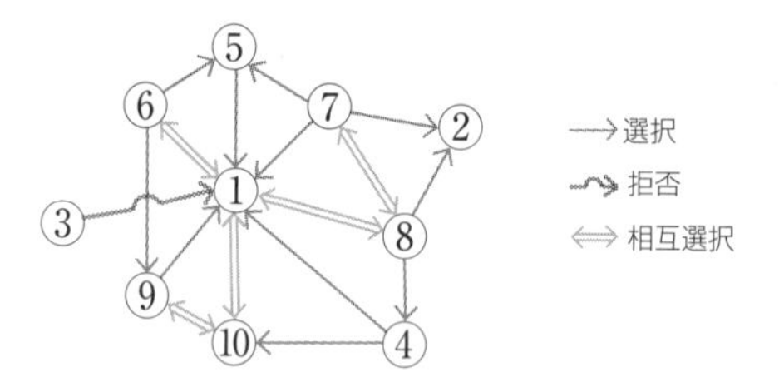

3. ソシオマトリックス

(3) 3

ソシオメトリック・テストの結果を**点数化**してまとめた表のこと。集団が大きくなると明示が難しくなる。

(4) [4]

学級などの集団構成員に，行動や態度に関する「一番信頼されている人は誰か」「優しい人は誰か」といった質問をすることで得た回答から，**成員間の関係性**を把握する。

2．リーダーシップの３類型

[5]	成員が話し合いで方針を決定
生産性が最も**高い**。役割分担が明確。友好的。	
[6]	リーダーが決定する
攻撃的もしくは服従的。無気力。	
[7]	成員が決定し，リーダーが無関心
生産性が最も**低い**。バラバラな行動による失敗・挫折が多い	

3．リーダーシップのPM理論

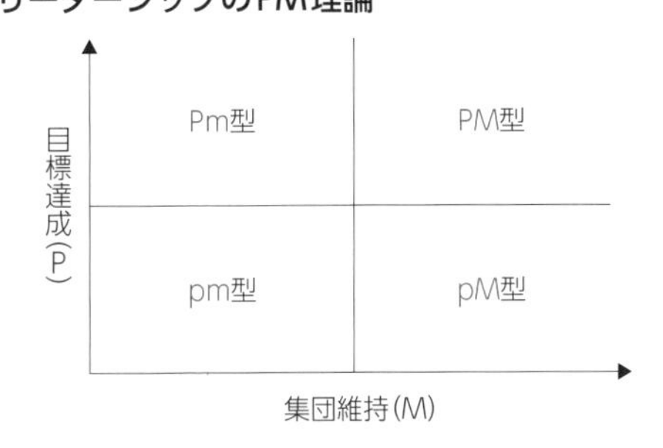

▶PM理論は，[8]が提唱したリーダーシップ理論である。

▶リーダーシップの行動について，P機能：[9]とM機能：[10]に分けて捉え，その強弱の組み合わせによって，４つの型（PM，pm，Pm，pM）に分類した。

①Pm型…成果はあげられるが，人望がなく**集団**をまとめる力が弱い。

②PM型…成果をあげられ，集団をまとめる力もある。

③pm型…成果をあげる力も集団をまとめる力も**弱**い。

④pM型…**人望**はあるが，成果をあげる力が弱い。

4. ゲス・フー・テスト

5. 民主型

6. 専制型

7. 放任型

8. 三隅二不二

9. 目標達成機能

10. 集団維持機能

10 教育心理頻出用語

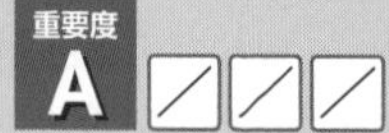

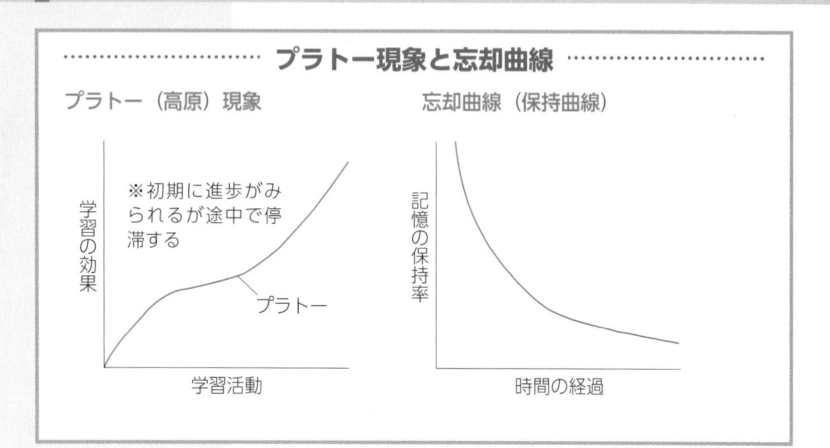

1. カタルシス	1. 抑圧された感情や欲求を発散させ，**心の緊張を解消**し安定を回復する。
2. 葛藤（コンフリクト）	2. ２つ以上の欲求が同時に存在し，いずれを**選択**するか**迷う**状態をいう。
3. KR情報	3. 学習者自身が自分の**反応**や**行動の結果**を**正否**の基準に合わせて知ることで学習の促進を得ること。
4. 自我同一性（アイデンティティー）	4. 自分が**連続性**と**類似性**をもった存在であるということを経験し，それに応じた行為をなしうること。**エリクソン**による。
5. 条件反射	5. 生得的な**反射**を手がかりとして，今までになかった**反射**がつくられる。
6. 最近接領域	6. 子供が自分の力で解決できる水準と，外からの支援や援助を受けて解決できる水準とのあいだの領域をいう。ヴィゴツキーによる。
7. ストレス	7. 自律神経系に変異を起こさせるような生理的・精神的**緊張負荷状態**をいう。
8. 動機づけ（モチベーション）	8. 生活体に**行動**を起こさせ，その**行動**を一定の目標に**方向**づける過程のこと。
9. 外発的動機づけ	9. 賞罰や競争などの外的要因により行動を起こさせる

こと。

10. 興味や知的好奇心などの内的な要因が行動の目的になっていること。

10. 内発的動機づけ

11. 内発的動機づけによる自発的行動に対して，賞賛などを得ることによって，意欲が高まること。

11. エンハンシング効果

12. 内発的動機づけによる自発的行動に対して，外的報酬を提示されることによって，本来の意欲が下がること。

12. アンダーマイニング効果

13. ストレスに直面した際にうまく適応する能力，心理的な回復力のこと。

13. レジリエンス

14. 自分の遂行している認知過程の状態を，認知している状態をいう。

14. メタ認知

15. 心理的存在としての人そのもの，すなわち**個人**の心理的機能の総合的全体像を意味する概念。

15. パーソナリティー

16. 子供が家庭を離れて**病院**や**施設**で育てられる場合に生ずる**発達遅退現象**などの特徴をさす。

16. ホスピタリズム

17. 何らかの原因によって目標達成ができず，**欲求**の充足が不可能な状況にあるために，正常なはけ口のない強い**緊張状態**にあること。

17. 欲求不満（フラストレーション）

18. **生活年齢**（CA）に対する**精神年齢**（MA）の対比値であり，**知能**が**年齢**に対してどの程度発達しているかを判断する目安となる。

$$IQ = \frac{MA}{CA} \times 100$$

18. 知能指数（IQ）

19. **知能指数**は平均以上でも，計算や書き取りなど**特定**の**学習行為**がうまくできない，といった障害。原因としては，中枢神経の機能障害である可能性も指摘されている。

19. 学習障害（LD）

20. **注意散漫**で落ちつきがなく，絶えず動いていて，生活に**適応**できない障害。

20. 注意欠陥・多動性障害（ADHD）

21. 災害などで，肉親や友人，家や仕事を失ったりして，強い**ショック**を受けたために，その後におこる不安，抑うつ，睡眠障害などを特徴とする**適応障害**。

21. 心的外傷後ストレス障害（PTSD）

22. **身体**を動かして**作業**に取り組むことで，心身を癒し**社会復帰**を図る療法。森田療法の一環。動物の世話をしたり，草花を育てたり，さまざまな作業がある。

22. 作業療法

11 図でみる心理学

A．愛情の起源は接触の安心感	ハーロウの代理母実験
B．自立的躾と達成動機	ウィンターボトム
C．記憶の忘却曲線（保持曲線）	エビングハウス
D．身体の各部分の変化の割合	スキャモンの発達曲線
E．親の養育態度と子の性格	サイモンズの養育態度
F．未分化的全体段階・孤立期	フレッシュマン
G．条件反射・古典的条件付け	パブロフ
H．自発的行動の条件付け	スキナー
I．試行錯誤説	ソーンダイク

▶次の各図は何を示唆しているかを述べよ。

A. 愛情の起源は接触の安心感

A.

B. 自立的躾と達成動機

B.

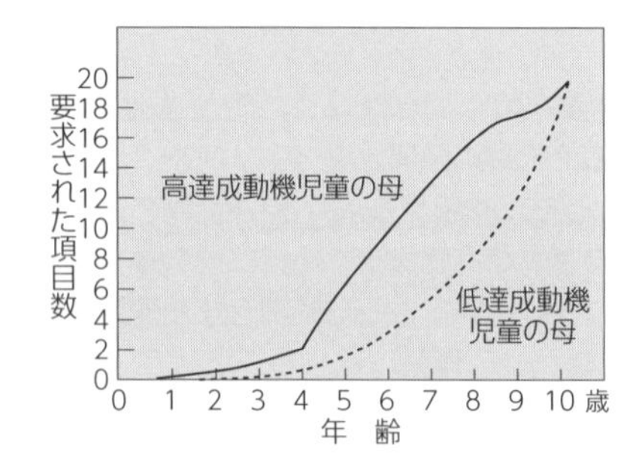

C.

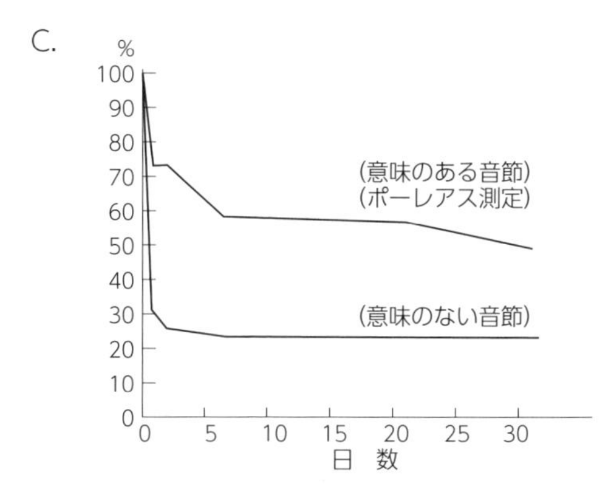

D.

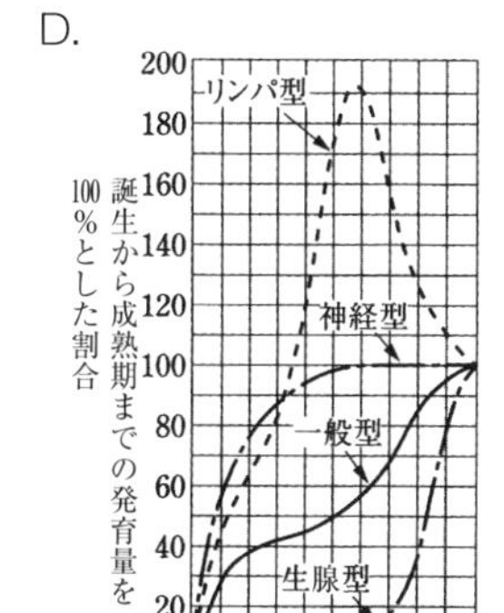

E.

支配
残酷型
過保護型
拒否
保護
無関心型
甘やかし型
服従

F.

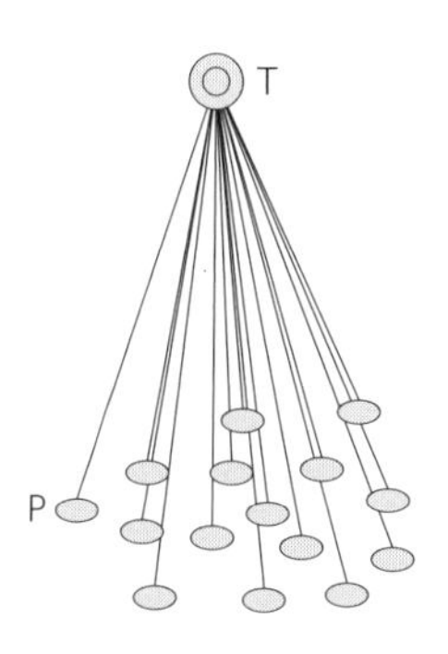

C. 記憶の忘却曲線（保持曲線）

D. 身体の各部分の変化の割合

E. 親の養育態度と子の性格

F. 未分化的全体段階・孤立期

5 教育心理

G. 条件反射・古典的条件付け

G.

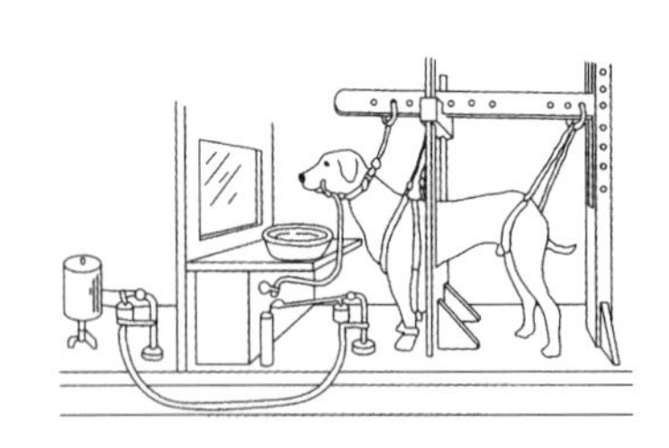

H. 自発的行動の条件付け

H.

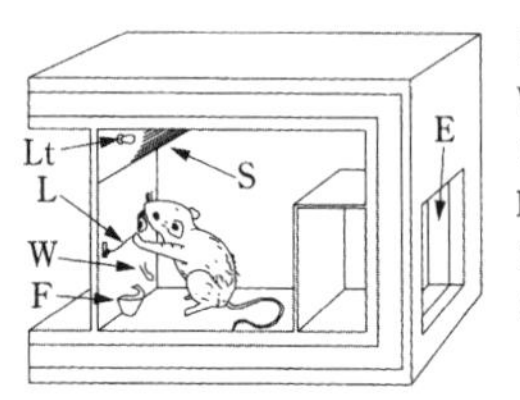

I. 試行錯誤説

J. 幾何学的錯覚（錯視）

※ 平面図形の幾何学的関係が，刺激の客観的関係と異なって見られる知覚現象。

I.

J.

K. コミュニケーションのネット・ワーク

※ コミュニケーションの径路の構造が，仕事能率・集団決定，構成員の志気と密接な関係がある。

L. ソシオグラム（集団内における人間関係）

K.

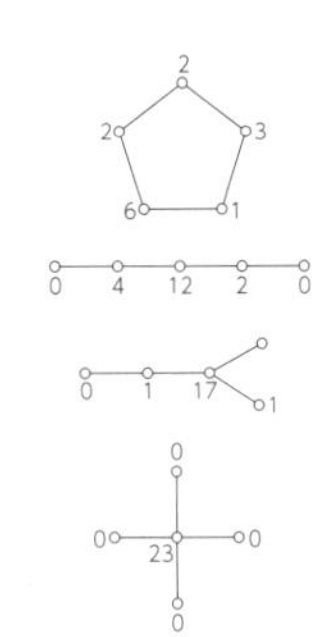

L.

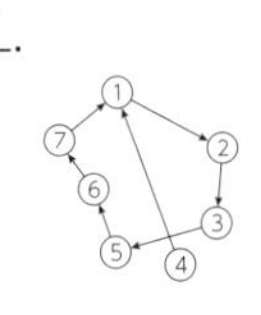

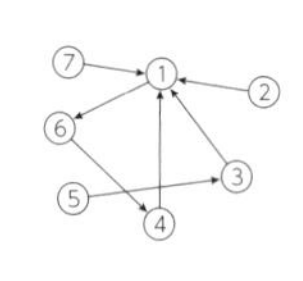

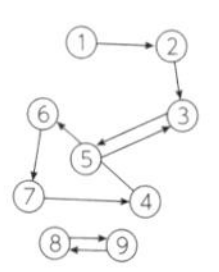

6
西洋教育史

1 古代・中世

BC830頃	リュクルグス，憲法を制定し，尚武教育実施
776	第1回オリンピア競技開催
500	ペルシア戦争（～449）
399	ソクラテス，毒杯をあおぐ（死刑）
393	イソクラテス，アテネに学園開設
387	プラトン，**アカデメイア**を創設
	(スコレ＝閑暇→スカラー＝暇な人＝学者→スクール＝学校)
336	アレクサンダー大王即位，東方遠征開始（～323）
335	**アリストテレス**，リュケイオンに学園を開設
146	ヘレニズム文化，ローマに移る
27	ローマ帝政開始（オクタウィアヌスがローマの元首）
AD　4	イエス・キリスト生誕
30	イエス・キリストの磔刑
57	倭奴国王が後漢に朝貢
68	クインティリアヌス，修辞学校を開設（ローマ）
375	ゲルマン民族大移動
397	アウグスティヌス『告白』
476	西ローマ帝国崩壊
701	大宝律令…学令により大学・国学が設置される
962	ボローニャに法律学校（中世の大学のさきがけ）
1096	第1回十字軍（～1270第7回）
1150	パリ大学創立
1169	**オックスフォード大学**創立
1209	**ケンブリッジ大学**創立
1215	**マグナ＝カルタ**（大憲章）に英国王が署名
1289	ラテン語学校創立（ハンブルク市）

1. ローマ時代

▶**アテネ**や**スパルタ**にみられるように，古代ギリシアの教育は［ 1 ］と緊密にかかわっていた。

▶**アテネ**では，［ 2 ］・［ 3 ］・［ 4 ］の訓練が私塾的に行われた。

▶**スパルタ**では，共同宿舎での［ 5 ］がなされた。

▶**ソクラテス**，**プラトン**などは，［ 6 ］を批判し，

1. ポリス
2. 音楽　3. 体育
4. 戦闘技
5. 軍隊式教育
6. ソフィスト

「愛知」を主張し，ポリスの危機の解決を試みた。

▶**共和制**時代の**ローマ**の学校（BC6～1）は，「ローマは，教育システムの建設が，まず基礎から始まって，文化の蓄積に並行しながら上部へのびて行く典型的な例」を示している。

・Magister Ludi（Ludusは，もと遊戯の意）の経営する学校（初等学校）では，

――読・書・算，12銅板法の暗誦

・Grammaticusの学校（11，12歳から）では，

――ギリシア語・ラテン語の文法，ギリシア・ラテン文学的作品，修辞学

・Rhetorの学校（15歳から）

▶**帝政**時代の**ローマ**では，初等学校の内容に関しては共和時代と同じであった。けれども，中等学校の内容は共和時代よりもはるかに広範になった。いわゆる「 7 」＝［三学（文法，修辞学，論理学（弁証法））＋四科（算術，幾何，天文学，音楽）］が高等教育の予備コースの教育の内容として確立するのがこの時代の後期である。

7. 七自由科

2. 中世ヨーロッパ

▶教会の学校とその教育の内容

○**教区学校**（Parish School）では，キリスト教の基礎，ラテン語の読み，聖歌。書・算は二次的。

○**僧院学校**（Monastic School）では，その多くの場合，教科は，教区学校のそれと同じであったが，よりよく，より詳しく学ばれた。時がたつにつれて教授コースは広くなり，文法，修辞学，宗教的哲学の基礎，さらに後には（少なくともいくつかの学校では）算術，幾何，天文学，音楽が加えられている。こうして僧院学校の一部は 8 に似てくる。

8. 中等学校

○**寺院学校**（Cathedral School）は，「**七自由科**」のほかに，「支配的地位を占め，〈諸学の冠〉と考えられていた神学が教えられた」（文法は正しく読むことを習い聖書を理解するために，修辞学は説教のために，弁証法は異端者を論破するために，天文学はキリスト教の祭日を算出するために必要であった）。

○唱歌学校，修道院学校，本山学校

▶**騎士**の教育の内容……原則としては「強きをくじき，弱きを助け，婦女を敬し，祖国（領主の土地）を守り，そのために自らの生命をかける」という「騎士道」への教育。教育の内容（14歳から）は，七芸（乗馬，水泳，槍術，フェンシング，狩猟，将棋，作詞と詩吟）であった。

▶**中世**の大学には，4学部（学芸，神学，法学，医学）があり，「〈七自由科〉を教えた学芸学部は，中等学校の役割を演じた予備的な，**一般教養**のための学部であった」。パリ大学学芸学部の教育内容は，正講義（文法，論理学），特殊講義（形而上学，倫理学，数学，博物学，天文学）からなる。

▶**中世都市**の学校としては，イギリスにおける「下層市民階級」のための組合学校（Guild School），ドイツにおいて商業用の読・書・算を教授したドイツ語学校（Deutsche Schule），「市会議員有資格者」のための議員学校（Ratschule），イギリスの「上流市民階級」のための私立中等学校（Public School：14世紀，ウィンチェスターに）などがある。

▶中世の教育史上の特徴を概括すれば，［ 9 ］と都市の発展，［ 10 ］の成立が指摘されよう。

9. キリスト教会
10. 大学

2 近　世

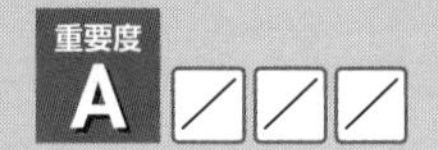

1467	応仁の乱（～1477）
1492	コロンブス，アメリカ到達
1517	宗教改革の動き始まる
1522	ルター『新約聖書』ドイツ語訳
1532	カルヴィン（カルヴァンとも）宗教改革を主張
1549	F.ザビエル来航
1603	江戸幕府開府（～1868）
1612	**ラトケ**，ドイツ帝国議会に学校改革意見書を提出
1620	F.ベーコン『新オルガノン』
1635	米国教育史上，最初のセカンダリー・スクール（ラテン・グラマー・スクール）がボストンに創設される
1637	島原の乱（～1638）
1642	ピューリタン革命始まる（～1649）
1644	**ミルトン**『教育論』
1657	**コメニウス**『大教授学』
1658	**コメニウス**『世界図絵』

▶**近世**の教育……西洋の近世は，ルネサンス期，［ 1 ］期にあたり，いずれも中世的世界が解体し，**個人**が強調されることになる。

▶**ルネサンス**期の〈より［ 2 ］〉というのは，直接には古代文芸の研究であるが，それの目指すところは，広く豊かな人間的教養にほかならなかった。しかし，15世紀末には，古典的教養の内容は重要な変化を蒙っている。（**キケロ主義**）

▶**宗教改革**の結果，新教の国では，読，書，算の世俗的学科と教理問答書および讃美歌の宗教的学科とを包含する民衆の初等教育課程がほぼ承認された。

▶**ルネサンス**期の教育思想は，［ 3 ］を確立し，［ 4 ］で，［ 5 ］な新しい人間をつくることである。**エラスムス**や**ラブレー**など多数の人物が輩出された。

1. 宗教改革
2. 人間的な教養
3. 主体性
4. 自然
5. 自由

3 近　　代

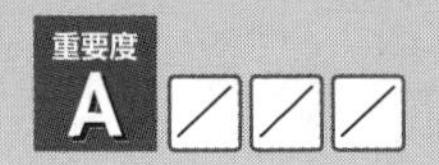

1688	名誉革命（イギリス）
1690	J.ロック『人間悟性論』
1693	J.ロック**『教育に関する考察』**
1701	プロイセン王国成立
1717	プロイセン義務教育制公布
1736	プロイセン「一般学校令」
1748	モンテスキュー『法の精神』
1751	『百科全書』出版開始（フランス）
	B.フランクリンの提起で米国史上最初のアカデミー創設
1762	J.J.ルソー『**エミール**』
1771	ペスタロッチ，ノイホーフで貧民学校設立
1776	アダム・スミス『国富論』
1780	**ペスタロッチ**『隠者の夕暮』
1781	**ペスタロッチ**『リーンハルトとゲルトルート』初巻
1789	フランス革命起こる
1792	**コンドルセ**『公教育の全般的組織に関する報告および法案』
1793	**コンドルセ**『人間精神進歩史』
1801	**ペスタロッチ**『ゲルトルート児童教育法』
1802	**ヘルバルト**『ペスタロッチの直観のABCの理念』
1803	**カント**『教育学』
1806	**ヘルバルト**『一般教育学』
1807	**フィヒテ**『ドイツ国民に告ぐ』
1810	ベルリン大学創設
1821	米国教育史上，最初のパブリック・ハイ・スクールが創設される
1826	**フレーベル**『人間の教育』
1833	フランス「初等教育法（ギゾー法）」
1840	**フレーベル**「一般ドイツ幼稚園」創設

1. ギムナジウム

▶1733年にワイマールの［　1　］が**実科**的教科内容を取り入れたのを最初に，従来の学校がしだいに**実科教育**に大きな関心を寄せるようになった。

2. アカデミー

▶アメリカの［　2　］では，大学への準備だけでなく，同時に**民衆**の完成教育を目指した。教育の内容には，古典語，現代語，宗教，倫理学，アメリカ史，地理，博物学，化学，数学，幾何，三角法，天文学，図画，商業などがあった。

▶啓蒙思潮に対して18世紀半ばから，[3]を中心にしてヨーロッパに生じた〈[4]〉は，19世紀の教育内容に少なからず影響を与えた。①ギリシア文化，ギリシア語。②形式陶冶の手段としての数学。③母国語，歴史・地理の導入など。

それと同時に，「古典的教養はもっぱら大学に入るための準備的な教養」とみなされ，中等学校の〈民主化〉とはかかわりのないところで，**人文主義**と**実学主義**の論争が行われることになる。

3. ドイツ
4. 新人文主義

● Reference

■ **『エミール』冒頭の句の諸訳**

〔原典〕 Tout est bien sortant des mains de l'Auteur des choses, tout degenere entre les mains de l'homme.

——————Jean-Jacques Rousseau

William H. Payne;`Rousseau's Emile'.1892によれば，Everything is good as it comes from the hands of the Author of Nature;but everything degenerates in the hands of man.となる。

1．抄訳紹介時代（明治30年代初期を中心として）

・菅緑蔭（學教）抄譯『兒童教育論』（明治30年刊，東京・文遊堂）では「夫れ自然の物を生ずるや，凡て善且美ならざるはなし。然れども一たび人の手に觸るゝや，却て之を玩弄し，破壞するの感あり。」

・山口小太郎・嶋崎恒五郎共譯『エミール抄』（明治32年7月13日初版，東京・開發社）では，「何物も造物主の手より出で來る時は，一として善良ならざるなけれども，皆人間の手に入りてぞ壞敗する。」

2．新思潮としての全訳時代（大正後期・昭和初期を中心として）

・三浦關造譯『人生教育エミール』（大正2年10月5日初版，東京・隆文館）では「何物でも自然といふ創造者の手から出て來る時は善いが，人の手に託せられると惡くなる。」

・大川周明編『エミール（如何に其子を教育すべきか）』（大正3年11月15日初版刊，東京・赤城正藏發行，アカギ叢書第92篇）では，「自然と云ふ創造者の手から出る時は，總てのもの皆な善いが，人間の手を經る時は，總てのもの皆な惡くなる。」

・内山賢次譯『エミール教育論』（大正11年刊，東京・洛陽堂）では「神は萬物を善く造りたまふ，人間が手を出すと萬物は悪くなる。」

・平林初之輔・柳田泉共譯『エミール』上下巻（大正13年4月25日上巻初版刊，同年5月25日下巻初版刊，東京・春秋社「世界家庭文學名著選」）では，「造物主の手を出る時は凡ての物が善であるが，人間の手に移されると凡ての物が臺なしにされてしまふ。」

・林鎌次郎譯『懺悔の教育（エミール）』（大正13年10月15日初版刊，教育思想精華選，東京・目黒書店）では「萬物は造物主の手を離れた時には善良である人手にかかると堕落してしまふ。」

・田制佐重譯『自然の子エミール』（大正13年8月初版刊，東京・文教書院「新譯世界教育名著選」全12巻のうちⅥ）では，「造物主の手を出る時は萬物悉く善であるが，一旦人間の手に歸すると，萬物悉く悪化してしまふ。」

3．戦後新教育の原点としての『エミール』原典研究時代（昭和30年代・昭和40年代を中心として）

・鰺坂二夫譯『エミール』（昭和21年5月10日初版刊，東京・玉川出版部玉川文庫）では「造物者の手を出る時万物は善であるが人間の手に於て害ふ。」

・今野一雄訳『エミール』（上中下3冊，昭和37年刊，東京・岩波書店，岩波文庫）では「万物をつくる者の手をはなれるときすべてはよいものであるが，人間の手にうつるとすべてが悪くなる。」

・永杉喜輔・宮本文好・押村襄訳『エミール』（昭和40年刊，東京・玉川大出版，「世界教育宝典」）は，「創造主の手から出るとき事物はなんでもよくできているのであるが，人間の手にわたるとなんでももだめになってしまう。」

・梅根悟・勝田守一監修，長尾十三二・原　聡介・永冶日出雄・桑原敏明訳『エミール』（昭和42年刊，東京・明治図書，「世界教育学選集」3巻本）では「創造主の手から出る時には，すべてが善いものであるが，人間の手にかかるとそれらがみな例外なく悪いものになってゆく。」

・平岡昇訳『ルソーエミール』（昭和48年刊，東京・河出書房新社「世界の大思想」）では「万物を創る神の手から出るときにはすべては善いが，人間の手にわたるとすべてが堕落する。」

4 現　　代

1857	吉田松陰，家塾「松下村塾」を長州で主宰
1859	ダーウィン『種の起源』
1861	スペンサー『教育論』(『知育・徳育・体育』)
1870	イギリス「初等教育法（フォスター教育法）」成立
1872	福沢諭吉『学問のすゝめ』初篇を刊行
	太政官布告「学事奨励ニ関スル被仰出書」，翌日，学制頒布
1896	J.デューイ，シカゴにラボラトリー・スクール（実験学校）創設
1898	リーツ，イルゼンブルクに「田園教育舎」創設（ドイツ）
1899	J.デューイ『学校と社会』(実験学校の意義のアピールの演説集)
1900	E.ケイ『児童の世紀』
1909	モンテッソーリ『モンテッソーリ・メソッド』
1912	ケルシェンシュタイナー『労作学校の概念』
1916	J.デューイ『民主主義と教育』
1917	クループスカヤ『国民教育と民主主義』
1918	キルパトリック『プロジェクト・メソッド』
1919	シュプランガー『文化と教育』
1920	パーカースト「ドルトン・プラン」(アメリカ)
1924	ペーターゼン，イエナ大学付属学校で「イエナ・プラン」(ドイツ)
1944	イギリス「バトラー法」
1945	ポツダム宣言の受諾
1947	フランス「ランジュバン－ワロン教育改革案」
1958	アメリカ「国防教育法」(The National Defense Education Act)
1959	アメリカ「コナント報告書」(Joseph C. Conant's Report)
1960	ブルーナー『教育の過程』
1970	シルバーマン『教室の危機』
1983	アメリカ教育省諮問委員会報告書『危機に立つ国家』(A Nation at Risk)
1985	ペレストロイカによる教育改革（旧ソ）

▶**デューイの実験学校**（Laboratory School）

①オキュペーションと教科とからなる総合的な［ 1 ］主義活動カリキュラム。

②教科（国語，算数，音楽，美術など）は単元と結び付けられ，実際の仕事や問題に動機付けられ，そこで活用された。

1. 生活

③子供の成長の[2]を保っている。

④各学年の内容と方法を科学的に打ち出す。

▶ドイツにおける**郷土科**，**合科教授**は，1919年，ザクセン州において小学校に独立の教科として**郷土科**を設けている。「**総合的経験カリキュラム**」と称すべき**合科教授**は，やがてドイツにおいて公認されるところとなり，制度的にも固定されている。

▶アメリカにおける活動カリキュラムとコア・カリキュラム……第一次世界大戦直後，[3]と**活動カリキュラム**の運動は，多くの公立学校，とくに初等教育程度の学校に拡大し，そこから上へ，中等教育程度の学校に及んでいった。

▶1920年から1930年の期間には，小学校でも中等学校でも中核としての[4]はあまり受け容れられなかったが，1930年代の初め頃から，この考え方は，当時起こりつつあったアメリカ社会構造の根本的な変革に対処して，中等学校の教育に**統一**と**安定**を与えるものとして次第に受け容れられるようになった。

2. 連続性

3. プロジェクト

4. 社会科

5 教授方法変遷概史

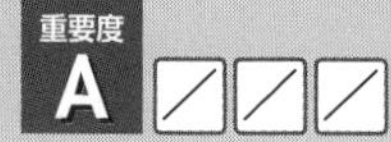

重要度
A

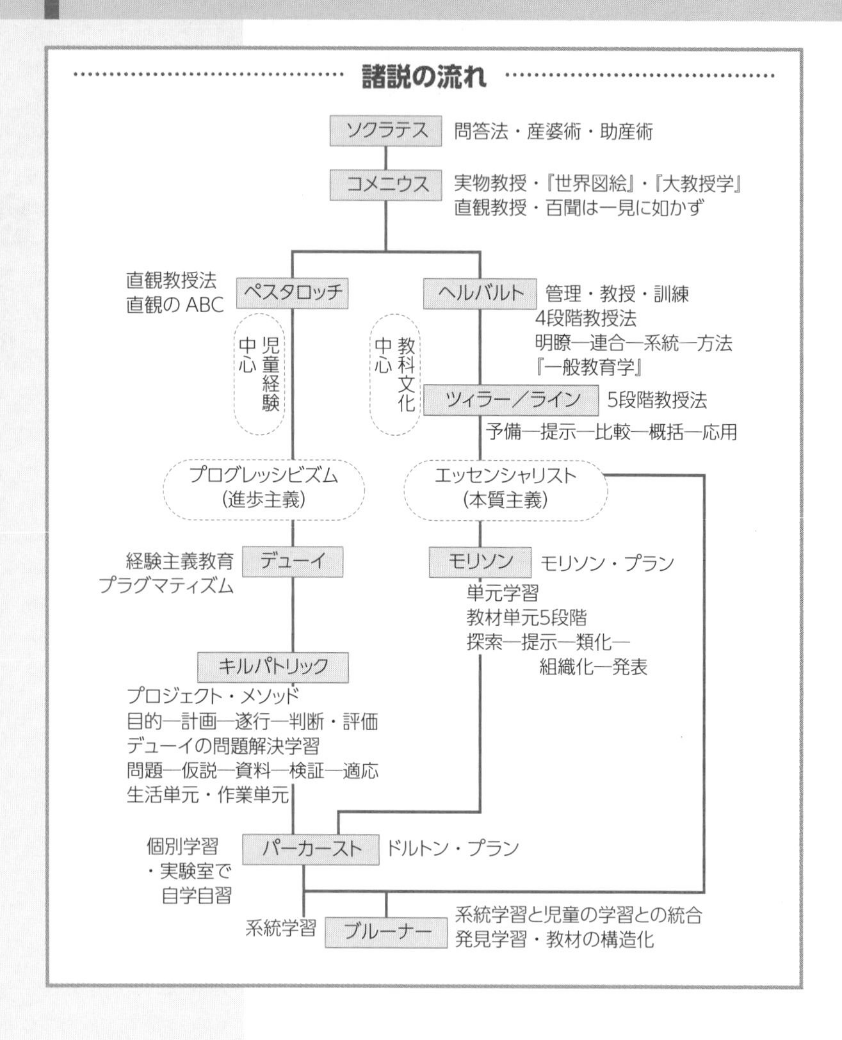

諸説の流れ
ソクラテス
問答法・産婆術・助産術
コメニウス
実物教授・『世界図絵』・『大教授学』
直観教授・百聞は一見に如かず
直観教授法
直観のABC
ペスタロッチ
ヘルバルト
管理・教授・訓練
4段階教授法
明瞭―連合―系統―方法
『一般教育学』
児童経験中心
教科文化中心
ツィラー／ライン
5段階教授法
予備―提示―比較―概括―応用
プログレッシビズム
(進歩主義)
エッセンシャリスト
(本質主義)
経験主義教育
プラグマティズム
デューイ
モリソン
モリソン・プラン
単元学習
教材単元5段階
探索―提示―類化―
組織化―発表
キルパトリック
プロジェクト・メソッド
目的―計画―遂行―判断・評価
デューイの問題解決学習
問題―仮説―資料―検証―適応
生活単元・作業単元
個別学習
・実験室で
自学自習
パーカースト
ドルトン・プラン
系統学習
ブルーナー
系統学習と児童の学習との統合
発見学習・教材の構造化

▶**コメニウス**は，**百聞は一見に如かず**で，**感覚**を通じての**実物**の観察から，概念学習・概念理解へと転移することを説く。**実物**をみせれば（みれば）良く分かる，ことを思量した。それは『［ 1 ］』に具現された。今日の**視聴覚教育**の祖ともいえる。

▶**ペスタロッチ**は，事物の本質を［ 2 ］して，事物の形や性質を検討し，そこに底流している**法則を抽出・概念化**し，理解させることを説いた。

▶［ 3 ］は，教育の目的を，**倫理**（学）におき，教育の方法を**心理**（学）におき，教授論として，教育的教授で管理―教授―訓育，多方興味で教授と訓育とを関連付け，**教授段階説**で直観から概念への筋道・順序，を説く。

▶**デューイ**は，**問題解決学習論**を展開し，［ 4 ］の再構成を説く。

▶**プログラム学習**には，**スキナー**の［ 5 ］理論，クラウダーの認知理論がある。

▶**集団学習**には，集団主義学習，小集団学習，協同学習，［ 6 ］学習がある。

▶**範例学習**は，内容，過程，［ 7 ］陶冶と**形式**陶冶との統一から考えられている。

▶**ブルーナー**は，［ 8 ］論を説いた。

▶［ 9 ］は，有意味受容学習で知られる。

▶**ティーム・ティーチング**（T.T.）とは，複数教師で指導を行う教員教授組織をいう。

▶［ 10 ］とは，児童生徒の**自主性・創造性**を延ばすようにし，**教室**と**教室**との間の**壁**をなくす。

▶下記の教授段階は，誰が説いたかを記せ。

○**明瞭―連合―系統―方法**　［ 11 ］
○分析―総合―連合―系統―方法　［ 12 ］
○予備―提示―比較―概括―応用　［ 13 ］
○問題―仮説―資料―検証―適用　［ 14 ］
○目的―計画―遂行―判断・評価　［ 15 ］
○探索―提示―類化―組織化―発表　［ 16 ］
○予備―教授―整理または導入―指導―整理　［ 17 ］

1. 世界図絵
2. 直観
3. ヘルバルト
4. 経験
5. 連合
6. バズ
7. 実質
8. 発見学習
9. オースベル
10. オープン・スクール
11. ヘルバルト
12. ツィラー
13. ライン
14. デューイ
15. キルパトリック
16. モリソン
17. 日本の一般的教授法

人物のことばと思想（左の句または右の句をみて，他方を補完してみましょう）

ソクラテス	
「私は知識を授けるのではなく，	知識を生ませる助産婦である」

コメニウス	
「人間が真の人間となるべきならば，	人間として形成されなければならない」

ロック	
「健全な身体における健全な精神とは，	言葉は簡単であるが人生の幸福を言い尽くしている」

ルソー	
「造物主の手を出るときは，すべてのものが善であるが，	人の手に移されるとすべてのものが悪くなってしまう」
「人は子供というものを	知らない」
「植物は耕作により，	人間は教育によってつくられる」
「教育は，自然か人間か事物によって与えられる。わたしたちの能力と器官の内部的発展は，	自然の教育である」

カント	
「人間は教育されなければならない	唯一の動物である」
「人間は	教育によってのみ人間となる」

ペスタロッチ	
「玉座の上にあっても，	茅屋の陰にあってもその本質において人間たることにかわりなき人間よ，汝はそも何者か」
「生活が	陶冶する」

ヘルバルト	
「教育の目的を倫理学に，	方法を心理学に求める」

スペンサー	
「19世紀以前における２人の偉大な教育理論の改革論者は，	ロックとルソーであった」

エレン・ケイ	
「教育の最大の秘訣は	教育しないことである」

ナトルプ	
「人間は	ただ人間的な社会を通してのみ人間となる」

デューイ	
「なすことによって	学ぶ」

ブルーナー	
「どの教科でもその知的性格をそのままに保って，発達のどの段階の子供にも，	効果的に教えることができる」

7

日本教育史

1 古代・中世

5世紀	漢字，儒教が伝わる
538	仏教が百済から伝わる（※552年とする説もある）
603	冠位十二階の制
604	憲法十七条制定
645	大化改新開始
701	大宝律令制定
710	平城遷都
712	『古事記』
720	『日本書紀』
771	**石上宅嗣**（いそのかみのやかつぐ），**芸亭**（うんてい）を開く
794	平安遷都
805	最澄，天台宗を開く
806	空海，真言宗を開く
11世紀	平仮名「**いろは歌**」成る
1167	平清盛，太政大臣になる
1175	法然，浄土宗を開く
1192	源頼朝が征夷大将軍に任ぜられる
1220	慈円，『愚管抄』を著す
1224	親鸞，『教行信証』を著し，浄土真宗を開く
1232	鎌倉幕府，「御成敗（貞永）式目」を制定
1238	道元，『正法眼蔵（しょうぼうげんぞう）』を著す
1253	日蓮，日蓮宗（法華宗）を開く
13世紀後半	**金沢文庫**（所在地は，現在の神奈川県）
1334	建武中興
1338	足利尊氏，征夷大将軍となる
1400	**世阿弥**（ぜあみ）**元清**，『風姿花伝』（『花伝書』）を著す
1439	上杉憲実（うえすぎのりざね），**足利学校**を再興
1467	応仁の乱（～1477）
1543	鉄砲伝来
1549	キリスト教伝わる
16世紀後半	**イエズス会**の初等学校が国内に200校に及ぶ
1573	室町幕府滅亡
1585	豊臣秀吉，関白になる
1600	関ヶ原の戦い

▶憲法十七条

一に曰く，［1］を以て貴しとし，忤ふること無きを宗とせよ。人皆党あり，亦達れる者少し。是を以て，或は君父に順はずしてまた隣里に違ふ。然れども上和ぎ，下睦びて事を論ふに諧ふときは，則ち事理自ら通ず，何事か成らざらん。

二に曰く，篤く**三宝**を敬へ。**三宝**とは，［2］なり。則ち四生の終の帰，万国の極宗なり。何れの世，何れの人か是の法を貴ばざる。（中略）

四に曰く，群卿百寮，**礼**を以て本とせよ。其れ民を治むる本は要ず**礼**に在り。（後略）

▶貴族による別曹（直曹）

①和気氏によって，782年，［3］が最も早く創立されたが，廃滅も早い。

②**菅原・大江**氏によって，805年頃，［4］が開かれ，入学希望者は姓氏を問わない。

③**藤原**氏によって，821年，［5］が開かれ，最も盛大で，規模が大きかった。

④828年，僧・**空海**，［6］を創設。

⑤**橘**氏によって，834～847年，［7］が開かれる。

▶1260年頃，『［8］』（唯円編）

「善人なをもちて往生をとぐ，いはんや［9］をや。しかるを，世の人つねにいはく，**悪人**なを**往生**す，いかにいはんや…しかれども，自力のこころをひるがえして，［10］をたのみたてまつれば，真実報土の**往生**をとぐるなり。」

▶1402年頃，**世阿弥元清**『風姿花伝』（『［11］』ともいう）「［12］の品々，筆につくしがたし。さりながら，この道の肝要なれば，その品々を，いかにもいかにも嗜むべし。およそなにごとをも残さずよく似せんが本意なり。…そのほか，上職の品々，花鳥風月のことわざ，いかにもいかにもこまかに似すべし。」

1. 和

2. 仏，法，僧

3. 弘文院

4. 文章院

5. 勧学院

6. 綜芸種智院

7. 学館院

8. 歎異抄

9. 悪人

10. 他力

11. 花伝書

12. ものまね

2 古代・奈良・平安時代の重要事項

キーワード

◎**聖徳太子**（厩戸皇子）	摂政 冠位十二階 憲法十七条 「和」の精神
◎**大宝律令**	701年　唐の律令を模す 首都に**大学寮**・地方に**国学**
◎**大学（寮）**	首都 奈良・平安朝公的教育機関 中央官僚養成 明経堂　明法道　紀伝道 五位以上の貴族・東西史部（やまとかわちのふひとべ） 平安時代に衰微
◎**国　学**	地方 奈良・平安朝公的教育機関 地方官僚養成 明経道を中心に儒教教育 主として郡司の子弟を対象 公地公民の制の崩壊に伴って消滅
◎**山家学生式**	最澄（天台宗開祖） 天台宗学僧の学習課程 天台宗の人材養成
◎**綜芸種智院**	空海（真言宗開祖） 日本初の庶民教育機関 儒教・仏教その他の学問の総合的な教授を企図した
◎**別　曹**	平安期の貴族の私塾 大学寮学生・大学寮入学準備学生のための貴族が開設した寄宿舎に由来する 平安朝末期に大学寮とともに衰える

1. 推古
2. 隋
3. 小野妹子（おののいもこ）
4. 小野妹子

▶聖徳太子（厩戸王）は[1]天皇の摂政で古代の官僚国家の実現に寄与した。また，607年遣[2]使として[3]を派遣し，大陸文化導入に貢献した。

[4]は，国書を煬帝（ようだい）に呈し，翌年答礼使・裴世清（はいせいせい）を

伴って帰国。裴世清の帰国に際し，日本から高向玄理（たかむこのくろまろ）・南淵請安（みなぶちのしょうあん）らが第3回目の遣[5]使として赴いた。

▶主な別曹には，次がある。

和気氏の	[6]院
[7]氏の	学[8]院
[9]原氏の	[10]章院
藤原氏の	[11]学院
[12]原氏の	[13]学院

▶奈良時代には文庫が貴族によってつくられた。これは，今でいう図書館に相当し，[14]が開設した[15]は日本最初の**図書館**として知られる。

▶空海は，**真言宗**学僧のための学習課程である「[16]」を定めた。

▶285年に，[17]と阿直岐（あちき）が，菟道郎子（うじのわさいらつこ）に儒教・手習いを伝授したといわれる。

▶603年に**聖徳太子**は，**冠位十二階**の制を定めた。

①[18]・信・義・智の名称。大・小の区分。
[19]・黄・白・黒の色別。

②人材登用主義（個人の才能・功績に応じて授与，昇進可能）
氏姓制度の世襲制打破を期した。

▶**奈良仏教**と**平安仏教**との特色を対比してみよう。主に都市部で経典研究していた**奈良仏教**に対して，地方の**平安仏教**では，[20]において修行していたことがあげられる。**平安仏教**を，**密教**と言うのに対して，奈良仏教は，[21]と言われる。**奈良仏教**を国家仏教と言うのに対して，平安仏教は，[22]仏教といわれる。**平安仏教**が，**天台・真言宗**が中心であったのに対して，奈良仏教は，[23]六宗と称される各宗が集合的に盛んであった。

5. 隋
6. 弘文
7. 橘
8. 館
9. 菅
10. 文
11. 勧
12. 在
13. 奨
14. 石上宅嗣
15. 芸亭（うんてい）
16. 弘仁遺戒（誡）
17. 王仁
18. 徳・仁・礼
19. 紫・青・赤
20. 山岳
21. 顕教
22. 貴族
23. 南都

3 鎌倉・室町期の重要事項

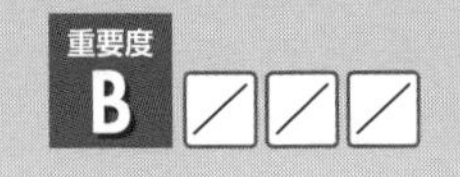

キーワード

⊙**源　頼朝**	守護・地頭の設置，征夷大将軍
⊙**御成敗式目** （貞永式目）	武家の成文法典としての手習本
⊙**武家家訓**	北条重時家訓
⊙金沢文庫	鎌倉期の代表的な文庫，教育施設 **北条実時**（ほうじょうさねとき），武蔵国金沢郷の別荘内に開設。典籍・写本を収集。管理は称名寺。武士・僧侶に貸し出した 金沢学校ともいわれる
⊙法　然	**浄土宗**を開く 専修念仏（せんじゅねんぶつ） 『選択本願念仏集（せんちゃくほんがんねんぶつしゅう）』
⊙親　鸞	**浄土真宗**を開く 『教行信証』で絶対的他力を説く 『歎異抄』（弟子唯円編纂）で悪人正機説（あくにんしょうきせつ）
⊙一　遍	**時宗**を開く 踊念仏 『一遍上人語録』（編纂は江戸時代）
⊙栄　西	日本における**臨済宗**を開く 建仁寺（京都），寿福寺（鎌倉） 『興禅護国論』
⊙道　元	比叡山で出家し，栄西に師事し，宋に入る 日本における**曹洞宗**（そうとうしゅう）を開く 天童如浄（てんどうにょじょう）に師事し法をうける 空手還郷といい，京都に興聖寺，越前に永平寺を建立 只管打坐（しかんたざ）（ひたすら坐禅をなす，ことを主張） 『正法眼蔵』『正法眼蔵随聞記』（弟子の懐奘が編纂）
⊙日　蓮	比叡山等で学ぶ 法華経を重要視し，題目を唱えることを説く **日蓮宗**開祖となる 『立正安国論』
⊙足利学校	下野国足利庄に創建 関東管領・上杉憲実が再興 学僧等全国から学徒を集める 儒学，殊に易学の教授が中心。国典，仏典，兵書，医術等

⊙往来物	往復一対の模範的手紙を編んだ物 『明衡往来』(平安期末) 『庭訓往来』(14世紀) 『童子教』『実語教』『女大学』等(近世)
⊙世阿弥元清	『風姿花伝』(『花伝書』とも) 「初心忘るべからず」のことばは有名 7段階の芸道修業教育論 中世能楽を大成 中世芸能を教育論としての「道」に仕立て上げた

▶[1]は，超世俗的な姿勢をとり，ひたすらな坐禅を説き，仏道をならうことと自己をならうことの，一体性を説く。弟子で侍者の懐奘が聞書をまとめた『正法眼蔵随聞記』には，「学道の人は後日を待て，行道せんと思ふことなかれ。只今日今時を過ごさずして，日々時々を勤むべき也」(仏道を学ぶ者は，毎日，毎時，修行しなくてはならない，の意)等と説く。

1. 道元

▶**坂東の大学**と呼称されたのは[2]である。

2. 足利学校

▶「花」に道の本質を譬え，発達年齢に応じての，**発達課題**を考察したのは[3]である。

3. 世阿弥元清

▶平安期から明治期学制がしかれるまでの間，庶民用の**教科書・手習い本**として用いられてきたものを，[4]といい，名称の一部にその名をもつものや，『実語教』『**女大学**』などがある。

4. 往来物

▶鎌倉期には，[5]文学に象徴される学僧の専門的な寺院における教育組織があった。

5. 五山

▶戦国期になると，[6]が開設され，**セミナリオ**とか**コレジヨ**などとよばれていた。

6. 切支丹学校

4 近　　世

1603	徳川家康，征夷大将軍となる
1607	林羅山，将軍の侍講となる
1612	天領においてキリスト教の信仰を禁止。翌年全国に及ぶ
1648	中江藤樹，近江に私塾「藤樹書院」を開く
1662	**伊藤仁斎**，京都堀川に塾「**古義堂**」を開く。古義学派の祖となる，所在地の地名に因んで，堀川学派とも称される
1665	山鹿素行（やまがそこう），古学を唱える
1670	**池田光政**「**閑谷学校**（しずたにがっこう）」を設立
1709	新井白石，幕府に登用される
1710	**貝原益軒**『**和俗童子訓**』を著す
1716	徳川吉宗（8代）の享保の改革始まる
1717	**荻生徂徠**，**古文辞学**を唱える
1729	**石田梅岩**，**心学**を講ず
1755	安藤昌益『自然真営道』を著す。熊本藩藩学「**時習館**」創設
1774	杉田玄白ら『解体新書』を著す
1787	徳川家斉（11代）の寛政の改革（松平定信）始まる
1790	**寛政異学の禁**
1797	幕府，湯島の聖堂・林家塾を改組して，官立の昌平坂学問所とする（管理を林家から幕府へ移す）
1798	**本居宣長**『**古事記伝**』を完成
1805	広瀬淡窓，「桂林荘」（後，1817年に咸宜園と改称）を開く
1815	**杉田玄白**『**蘭学事始**』を著す
1824	シーボルト，「鳴滝塾」を長崎に開く
1837	大塩平八郎の乱
1838	**緒方洪庵**，「**適塾**（**適々斎塾**とも）」を大坂に開く
1839	高野長英，渡辺崋山ら捕えられる（蛮社の獄）
1841	徳川家慶（12代）の天保の改革（水野忠邦）始まる
	水戸藩，藩学「**弘道館**」設立
1853	ペリーが浦賀に来航
1857	**吉田松陰**，萩で**松下村塾**を主宰
1858	**福沢諭吉**，江戸に**蘭学塾**（後，1868年に**慶応義塾**）を開設
1866	**福沢諭吉**『**西洋事情**』を著す

▶「学問に志なければ，[1]をすべき力もなし。理をきはめんと思ひて，疑のあるは学問の進むしるしなり」（『三徳抄』）という。建仁寺に入り，仏教，儒学を学ぶ。後に藤原[2]の門に入り，朱子学を学ぶ。徳川家康，秀忠，家光，家綱の四代に仕え，儒学を講じ，儀式・法令の制定に関し，幕政に参画した。彼の私塾は，後に，**昌平坂学問所**（しょうへいざかがくもんじょ）のもととなった。この人物は[3]である。

▶[4]は，黒田藩の医師の子として生まれ，藩命で京都に遊学したが，学んだ朱子学に疑問をもち，後に，その疑問を『慎思録』や**『和俗童子訓』**に著した。「知行の二の者，車の両輪の如く，鳥の両翼の如し」「七歳，是より**男女席を同くしてならび座せず**，食を共にせず」と主張している。

▶[5]は，その主著に，**『西洋紀聞』『読史余論』**がある。また『自賛詩』に「蒼観は鉄の如く鬢は銀の如し，紫石稜々電人を射る，五尺の小身渾（すべ）てこれ胆，明時なんぞ麒麟に画くことを用いん」という。

▶[6]は，江戸の人で，朱子学を学ぶ。柳沢吉保に仕えて信任され，将軍綱吉の学問講義にも連なったが，官を辞し，江戸日本橋に私塾を開いた。当初，伊藤仁斎の古義学を批判したが，仁斎の影響を受けて，古文辞学を唱え，古語を明らかにして，古典研究をすることを提唱した。その著書『答問書』には，「気質は何としても変化ならぬ物にて候。米はいつまでも米，豆はいつまでも豆にて候。只気質を養い候て，其生れ得たる通りを成就いたし候が学問にて候」という。

▶信長・秀吉・家康の時代造りの性格の差異を物語る歌がある。誰のことか。

鳴かぬなら　殺してしまえ　ほととぎす　[7]
鳴かぬなら　鳴かしてみせよう　ほととぎす　[8]
鳴かぬなら　鳴くまで待とう　ほととぎす　[9]

▶織田がつき　羽柴がこねし[10]　座りしままに食ふは徳川

1. 不審
2. 惺窩（せいか）
3. 林羅山
4. 貝原益軒
5. 新井白石
6. 荻生徂徠
7. 織田信長
8. 豊臣秀吉
9. 徳川家康
10. 天下餅（てんかもち）

5 江戸期の重要事項

重要度 B

キーワード

⊙儒　学（三派）

朱子学派……徳川幕藩体制の根底的政治理念・教学
理と気，持敬と窮理

陽明学派……明代王陽明の学問の系譜
知行合一と良知

古学派　……朱子学や陽明学派に対抗した学派
孔子・孟子への直接的復帰

⊙国　学　……儒学・仏教に対抗，日本固有の学を探究

⊙洋　学　……南蛮学→蘭学→（西）洋学

⊙教育機関

昌平坂学問所…徳川家光下賜の上野忍岡屋敷開設の林家家塾
孔子像寄進（聖堂と呼称される）
のちに将軍徳川綱吉，聖堂を神田台湯島に移転→昌平（校）と改称，林家以外の者も講ずる（綱吉，新井白石など）
官学化進む
朱子学→幕府の正学となる
旗本御家人のための幕府直轄学問所となる
武士階級の最高学府
寛政の三博士
藩校の模範
藩校教官養成
幕末は和学，軍事，医学，洋学の研究教育機関も付設

藩　校　……各藩が開設した武士教育機関
文武両道

郷　学　……半公教育的な在郷村の学校
江戸中期から明治初期
藩が遠隔地の藩士子弟用に開設したものと，藩が庶民教育用に開設したもの，私塾から変容したものなどがある

私　塾　……個人の主宰による学問・教育機関，儒学家塾も含まれる
江戸中期から増える
儒学，国学，洋学
門人は，武士，庶民

寺子屋（手習所）……江戸中期より急増
庶民子弟を対象とした初等教育機関
名称の由来は，中世寺院が主に寺子たちを対象に教育したことにある
教師は，浪人，僧侶，庶民がなり，5～6歳以上の子供たち20～30人を，3～7年間教える
テキストは，往来物，読書算
明治期の小学校の基礎ともなる

▶**朱子学**は，**形而上**の宇宙の根本原理を［1］とし，**形而下**の存在のありさまを［2］とした哲学体系から，**儒学**を体系化したもの。

▶朱子学派の学者には，林［3］，藤原［4］，木下［5］，室［6］，山崎闇斎らがいる。また『**読史余論**』を著した［7］もいる。

▶朱子学者であるが，朱子学からの脱皮を試みた。教育論『［8］』のほかに『**養生訓**』があるのは［9］である。

▶**陽明学**派の学者には，中江［10］，熊沢［11］，信州松代藩士で，蘭学・砲術にも通じ，吉田松陰の密航の企てにも坐し，後，海外事情にも通じることが日本を守ることにもなる，との観点を含ませた独特の攘夷論を展開した［12］らがいる。**陽明学**派は，人間が本来具有している判断能力を強調した。これを**良知**といった。

▶日本の陽明学の祖といわれる中江［13］は家塾［14］を開き，熊沢［15］らが学んだ。主著に『［16］』がある。

▶**古学**派の学者には，［17］素行，伊藤［18］，荻生［19］らがいる。後世の学者の**注疏**（ちゅうそ）を媒介にして学ぶことの問題を思量し，直接，**孔子**や**孟子**そのものへ復帰して学ぶことの意義を強調し，その意味で朱子学派や陽明学派とは一線を画した。

▶古学者の祖で兵学者でもある［20］素行は，儒教理念に基づく武士道を示した。主著に『武教全書』，『［21］』がある。

▶私塾［22］を開いたのは**伊藤仁斎**である。

1. 理
2. 気
3. 羅山
4. 惺窩
5. 順庵
6. 鳩巣
7. 新井白石
8. 和俗童子訓
9. 貝原益軒
10. 藤樹
11. 蕃山
12. 佐久間象山
13. 藤樹
14. 藤樹書院
15. 蕃山
16. 翁問答
17. 山鹿
18. 仁斎
19. 徂徠
20. 山鹿
21. 聖教要録
22. 古義堂

23. 蘐園塾
24. 日新館
25. 明倫館
26. 弘道館
27. 閑谷黌
28. 池田光政
29. 松下村塾
30. 適塾（適々斎塾）
31. 鳴滝塾(なるたきじゅく)
32. 咸宜園
33. 簾塾(れんじゅく)
34. 国学
35. 洋学
36. 賀茂真淵
37. 古事記伝
38. うひ山ふみ
39. 塙保己一
40. 群書類従
41. 王政
42. 水戸学
43. 藤田東湖
44. 尊王攘夷論・倒幕論
45. 弘道館
46. シーボルト
47. 緒方洪庵

▶私塾[23]を江戸に創設したのは**荻生徂徠**である。

▶藩校には，会津の[24]，長州の[25]，尾張の明倫堂，水戸の[26]，熊本の**時習館**，米沢の**興譲館**などがある。

▶郷学には，岡山藩の[27]，会津藩の猪苗代学校など。

▶岡山藩の**閑谷学校**(しずたにがっこう)は，藩主[28]が創設した。

▶私塾には，**吉田松陰**の[29]，**緒方洪庵**(おがたこうあん)の[30]，**シーボルト**の[31]，**広瀬淡窓**の[32]，菅茶山(かんちゃざん)の[33]などがある。

▶[34]は，日本の歴史・文化の独自性を探究した。他方，[35]は，西洋文明の導入に影響を与え，やがて，尊王倒幕や文明開化を醸成した。

▶国学者で，『万葉集』等の古典に精通し，復古神道を唱えたのは[36]，門流に**本居宣長**(もとおりのりなが)や**塙保己一**(はなわほきいち)らがいる。

▶**本居宣長**は，国学者・医師・歌人。家塾「鈴の屋」が知られ，そこで，『万葉集』『古今集』『源氏物語』などを講義した。主著に，『[37]』44巻，『[38]』『(鈴屋) 答問録』がある。「物のあはれ」を説き，門弟に**平田篤胤**(ひらたあつたね)らがいる。

▶盲人の国学者で，教育家でもある[39]は，和漢の学問を修め，江戸町に，幕府の援助のもと和学講談所を開設。古書の収集類別による大規模な叢書『[40]』の刊行をした。

▶**平田篤胤**は，国学者で，**神道の体系化**をこころみた。[41]復古への理念的寄与をなした。

▶水戸藩での**大日本史**編纂事業を機に[42]が成立し，**徳川（水戸）光圀**(みつくに)の史局を中心とする前期と，[43]を中心とする後期に分けられよう。この学派は儒学の一派に位置づくが，**尊王**思想を貫き，幕末には[44]をなし，重要な影響を与えた。

▶**藤田東湖**は，水戸学派の学者で，**尊王攘夷**論の指導者，水戸藩校の[45]開設に尽力した。

▶[46]は，オランダ商館の医師として長崎に来，**鳴滝塾**(なるたきじゅく)を開設して，医学や自然科学等を教授した。

▶[47]は，幕末の蘭学者・蘭方医で，大坂に**緒方塾**

（または**適々斎塾**または**適塾**とも）を開き，数千人もの門弟たちに洋学を教授した。学級組織の工夫がなされていたのも特筆されよう。門弟には，**福沢諭吉**，**大村益次郎**らもいた。

▶村落集団・共同体の中で組織された若者集団のことを［ 48 ］という。明治期以降，青年団，青年訓練所等へと変容していく。

▶**石田梅岩**（いしだばいがん）は，［ 49 ］の始祖といわれる。神・儒・仏の三教を統合した庶民教育を平易に説き，忠・孝・正直・堪忍・倹約等を中心とする。

▶**二宮尊徳**は，［ 50 ］を始め，徳を以て徳に報いることを説いた。天保期の農村経済・経営の復興施策に尽力した。勤・倹・譲の理念は明治以降，**修身教育**に用いられた。

▶**大原幽学**は，神・儒・仏の三教を学んだ幕末の農村指導者。下総の農村で，農業経営改善，交換分合での農耕地整理等を実施した。教導所として［ 51 ］を開設したことで，幕府に弾圧され，自殺した。

▶「予往年過って諸友の為に推（お）され，自ら門戸を開いて，以て学者を待す。これより四方の士，従遊日に衆（おお）く，道を問うて已（や）まず」との書き出しで始まる『**童子問**』は［ 52 ］が著した。

48. 若者組

49. （石門）心学

50. 報徳教

51. 改心楼

52. 伊藤仁斎

7 日本教育史

6 近　代

1868	王政復古，明治維新開始
1869	昌平学校を**大学本校**，開成学校を大学南校，医学校を大学東校に改組
1871	文部省設置
	太政官布告448号「解放令」。
1872	**福沢諭吉，『学問のすゝめ』**刊行
	太政官布告「**学事奨励ニ関スル被仰出書**（おおせいだされしょ）」（被仰出書，学制序文とも）。翌日，「**学制**」頒布
1873	キリスト教禁令を撤廃
1879	学制を廃し，**教育令**を公布
1880	改正教育令公布
1882	**元田永孚**（もとだながざね），**幼学綱要**を編纂
	大隈重信，東京専門学校（後の**早稲田大学**）を設立
1885	**森有礼**（もりありのり），初代文部大臣に就任
1886	「**帝国大学令**」「**師範学校令**」「**小学校令**」「**中学校令**」「**諸学校通則**」が公布される
1889	大日本帝国憲法発布
1890	「**教育ニ関スル勅語**」（**教育勅語**とも）下賜される
	小学校令公布（1886年の小学校令を廃止）
1900	小学校令を改定（→義務教育を4年とする）
	津田梅子，女子英学塾（後の津田塾大学）設立
1903	**国定教科書**制度が成立。専門学校令
1907	義務教育年限を**6年**に延長（改正小学校令）
1913	**芦田恵之助**（あしだえのすけ）**『綴方教授』**（つづりかたきょうじゅ）刊行
1917	**澤柳政太郎**（さわやなぎまさたろう），**成城小学校**（→ドルトン・プランを導入）設立
1918	「大学令」「高等学校令」公布
	鈴木三重吉（すずきみえきち）らにより**『赤い鳥』**刊行
1921	八大教育主張の講演会開かれる
1922	全国水平社結成
1925	治安維持法公布
1929	**小原國芳**（おばらくによし），**玉川学園**を創立
1937	『国体の本義』刊行
1941	**『国民学校令』**公布
1943	学徒出陣
1944	『学徒勤労令』公布

▶**福沢諭吉**は，豊前国（現大分県）の中津出身。緒方洪庵の適塾に学ぶ。「独立自尊」を唱え，近代日本の精神的確立に与えた影響は大きい。
「天は人の上に人を造らず人の下に人を造らずと云へり。されば天より人を生ずるには，万人は万人皆同じ位にして，生れながら貴賤上下の差別なく…**学問**とは，唯むづかしき字を知り，解し難き古文を読み，詩を作るなど，世上に実のなき文学を云ふにあらず…」
（『[1]』初編，1872年2月）。

1. 学問のすゝめ

▶「人々自ら其身を立て其産を治め其業を昌にして…必ず邑に**不学**の戸なく，家に**不学**の人なからしめん事を期す…」（「[2]」）。

2. 学事奨励ニ関スル被仰出書（おおせいだされしょ）（「被仰出書」）

▶[3]は，藩校弘道館に学び，**東京専門学校**（後の**早稲田大学**）を創設した。
「外国の法に倣って日本人を教育されるといふは実に恐るべきことだ。是では往けない，国の独立が危ぶない，どうしても学問は独立させなければ往けない」（『大隈伯演説集』）

3. 大隈重信

7 日本教育史

▶八大教育主張
①[4]教育論……稲毛金七（いなげきんしち）
②[5]教育論……及川平治（おいかわへいじ）
③[6]教育論……樋口長市（ひぐちちょういち）
④[7]教育論……手塚岸衛（てづかきしえ）
⑤[8]教育論……片上伸（かたがみのぶる）
⑥[9]論…………千葉命吉（ちばめいきち）
⑦[10]教育論……河野清丸（こうのきよまる）
⑧[11]教育論……小原國芳

4. 創造
5. 動的
6. 自学
7. 自由
8. 文芸
9. 一切衝動皆満足（いっさいしょうどうみなまんぞく）
10. 自動
11. 全人

▶明治時代の主な人物
①教育…**福沢諭吉**・**大隈重信**・**新島襄**（にいじまじょう）
②医学…北里柴三郎・志賀潔・野口英世
③化学…高峰譲吉・鈴木梅太郎
④小説…坪内逍遙・夏目漱石・島崎藤村・森鷗外
⑤詩歌…島崎藤村・正岡子規・与謝野晶子・石川啄木
⑥絵画…狩野芳崖・横山大観・竹内栖鳳・黒田清輝

7 現　代

1945	ポツダム宣言受諾
	文部省，新日本建設ノ教育方針
	GHQ，**修身**，**日本歴史**及ビ**地理**停止ニ関スル件
1946	天皇「人間宣言」 第一次米国教育使節団報告書公表
	文部省，『国のあゆみ』発表
	「**日本国憲法**」公布（11．3，施行は半年後の1947．5．3）
1947	文部省，『学習指導要領　一般編（試案)』発行
	「**教育基本法**」（3．31公布・施行）
	「**学校教育法**」（3．31公布，4．1施行）
	6・3・3・4制発足
1948	「教育委員会法」公布
1949	「教育公務員特例法」公布
1950	第２次米国教育使節団来日，勧告
1951	**『学習指導要領**　一般編（試案)』改訂版発行
1952	対日講和条約発効　独立を回復
1954	中央教育審議会第３回答申「教員の政治的中立性維持に関する答申」
1956	「地方教育行政の組織及び運営に関する法律」公布（「教育委員会法」廃止）
1958	**小学校・中学校**の**『学習指導要領』**告示
	特設「**道徳**」が実施される
1961	高等専門学校発足
1964	東京オリンピック開催
1968	小学校学習指導要領告示
1969	中学校学習指導要領告示
1970	高等学校学習指導要領告示
1972	沖縄，本土に復帰
1977	小学校・中学校の学習指導要領告示
1978	高等学校学習指導要領改訂
1984	臨時教育審議会が首相の諮問機関として発足
1987	臨時教育審議会最終答申
	教育課程審議会最終答申
1989	小学校・中学校・高等学校学習指導要領告示
	幼稚園教育要領告示
	教育職員免許法施行規則等の一部を改正する省令（3．22）
	国連総会「**児童の権利に関する条約**」を全会一致で採択（11．20　1990．9．2発効）

1990	ユネスコ「国際識字年」(1．1)
	中央教育審議会「生涯学習の基盤整備について」答申
	厚生省通知「保育所保育指針」(3．27)
	「**生涯学習**の振興のための施策の推進体制等の整備に関する法律」公布(6．29)
	子どものための世界サミット(9．29～30)
1991	中央教育審議会「新しい時代に対応する教育の諸制度の改革について」答申
1992	新「小学校学習指導要領」に基づく新教育課程全面実施(4．1)
	学校週**5**日制スタート。以後毎月の第2土曜日が休業日(9．12)
1993	文部事務次官通達「高等学校の入学者選抜について」〈業者テストの排除〉(2．22)
	学校法施規改正〈単位制高校，総合学科，調査書なしの入学者選抜等〉(3．10)
1994	**児童の権利に関する条約**批准(3．29)
	いじめ対策緊急会議アピール(12．9)
1995	幼稚園設置基準一部改正〈30人学級〉(2．8)
	公立学校週**5**日制，第4土曜日を加え月**2**回になる(4．22)
1996	文部大臣「緊急アピール～かけがえのない子どもの命を守るために～」(1．30)
	文部省・いじめ対策本部設置(2．13)
	生涯学習審議会答申「地域における生涯学習機会の充実方策について」(4．24)
1997	中央教育審議会「21世紀を展望した我が国の教育の在り方について」第2次答申
1998	中央教育審議会「新しい時代を拓く心を育てるために――次世代を育てる心を失う危機――」答申
	幼稚園教育要領，小学校学習指導要領，中学校学習指導要領告示
1999	高等学校学習指導要領，盲・聾・養護学校学習指導要領告示
2002	**学校週5日制**の完全実施
2003	学習指導要領一部改正(12．26)
2006	**学校法**改正〈盲・聾・養護学校から**特別支援学校**へ〉
	教育基本法改正
2008	幼稚園教育要領，小学校学習指導要領，中学校学習指導要領告示
2009	高等学校学習指導要領，特別支援学校学習指導要領告示
	学校保健安全法施行
2017	幼稚園教育要領，小学校学習指導要領，中学校学習指導要領，特別支援学校幼稚部教育要領，特別支援学校小学部・中学部学習指導要領告示
2018	高等学校学習指導要領告示
2019	特別支援学校高等部学習指導要領告示

8 明治～令和期の重要事項

学事奨励ニ関スル被仰出書	明治5(1872)年9月4日(陰暦8月2日)
学制	明治5(1872)年9月5日(陰暦8月3日)
教育令（米国主義的自由教育令）	明治12（1879）年9月29日
改正教育令	明治13（1880）年12月28日
再改正教育令	明治18（1885）年8月12日
森有礼・初代文部大臣	明治18（1885）年12月22日
帝国大学令	明治19（1886）年3月2日
小学校令	明治19（1886）年4月10日
中学校令	明治19（1886）年4月10日
師範学校令	明治19（1886）年4月10日
諸学校通則	明治19（1886）年4月10日
森有礼・明治22（1889）年2月11日（朝）刺され，翌2月12日に死す	
大日本帝国憲法発布	明治22（1889）年2月11日
教育ニ関スル勅語	明治23（1890）年10月30日
小学校令改正	明治40（1907）年3月21日
国民学校令	昭和16（1941）年3月1日
米国教育使節団来日（第一次）	昭和21（1946）年3月6日
日本国憲法公布	昭和21（1946）年11月3日
学習指導要領一般編（試案）	昭和22（1947）年3月20日　1次
教育基本法公布	昭和22（1947）年3月31日
学校教育法	昭和22（1947）年3月31日
6・3・3・4制（9年の義務教育制）発足	
日本国憲法施行	昭和22（1947）年5月3日
教育委員会法	昭和23（1948）年7月15日
米国教育使節団来日（第二次）	昭和25（1950）年8月27日
学習指導要領一般編（試案）発行	昭和26(1951)年7月1日 2次(改訂1回目)
地方教育行政の組織及び運営に関する法律施行	昭和31（1956）年10月1日
文部省，小・中学校で特設「道徳」を週1時間実施の要綱を発表	昭和33（1958）年3月18日
小・中学校学習指導要領道徳編告示	昭和33（1958）年8月28日
小・中学校学習指導要領官報告示	昭和33(1958)年10月1日 3次(改訂2回目)
高等学校学習指導要領官報告示	昭和35（1960）年10月15日

小学校学習指導要領官報告示	昭和43（1968）年7月11日
中学校学習指導要領官報告示	昭和44(1969)年4月14日 4次(改訂3回目)
高等学校学習指導要領官報告示	昭和45（1970）年10月15日
小学校学習指導要領官報告示	昭和52（1977）年7月23日
中学校学習指導要領官報告示	昭和52(1977)年7月23日 5次(改訂4回目)
高等学校学習指導要領官報告示	昭和53（1978）年8月30日
放送大学学園法公布	昭和56（1981）年6月11日
文化と教育に関する懇談会（座長・井深大）報告書	昭和59（1984）年3月22日
臨時教育審議会設置（会長・岡本道雄）	昭和59（1984）年8月8日
臨時教育審議会最終答申	昭和62（1987）年8月7日
教育課程審議会最終答申	昭和62（1987）年12月24日
幼稚園教育要領告示	平成元（1989）年3月15日
小学校・中学校・高等学校学習指導要領告示	平成元(1989)年3月15日 6次(改訂5回目)
教育職員免許法施行規則等の一部を改正する省令	平成元（1989）年3月22日
学校週5日制スタート（第2土）	平成4（1992）年9月12日
児童の権利に関する条約批准	平成6（1994）年3月29日
文部省・いじめ対策本部設置	平成8（1996）年2月13日
幼稚園教育要領告示	平成10（1998）年12月14日
小学校・中学校学習指導要領告示	平成10(1998)年12月14日 7次(改訂6回目)
中等教育学校が創設	平成10（1998）年6月12日
高等学校学習指導要領告示	平成11（1999）年3月29日
地方分権一括法	平成11（1999）年7月16日
学校法施規等の一部を改正する省令	平成12（2000）年1月21日
文部科学省発足	平成13（2001）年1月6日
小学校・中学校設置基準公布	平成14（2002）年3月29日
高等学校設置基準公布	平成16（2004）年3月31日
学校法等の一部を改正する法律	平成18（2006）年6月21日
教育基本法の改正	平成18（2006）年12月22日
学校法・特例法・免許法の改正	平成19（2007）年6月20日
幼稚園教育要領告示	平成20（2008）年3月28日
小学校・中学校学習指導要領告示	平成20(2008)年3月28日 8次(改訂7回目)

小学校・特別支援学校小学部に「外国語活動」を導入	平成20（2008）年3月28日
高等学校・特別支援学校学習指導要領告示	平成21（2009）年3月9日
学校保健安全法施行	平成21（2009）年4月1日
消費者教育の推進に関する法律施行	平成24（2012）年12月13日
障害者差別解消法公布	平成25（2013）年6月26日
障害者の権利に関する条約国内発効	平成26（2014）年2月19日
道徳の特別教科化	平成27（2015）年3月27日
義務教育学校の創設	平成27（2015）年6月24日
選挙権年齢を18歳に引き下げ	平成28（2016）年6月19日
幼稚園教育要領告示	平成29（2017）年3月31日
小学校・中学校学習指導要領告示	平成29（2017）年3月31日
小学校に「**外国語科**」を導入	平成29（2017）年3月31日
特別支援学校幼稚部教育要領告示	平成29（2017）年4月28日
特別支援学校小学部・中学部学習指導要領告示	平成29（2017）年4月28日
特別支援学校小学部に「外国語科」を導入	平成29（2017）年4月28日
高等学校学習指導要領告示	平成30（2018）年3月30日
特別支援学校高等部学習指導要領告示	平成31（2019）年2月4日
小学校（義務教育学校の前期課程を含む）の**学級編制**の標準を**35**人に引き下げ	令和3（2021）年3月31日
特別支援学校設置基準公布	令和3（2021）年9月24日
小学校高学年の**教科担任**制導入開始	令和4（2022）年度から
生徒指導提要改訂	令和4（2022）年12月6日
デジタル教科書の段階的導入開始	令和6（2024）年度から

※2018年6月に「民法の一部を改正する法律」が成立。成年年齢が20歳から18歳に引き下げ。また，女性の婚姻年齢が18歳に引き上げ。2022年4月1日施行。

▶**学制**布告に先立って**太政官**布告として公布され「人々自ら其身を立て其産を治め其業を昌にして，…必ず邑に**不学**の戸なく，家に**不学**の人なからしめん事を期す。…」と記すのは「[1]」である。

▶「天は人の上に人を造らず…」で知られるのは，[2]著の[3]である。

▶[4]は，**学制**に代わって出された基本法で，米国の自由主義的教育制度を取り入れ，小学校の設置・就学義務の緩和・地方分権制導入を図る。

▶[5]は，『理事功程』を著し，文部大輔となり，明治12年の**教育令**制定に大きな役割をはたした。

▶明治天皇の侍講として「教学聖旨」を起草し，のちに「**教育ニ関スル勅語**」起草にも参加したことでも知られるのは[6]である。

▶**同志社英学校**（今日の同志社大学）を創設したのは[7]である。

▶文部卿河野敏鎌によって，学校設置，就学義務強化等がすすめられ，国家的統制が図られた。**修身科**が重要教科として定められた。このことを定めたのは[8]である。

▶[9]は，明治期師範教育の指導者で，米国オスウィーゴー師範学校にて，ペスタロッチ主義開発教授法を学び，東京師範学校長，東京高等師範学校教頭などとして貢献した。

▶日本で初めて『**教育学**』（1882）を著したのは，[10]である。

▶内閣制度設置にともない，初代**文部大臣**（第1次伊藤内閣）に就任したのは[11]である。

▶1886年の法令[12]は，国家の須要に応ずる研究・教育の府として[13]を定め，東京（1886），京都（1897），仙台（1907），福岡（1910）などにこれを置いた。

▶1886年の法令[14]は，小学校を[15]と高等の二階梯とし，尋常を[16]年間の**義務教育**制とした。

▶1886年，「実業に就かんと欲し又は高等の学校に入らんと欲する者に須要なる教育を為す所」という規定をした法律は[17]である。

1. 学事奨励ニ関スル被仰出書（「被仰出書」）
2. 福沢諭吉
3. 学問のすゝめ
4. 教育令（自由教育令とも）
5. 田中不二麿
6. 元田永孚
7. 新島襄
8. 改正教育令
9. 高嶺秀夫
10. 伊沢修二
11. 森有礼
12. 帝国大学令
13. 帝国大学
14. 小学校令
15. 尋常
16. 4
17. 中学校令

▶**伊沢修二**が，出版社の営利主義を排するためにつくったのが，[18]である。

▶**教育勅語**は[19]による起草原案に**元田永孚**の修正意見が加えられて成立したもので，**忠君愛国**を中心とした**儒教**的道徳思想が盛られた。1891年には内村鑑三不敬事件が起きた。

▶米国の[20]を導入し，成城小学校を開設し，『[21]』を著したのは[22]である。また，このころの自由教育運動の流れをくんで**生活**と結びついた教育を主張・実践した生活教育，**生活綴方教育**などもあらわれた。

▶『**新教育講義**』を著し，帝国大学でも講じヘルバルト派の教育学を伝えたのは[23]である。

▶**尋常小学校**を**6**年制とし，義務教育年限も**6**年間に延長したのは1907年改正の[24]である。

▶1941年の法令[25]は，小学校制度を改め，[26]を開き，**義務教育年限**を[27]年間に延長した。

▶文部省から，戦時下刊行された2冊の副読本は，『[28]の本義』と『[29]の道』である。

▶戦時下，閣議決定で，都市部の国民学校児童を農村部へ移動させた措置を[30]という。

▶米国教育使節団に対応した日本国側の委員会は，1946年に[31]として組織された。

▶昭和22年に「試案」として公にされた学習指導要領は，米国の**経験主義**教育が導入され，家庭科・[32]科・[33]が新設として注目された。

▶戦後の教育改革の礎づくりを推進した教育刷新委員会の後身として昭和27年に設置され，旧文部省の各審議会中，最も重要な意義をもつといわれたのは[34]である。

▶昭和35年に設置され，昭和40年8月に，答申「同和地区に関する社会的及び経済的諸問題を解決するための基本方針」を示したのは，[35]である。

18. 教科用図書検定規則
19. 井上 毅
20. ドルトン・プラン
21. 実際的教育学
22. 澤柳政太郎
23. 谷本 富
24. 小学校令
25. 国民学校令
26. 国民学校
27. 8
28. 国体
29. 臣民
30. 学童疎開
31. 教育刷新委員会
32. 社会
33. 自由研究
34. 中央教育審議会
35. 同和対策審議会

8
学習指導要領

1 学習指導要領改訂のポイント

平成29年告示　学習指導要領改正の概要

◎改正の趣旨，改訂の基本的な考え方

○教育基本法，学校教育法などを踏まえ，これまでの我が国の学校教育の実践や蓄積を活かし，子供たちが未来社会を切り拓くための資質・能力を一層確実に育成。その際，子供たちに求められる資質・能力とは何かを社会と共有し，連携する「社会に開かれた教育課程」を重視。

○知識及び技能の習得と思考力，判断力，表現力等の育成のバランスを重視する旧学習指導要領（平成20・21年告示）の枠組みや教育内容を維持した上で，知識の理解の質をさらに高め，確かな学力を育成。

○先行する特別教科化など道徳教育の充実や体験活動の重視，体育・健康に関する指導の充実により，豊かな心や健やかな体を育成。

◎教育内容の改善事項

(1)　言語能力の確実な育成
(2)　理数教育の充実
(3)　伝統や文化に関する教育の充実
(4)　道徳教育の充実
(5)　体験活動の充実
(6)　外国語教育の充実

1．知識の理解の質を高め資質・能力を育む「［ 1 ］的・［ 2 ］的で［ 3 ］学び」

▶「何ができるようになるか」を明確化……知・徳・体にわたる「［ 4 ］」を子供たちに育むため，「何のために学ぶのか」という学習の［ 5 ］を共有しながら，授業の創意工夫や教科書等の教材の改善を引き出していけるよう，全ての教科等を，①**知識**及び**技能**，②**思考力**，**判断力**，**表現力**等，③**学び**に向かう力，**人間性**等の３つの柱で再整理。

▶我が国の教育実践の［ 6 ］に基づく授業改善……我が国のこれまでの**教育実践**の［ 7 ］に基づく**授業改善**の活性化により，子供たちの知識の理解の質の向上を図り，これからの時代に求められる資質・能力を育んでいくことが重要。小・中学校においては，これまでと全く

1.　主体
2.　対話
3.　深い
4.　生きる力
5.　意義
6.　蓄積
7.　蓄積

異なる指導方法を導入しなければならないと浮足立つ必要はなく，これまでの教育実践の[8]を**若手教員**にもしっかり引き継ぎつつ，授業を[9]・[10]する必要。

8. 蓄積
9. 工夫
10. 改善

2．各学校における[11]の確立

11. カリキュラム・マネジメント

▶教科等の目標や内容を見渡し，特に学習の[12]となる資質・能力（**言語**能力，**情報活用**能力，**問題発見・解決**能力等）や[13]的な諸課題に対応して求められる資質・能力の育成のためには，教科等横断的な学習を充実する必要。また，「[14]的・[15]的で[16]学び」の充実には単元など数コマ程度の授業のまとまりの中で，**習得・活用・探究**のバランスを工夫することが重要。

12. 基盤
13. 現代
14. 主体
15. 対話
16. 深い

▶そのため，[17]として，**教育内容**や**時間**の適切な配分，必要な人的・物的体制の確保，実施状況に基づく**改善**などを通して，教育課程に基づく教育活動の[18]を向上させ，学習の効果の[19]化を図る[20]を確立。

17. 学校全体
18. 質
19. 最大
20. カリキュラム・マネジメント

3．教育内容の改善事項

▶**言語**能力の確実な育成……①発達の段階に応じた，[21]の確実な習得，意見と根拠，具体と抽象を押さえて考えるなど情報を正確に理解し適切に[22]する力の育成（小中：国語）　②学習の[23]としての各教科等における**言語**活動（**実験レポート**の作成，**立場**や**根拠**を明確にして**議論**することなど）の充実（小中：総則，各教科等）

21. 語彙
22. 表現
23. 基盤

▶**理数**教育の充実……①前回改訂において[24]～[25]割程度授業時数を増加し充実させた内容を今回も維持した上で，**日常生活**等から問題を見いだす活動（小：算数，中：数学）や見通しをもった**観察・実験**（小中：理科）などの充実によりさらに学習の質を向上　②必要な**データ**を**収集・分析**し，その傾向を踏まえて課題を解決するための[26]教育の充実（小：算数，中：数学），[27]に関する内容の充実（小中：理科）

24. 2
25. 3
26. 統計
27. 自然災害

▶**伝統**や**文化**に関する教育の充実……①正月，[28]

28. わらべうた

29. 文化財
30. 年中行事
31. 特別教科
32. 有限
33. 集団宿泊体験
34. 外国語活動
35. 外国語科
36. 国語

や伝統的な遊びなど我が国や地域社会における様々な**文化や伝統**に親しむこと（幼稚園） ②**古典**など我が国の言語文化（小中：国語），県内の主な［29］や［30］の理解（小：社会），我が国や郷土の音楽，**和楽器**（小中：音楽），**武道**（中：保健体育），**和食**や**和服**（小：家庭，中：技術・家庭）などの指導の充実

▶**道徳教育**の充実……先行する**道徳**の［31］化（小：平成30年4月，中：平成31年4月）による，**道徳**的価値を自分事として理解し，**多面**的・**多角**的に深く考えたり，議論したりする**道徳教育**の充実

▶体験活動の充実……生命の［32］性や**自然**の大切さ，**挑戦**や他者との**協働**の重要性を実感するための**体験活動**の充実（小中：総則），自然の中での［33］活動や職場体験の重視（小中：特別活動等）

▶外国語教育の充実……①小学校において，中学年で「［34］」を，高学年で「［35］」を導入 ②小・中・高等学校一貫した学びを重視し，**外国語**能力の向上を図る目標を設定するとともに，［36］教育との連携を図り**日本語**の特徴や言語の豊かさに気付く指導の充実

※小学校の外国語教育の充実に当たっては，新教材の整備，養成・採用・研修の一体的な改善，専科指導の充実，外部人材の活用などの条件整備を行い支援

● Reference

■**アクティブ・ラーニング**

課題の**発見**・**解決**に向けた**主体的**・**協働**的な学び。教員の一方的な講義形式の授業とは異なり，学修（習）者の**能動**的な活動によって学習の理解を深める授業法。授業者が授業の目標の概要を説明し，学修（習）者が主体的に授業に取り組み，**討論**や**グループワーク**などを通して，学習課題を**解決**していく方法。

2 学習指導要領の変遷

発　表	概　　要
1947年発行 試　案	▶教育課程は，日本国憲法，教育基本法に込められている社会文化の要求，児童・青年の生活の２軸で構成。 ▶従来の修身・公民・地理・歴史が消えて**社会科**を新設。さらに小学校で**家庭科**（**男女**共修），**自由研究**を新設。中学校に職業科を設置。 ▶年間標準授業時数・週数の規定をしたので，あえて年間授業日数の規定をしなかった。
1951年発行 試　案	▶自由研究を**教科外の活動**（小学校），**特別教育活動**（中学校）に発展解消。 ▶「教科課程」という用語が「教育課程」に。 ▶全教科を４経験領域で構成。 ①学習の基礎技能の発達（国・算）。 ②社会や自然について問題解決経験を発達（社・理）。 ③創造的表現活動（音・図工・家庭）。 ④健康の保持増進（体育）。
1958年告示 小学校 中学校 '60年　高等学校	▶**告示**となり，教育課程の基準として一層明確になる。 ▶**道徳**の時間を特設。情操，国民の道徳性の形成を強調。 ▶基礎学力。 ▶科学技術教育の向上。 ▶**読み・書き・算**（３R's）の重視。 ▶教育課程を４領域（各教科，**道徳**，**特別教育活動**，**学校行事等**）で構成（小・中学校）。
1968年告示 '68年　小学校 '69年　中学校 '70年　高等学校	▶各教科等の授業時数を最低時数から標準時数に（小学校）。 ▶教育内容の現代化。 ▶時代の進展と児童・生徒の発達段階に即応する（能力・個性・特性）。 ▶基本的事項の重視。 ▶歴史学習に**神話**導入で論議が盛ん。
1977年告示 小学校 中学校 '78年　高等学校	▶**ゆとり**のある，しかも**充実**した学校生活が送れるようにするための時間を設ける。 ▶授業時数のおもいきった削減。 ▶人間性豊かな児童生徒の育成。
1989年告示 小学校 中学校 高等学校	▶**心**の教育の充実。 ▶自然との触れ合いや奉仕などの**体験**の重視。 ▶基礎・基本の重視と個性教育の推進。 ▶**個**に応じた指導の充実。自己教育力の育成。 ▶**体験的学習**や**問題解決的学習**の充実。 ▶**文化**と**伝統**の重視と**国際理解**の推進。 ▶小学校低学年で生活科を新設。

発　表	概　要
1998年告示 小学校 中学校 '99年　高等学校	▶豊かな人間性や社会性，国際社会に生きる日本人としての自覚の育成。 ▶**自ら**学び，**自ら**考える力の育成。 ▶**ゆとり**のある教育活動。(「ゆとり教育」は2002年度から全面実施。) ▶基礎・基本の確実な定着。個性を生かす教育の充実。 ▶各学校が創意工夫を生かした**特色**のある学校づくり。 ▶**総合的な学習**（探究）**の時間**の新設。
2008年告示 '09年～移行措置 小学校 '11年度全面実施 中学校 '12年度全面実施 高等学校 '13年度年次進行実施	▶**改正教育基本法**等を踏まえた学習指導要領改訂。 ▶「**生きる力**」という理念の共有。 ▶基礎的・基本的な知識・技能の習得。 ▶**思考力・判断力・表現力**等の育成。 ▶**確かな学力**を確立するために必要な授業時数の確保。 ▶学習意欲の向上や学習習慣の確立。 ▶豊かな心や健やかな体の育成のための指導の充実。 ▶小学校高学年で**外国語**活動の導入。 ▶中学校の**選択教科の廃止**，総合の時間縮小。 ▶授業時数の**増加**。脱ゆとり教育 ▶義務教育段階の学習内容の確実な定着を図るための学習機会を促進。
2015年告示一部改正	▶道徳が「特別の教科道徳（道徳科)」に。
2017年3月告示(高校は'18年告示) 小学校 '20年度から全面実施 中学校 '21年度から全面実施 高等学校 '22年度から年次進行で実施	▶社会に開かれた教育課程。 ▶小学校高学年で「外国語」が教科に。中学年から「外国語活動」を始める。 ▶知識の理解の質を高め資質・能力を育む「**主体**的・**対話**的で深い学び（アクティブ・ラーニング)」 ・「**何ができるようになるか**」を明確化 ・我が国の教育実践の蓄積に基づく授業改善 ▶各学校における**カリキュラム・マネジメント**の確立 ▶言語能力の確実な育成 ▶理数教育の充実 ▶**伝統**や**文化**に関する教育の充実 ▶道徳教育の充実 ▶体験活動の充実 ▶**外国語**教育の充実 ▶主権者教育，消費者教育，防災・安全教育などの充実 ▶部活動の持続可能な運営 ▶**情報活用**能力（**プログラミング**教育を含む) ▶子供たちの発達の支援（障害に応じた指導，日本語の能力等に応じた指導，不登校等)

3 小学校学習指導要領総則

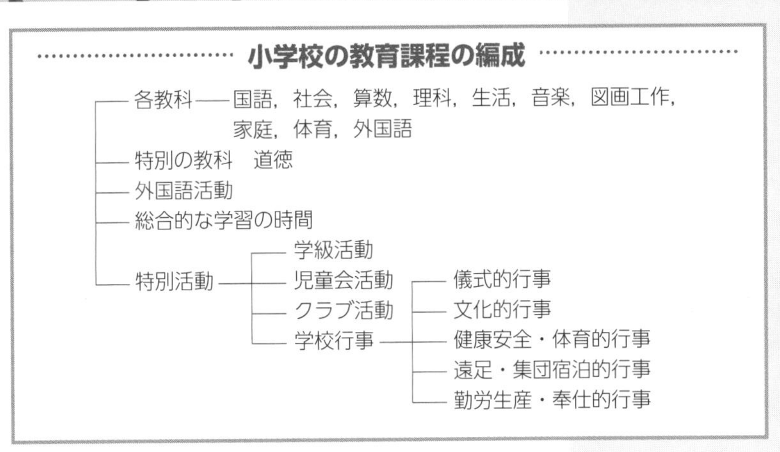

第１　小学校教育の基本と教育課程の役割

1　各学校においては，[1]及び学校教育法その他の法令並びにこの章以下に示すところに従い，児童の人間として[2]のとれた育成を目指し，児童の**心身**の発達の段階や特性及び**学校**や**地域**の[3]を十分考慮して，適切な**教育課程**を**編成**するものとし，これらに掲げる目標を達成するよう教育を行うものとする。

2　学校の教育活動を進めるに当たっては，各学校において，第３の１に示す**主体**的・**対話**的で深い学びの実現に向けた授業改善を通して，**創意工夫**を生かした特色ある教育活動を展開する中で，次の⑴から⑶までに掲げる事項の実現を図り，児童に生きる力を育むことを目指すものとする。

⑴　[4]的・[5]的な知識及び技能を確実に習得させ，これらを活用して課題を解決するために必要な[6]力，**判断力**，**表現力**等を育むとともに，**主体**的に学習に取り組む態度を養い，個性を生かし多様な人々との**協働**を促す教育の充実に努めること。その際，児童の発達の段階を考慮して，児童の

1. 教育基本法
2. 調和
3. 実態
4. 基礎
5. 基本
6. 思考

7. 言語活動

8. 体験

9. 教育活動全体

10. 教育基本法
11. 生き方

12. 道徳性

13. 畏敬

14. 郷土

15. 公共の精神

16. 教育活動全体

17. 食育
18. 安全

[7]など，学習の基盤をつくる活動を充実するとともに，家庭との連携を図りながら，児童の**学習習慣**が確立するよう配慮すること。

(2) **道徳教育**や[8]活動，多様な表現や鑑賞の活動等を通して，豊かな心や創造性の涵(かん)養を目指した教育の充実に努めること。

学校における道徳教育は，特別の教科である道徳（以下「道徳科」という。）を要として学校の[9]を通じて行うものであり，道徳科はもとより，各教科，**外国語**活動，**総合的な学習**の時間及び**特別活動**のそれぞれの特質に応じて，児童の発達の段階を考慮して，適切な指導を行うこと。

道徳教育は，[10]及び学校教育法に定められた教育の**根本精神**に基づき，自己の[11]を考え，**主体**的な判断の下に行動し，**自立**した人間として他者と共によりよく生きるための基盤となる[12]を養うことを目標とすること。

道徳教育を進めるに当たっては，**人間尊重**の精神と生命に対する[13]の念を家庭，学校，その他社会における具体的な生活の中に生かし，豊かな心をもち，**伝統**と**文化**を尊重し，それらを育んできた我が国と[14]を愛し，**個性**豊かな文化の創造を図るとともに，平和で民主的な国家及び社会の形成者として，[15]を尊び，**社会**及び**国家**の発展に努め，他国を尊重し，国際社会の平和と発展や環境の保全に貢献し未来を拓(ひら)く主体性のある日本人の育成に資することとなるよう特に留意すること。

(3) 学校における体育・健康に関する指導を，児童の発達の段階を考慮して，学校の[16]を通じて適切に行うことにより，**健康**で**安全**な生活と豊かな**スポーツライフ**の実現を目指した教育の充実に努めること。特に，学校における[17]の推進並びに体力の向上に関する指導，[18]に関する指導及び心身の健康の保持増進に関する指導については，体育科，家庭科及び特別活動の時間はもとより，各教科，**道徳科**，**外国語活動**及び**総合的な学習**の時間などにおいてもそれぞれの特質に応じて適切に行うよう努めること。また，それらの指導を通して，家庭や地域社会との連携を図りながら，日常生活において適切な体育・健康に関する活動の実践を促し，**生涯**を通じて**健康・安全**で**活力**ある生活を送るための基礎が培われるよう配慮すること。

3　2の⑴から⑶までに掲げる事項の実現を図り，豊かな創造性を備え**持続可能**な社会の創り手となることが期待される児童に，**生きる力**を育むことを目指すに当たっては，学校教育全体並びに各教科，道徳科，外国語活動，総合的な学習の時間及び特別活動（以下「各教科等」という。ただし，第２の３の⑵のア及びウにおいて，特別活動については学級活動（学校給食に係るものを除く。）に限る。）の指導を通してどのような資質・能力の育成を目指すのかを明確にしながら，教育活動の充実を図るものとする。その際，児童の発達の段階や特性等を踏まえつつ，次に掲げることが偏りなく実現できるようにするものとする。

⑴　［ 19 ］及び**技能**が習得されるようにすること。

⑵　［ 20 ］力，**判断力**，**表現力**等を育成すること。

⑶　［ 21 ］に向かう力，**人間性**等を涵（かん）養すること。

4　各学校においては，児童や学校，**地域**の［ 22 ］を適切に把握し，教育の目的や目標の実現に必要な教育の内容等を教科等［ 23 ］的な視点で組み立てていくこと，教育課程の実施状況を評価してその改善を図っていくこと，教育課程の実施に必要な人的又は物的な体制を確保するとともにその改善を図っていくことなどを通して，教育課程に基づき**組織**的かつ**計画**的に各学校の**教育活動**の質の向上を図っていくこと（以下「［ 24 ］」という。）に努めるものとする。

19. 知識
20. 思考
21. 学び
22. 実態
23. 横断
24. カリキュラム・マネジメント

4 中学校学習指導要領総則

中学校の教育課程の編成

- 各教科
  - 国語，社会，数学，理科，音楽，美術，保健体育，技術・家庭，外国語
- 特別の教科　道徳
- 総合的な学習の時間
- 特別活動
  - 学級活動
  - 生徒会活動
  - 学校行事
    - 儀式的行事
    - 文化的行事
    - 健康安全・体育的行事
    - 旅行・集団宿泊的行事
    - 勤労生産・奉仕的行事

1. 教育基本法
2. 創意工夫
3. 生きる力
4. 習得
5. 思考
6. 学習習慣

第1　中学校教育の基本と教育課程の役割

1　各学校においては，［ 1 ］及び学校教育法その他の法令並びにこの章以下に示すところに従い，生徒の人間として**調和**のとれた育成を目指し，生徒の**心身**の**発達**の**段階**や特性及び**学校**や**地域**の実態を十分考慮して，適切な教育課程を編成するものとし，これらに掲げる目標を達成するよう教育を行うものとする。

2　学校の教育活動を進めるに当たっては，各学校において，第3の1に示す**主体**的・**対話**的で深い学びの実現に向けた**授業改善**を通して，［ 2 ］を生かした特色ある教育活動を展開する中で，次の(1)から(3)までに掲げる事項の実現を図り，生徒に［ 3 ］を育むことを目指すものとする。

(1)　**基礎**的・**基本**的な**知識**及び**技能**を確実に［ 4 ］させ，これらを活用して課題を解決するために必要な［ 5 ］力，**判断力**，**表現力**等を育むとともに，主体的に学習に取り組む態度を養い，個性を生かし多様な人々との**協働**を促す教育の充実に努めること。その際，生徒の発達の段階を考慮して，生徒の**言語活動**など，学習の基盤をつくる活動を充実するとともに，**家庭**との連携を図りながら，生徒の［ 6 ］が確立するよう配慮すること。

(2) **道徳教育**や**体験活動**，多様な表現や鑑賞の活動等を通して，豊かな心や創造性の涵養を目指した教育の充実に努めること。

学校における道徳教育は，特別の教科である道徳（以下「道徳科」という。）を要として学校の[7]を通じて行うものであり，道徳科はもとより，各教科，**総合的な学習の時間**及び**特別活動**のそれぞれの特質に応じて，生徒の**発達の段階**を考慮して，適切な指導を行うこと。道徳教育は，教育基本法及び学校教育法に定められた**教育の根本**精神に基づき，人間としての[8]を考え，主体的な判断の下に行動し，**自立**した人間として他者と共によりよく生きるための基盤となる[9]を養うことを目標とすること。道徳教育を進めるに当たっては，[10]の精神と**生命**に対する[11]の念を家庭，学校，その他社会における具体的な生活の中に生かし，豊かな心をもち，**伝統**と**文化**を尊重し，それらを育んできた我が国と[12]を愛し，個性豊かな文化の創造を図るとともに，**平和**で**民主**的な**国家**及び**社会**の形成者として，[13]を尊び，社会及び国家の発展に努め，他国を尊重し，**国際社会**の平和と発展や環境の保全に貢献し未来を拓く主体性のある[14]の育成に資することとなるよう特に留意すること。

(3) 学校における体育・健康に関する指導を，生徒の発達の段階を考慮して，学校の[15]を通じて適切に行うことにより，**健康**で**安全**な生活と豊かな**スポーツライフ**の実現を目指した教育の充実に努めること。特に，学校における[16]の推進並びに**体力**の向上に関する指導，**安全**に関する指導及び**心身**の健康の保持増進に関する指導については，保健体育科，技術・家庭科及び特別活動の時間はもとより，各教科，道徳科及び**総合的な学習の時間**などにおいてもそれぞれの特質に応じて適切に行うよう努めること。また，それらの指導を通して，**家庭**や**地域社会**との連携を図りながら，日常生活において適切な体育・健康に関する活動の実践を促し，[17]を通

7. 教育活動全体
8. 生き方
9. 道徳性
10. 人間尊重
11. 畏敬
12. 郷土
13. 公共の精神
14. 日本人
15. 教育活動全体
16. 食育
17. 生涯

じて**健康・安全**で**活力**ある生活を送るための基礎が培われるよう配慮すること。

3　2の⑴から⑶までに掲げる事項の実現を図り，豊かな創造性を備え[18]な社会の創り手となることが期待される生徒に，生きる力を育むことを目指すに当たっては，学校教育全体並びに各教科，道徳科，**総合的な学習の時間**及び**特別活動**（以下「各教科等」という。ただし，第2の3の⑵のア及びウにおいて，特別活動については[19]（学校給食に係るものを除く。）に限る。）の指導を通してどのような資質・能力の育成を目指すのかを明確にしながら，教育活動の充実を図るものとする。その際，生徒の**発達**の**段階**や特性等を踏まえつつ，次に掲げることが偏りなく実現できるようにするものとする。

⑴　[20]及び**技能**が習得されるようにすること。

⑵　[21]力，**判断力**，**表現力**等を育成すること。

⑶　[22]に向かう力，人間性等を涵養すること。

4　各学校においては，生徒や学校，**地域**の実態を適切に把握し，教育の目的や目標の実現に必要な教育の内容等を教科等[23]的な視点で組み立てていくこと，教育課程の実施状況を評価してその改善を図っていくこと，教育課程の実施に必要な人的又は物的な体制を確保するとともにその改善を図っていくことなどを通して，教育課程に基づき**組織**的かつ**計画**的に各学校の教育活動の質の向上を図っていくこと（以下「[24]」という。）に努めるものとする。

18. 持続可能

19. 学級活動

20. 知識

21. 思考

22. 学び

23. 横断

24. カリキュラム・マネジメント

5 高等学校学習指導要領総則

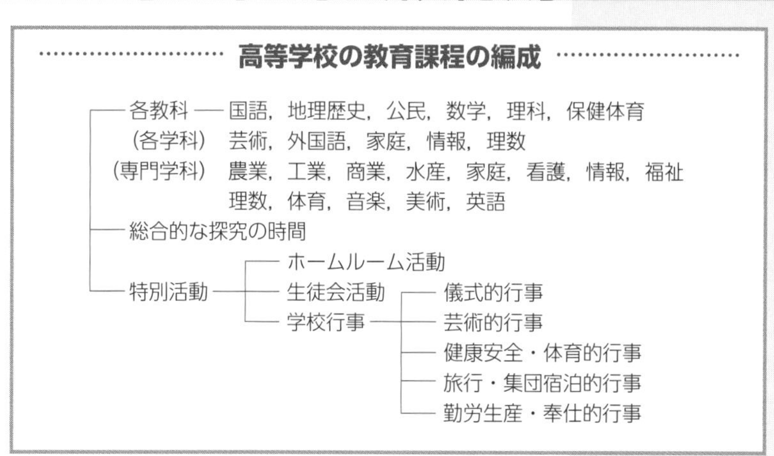

第１款　高等学校教育の基本と教育課程の役割

1　各学校においては，[1]及び学校教育法その他の法令並びにこの章以下に示すところに従い，生徒の人間として**調和**のとれた育成を目指し，生徒の**心身**の**発達**の**段階**や特性等，課程や学科の特色及び**学校**や**地域**の**実態**を十分考慮して，適切な教育課程を編成するものとし，これらに掲げる目標を達成するよう教育を行うものとする。

2　学校の教育活動を進めるに当たっては，各学校において，第３款の１に示す**主体**的・**対話**的で深い学びの実現に向けた**授業改善**を通して，[2]を生かした特色ある教育活動を展開する中で，次の(1)から(3)までに掲げる事項の実現を図り，生徒に[3]を育むことを目指すものとする。

(1)　基礎的・基本的な知識及び技能を確実に習得させ，これらを活用して課題を解決するために必要な[4]力，**判断力**，**表現力**等を育むとともに，**主体**的に学習に取り組む態度を養い，**個性**を生かし多様な人々との**協働**を促す教育の充実に努めること。そ

1.　教育基本法

2.　創意工夫

3.　生きる力

4.　思考

の際，生徒の発達の段階を考慮して，生徒の**言語活動**など，学習の基盤をつくる活動を充実するとともに，**家庭**との連携を図りながら，生徒の［ 5 ］が確立するよう配慮すること。

⑵　**道徳教育**や**体験活動**，多様な表現や鑑賞の活動等を通して，豊かな心や創造性の涵(かん)養を目指した教育の充実に努めること。学校における道徳教育は，人間としての在り方生き方に関する教育を学校の［ 6 ］を通じて行うことによりその充実を図るものとし，各教科に属する科目（以下「各教科・科目」という。），**総合的な探究の時間**及び**特別活動**（以下「各教科・科目等」という。）のそれぞれの特質に応じて，適切な指導を行うこと。

道徳教育は，**教育基本法**及び**学校教育法**に定められた教育の根本精神に基づき，生徒が**自己探求**と［ 7 ］に努め**国家**・**社会**の一員としての自覚に基づき行為しうる発達の段階にあることを考慮し，人間としての［ 8 ］を考え，**主体**的な判断の下に行動し，**自立**した人間として他者と共によりよく生きるための基盤となる［ 9 ］を養うことを目標とすること。

道徳教育を進めるに当たっては，［ 10 ］の精神と生命に対する［ 11 ］の念を家庭，学校，その他社会における具体的な生活の中に生かし，豊かな心をもち，**伝統**と**文化**を尊重し，それらを育んできた我が国と［ 12 ］を愛し，個性豊かな文化の創造を図るとともに，**平和**で**民主**的な国家及び社会の形成者として，［ 13 ］を尊び，**社会**及び**国家**の発展に努め，他国を尊重し，**国際社会**の平和と発展や環境の保全に貢献し未来を拓(ひら)く**主体性**のある［ 14 ］の育成に資することとなるよう特に留意すること。

⑶　学校における体育・健康に関する指導を，生徒の発達の段階を考慮して，学校の［ 15 ］を通じて適切に行うことにより，**健康**で**安全**な生活と豊かな**スポーツライフ**の実現を目指した教育の充実に努めること。特に，学校における［ 16 ］の推進並びに**体力**の向上に関する指導，**安全**に関する指導及び**心身**の

5. 学習習慣
6. 教育活動全体
7. 自己実現
8. 在り方生き方
9. 道徳性
10. 人間尊重
11. 畏敬
12. 郷土
13. 公共の精神
14. 日本人
15. 教育活動全体
16. 食育

健康の保持増進に関する指導については，保健体育科，家庭科及び**特別活動**の時間はもとより，各教科・科目及び**総合的な探究の時間**などにおいてもそれぞれの特質に応じて適切に行うよう努めること。また，それらの指導を通して，**家庭**や**地域社会**との連携を図りながら，日常生活において適切な体育・健康に関する活動の実践を促し，[17]を通じて**健康・安全**で**活力**ある生活を送るための基礎が培われるよう配慮すること。

3　2の⑴から⑶までに掲げる事項の実現を図り，豊かな**創造性**を備え[18]な社会の創り手となることが期待される生徒に，**生きる力**を育むことを目指すに当たっては，学校教育全体及び各教科・[19]等の指導を通してどのような資質・能力の育成を目指すのかを明確にしながら，教育活動の充実を図るものとする。その際，生徒の**発達**の**段階**や**特性**等を踏まえつつ，次に掲げることが偏りなく実現できるようにするものとする。

⑴　[20]及び**技能**が習得されるようにすること。

⑵　[21]力，**判断力**，**表現力**等を育成すること。

⑶　[22]に向かう力，**人間性**等を涵(かん)養すること。

4　学校においては，**地域**や**学校**の実態等に応じて，就業や[23]に関わる**体験**的な学習の指導を適切に行うようにし，[24]の尊さや創造することの喜びを体得させ，望ましい**勤労観**，**職業観**の育成や[25]の精神の涵(かん)養に資するものとする。

5　各学校においては，生徒や学校，地域の実態を適切に把握し，教育の目的や目標の実現に必要な教育の内容等を教科等**横断**的な視点で組み立てていくこと，教育課程の実施状況を評価してその改善を図っていくこと，教育課程の実施に必要な人的又は物的な体制を確保するとともにその改善を図っていくことなどを通して，教育課程に基づき**組織**的かつ**計画**的に各学校の教育活動の質の向上を図っていくこと（以下「[26]」という。）に努めるものとする。

17. 生涯

18. 持続可能

19. 科目

20. 知識

21. 思考

22. 学び

23. ボランティア

24. 勤労

25. 社会奉仕

26. カリキュラム・マネジメント

第４款　単位の修得及び卒業の認定

２　卒業までに修得させる単位数

学校においては，卒業までに修得させる**単位数**を定め，**校長**は，当該**単位数**を修得した者で，**特別活動**の成果がその目標からみて満足できると認められるものについて，高等学校の**全課程**の**修了**を認定するものとする。この場合，卒業までに修得させる**単位数**は，［27］単位以上とする。なお，普通教育を主とする学科においては，卒業までに修得させる**単位数**に含めることができる学校設定科目及び学校設定教科に関する科目に係る修得**単位数**は，合わせて［28］単位を超えることができない。

３　各学年の課程の修了の認定

学校においては，各学年の課程の修了の認定については，単位制が併用されていることを踏まえ，［29］的に行うよう配慮するものとする。

27. 74

28. 20

29. 弾力

高等学校の標準単位数

教科等	科　目	標準単位
国語	現代の国語	2
	言語文化	2
	倫理国語	4
	文学国語	4
	国語表現	4
	古典探究	4
地理歴史	地理総合	2
	地理探究	3
	歴史総合	2
	日本史探究	3
	世界史探究	3
公民	公共	2
	倫理	2
	政治・経済	2

教科等	科　目	標準単位
数学	数学Ⅰ	3
	数学Ⅱ	4
	数学Ⅲ	3
	数学A	2
	数学B	2
	数学C	2
理科	化学と人間生活	2
	物理基礎	2
	物理	4
	化学基礎	2
	化学	4
	生物基礎	2
	生物	4
	地学基礎	2
	地学	4

教科等	科　目	標準単位
保健体育	体育	7～8
	保健	2
芸術	音楽Ⅰ	2
	音楽Ⅱ	2
	音楽Ⅲ	2
	美術Ⅰ	2
	美術Ⅱ	2
	美術Ⅲ	2
	工芸Ⅰ	2
	工芸Ⅱ	2
	工芸Ⅲ	2
	書道Ⅰ	2
	書道Ⅱ	2
	書道Ⅲ	2

教科等	科　目	標準単位
外国語	英語コミュニケーションⅠ	3
	英語コミュニケーションⅡ	4
	英語コミュニケーションⅢ	4
	論理・表現Ⅰ	2
	論理・表現Ⅱ	2
	論理・表現Ⅲ	2
家庭	家庭基礎	2
	家庭総合	4
情報	情報Ⅰ	2
	情報Ⅱ	2
理数	理数探究基礎	1
	理数探究	2～5
総合的な探究の時間		3～6

6 特別支援学校小・中学部学習指導要領総則

重要度 A

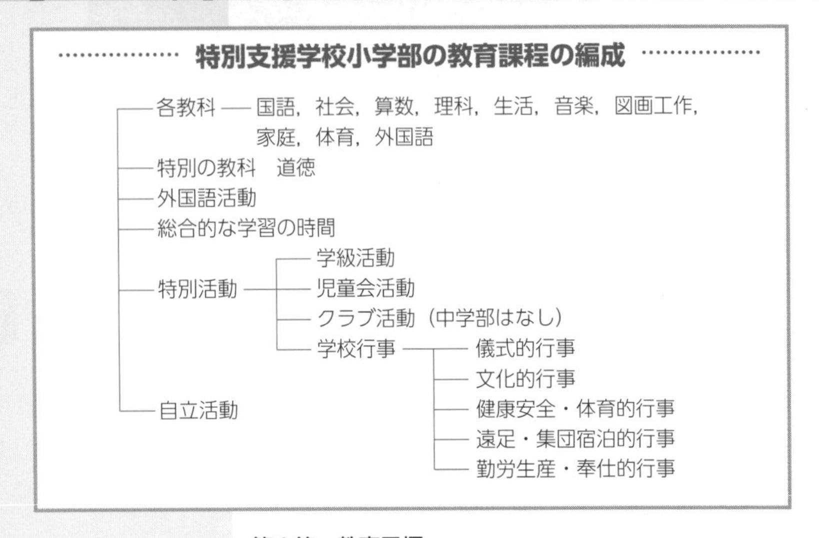

第1節　教育目標

小学部及び中学部における教育については，学校教育法第72条に定める目的を実現するために，児童及び生徒の［　1　］の状態や特性及び**心身**の［　2　］の**段階**等を十分考慮して，次に掲げる目標の達成に努めなければならない。

1　小学部においては，学校教育法第30条第1項に規定する小学校教育の目標

2　中学部においては，学校教育法第46条に規定する中学校教育の目標

3　小学部及び中学部を通じ，児童及び生徒の［　3　］による**学習**上又は**生活**上の［　4　］を改善・克服し［　5　］を図るために必要な**知識**，**技能**，**態度**及び**習慣**を養うこと。

1. 障害
2. 発達
3. 障害
4. 困難
5. 自立

第3節　教育課程の編成

1　各学校の教育目標と教育課程の編成

教育課程の編成に当たっては，学校教育全体や各教科

等における指導を通して育成を目指す**資質・能力**を踏まえつつ，各学校の［ 6 ］を明確にするとともに，教育課程の編成についての基本的な方針が**家庭**や**地域**とも共有されるよう努めるものとする。その際，小学部は小学校学習指導要領の第５章 総合的な学習の時間の第２の１，中学部は中学校学習指導要領の第４章 総合的な学習の時間の第２の１に基づき定められる目標との関連を図るものとする。

2　教科等横断的な視点に立った資質・能力の育成

(1)　各学校においては，児童又は生徒の［ 7 ］の**状態**や**特性**及び**心身**の［ 8 ］の**段階**等を考慮し，［ 9 ］能力，**情報活用**能力（情報モラルを含む。），**問題発見・解決能力**等の学習の基盤となる**資質・能力**を育成していくことができるよう，各教科等の特質を生かし，教科等［ 10 ］的な視点から教育課程の編成を図るものとする。

(2)　各学校においては，児童又は生徒や学校，**地域**の実態並びに児童又は生徒の［ 11 ］の状態や特性及び**心身**の発達の段階等を考慮し，豊かな人生の実現や［ 12 ］等を乗り越えて**次代**の社会を形成することに向けた現代的な諸課題に対応して求められる**資質・能力**を，教科等［ 13 ］的な視点で育成していくことができるよう，各学校の**特色**を生かした教育課程の編成を図るものとする。

3　教育課程の編成における共通的事項

(1)　内容等の取扱い

ア　第２章以下に示す各教科，道徳科，**外国語活動**，**特別活動**及び**自立活動**の内容に関する事項は，特に示す場合を除き，いずれの学校においても取り扱わなければならない。

イ　学校において特に必要がある場合には，第２章以下に示していない内容を加えて指導することができる。また，第２章以下に示す内容の取扱いのうち内容の範囲や程度等を示す事項は，全ての児童又は生徒に対して指導するものとする内容の範囲や程度等を示したものであり，学校において特に必要がある場合には，この事項にかかわらず加えて指導するこ

6. 教育目標
7. 障害
8. 発達
9. 言語
10. 横断
11. 障害
12. 災害
13. 横断

8 学習指導要領

14. できる

15. 自立活動

16. 外国語
17. 外国語
18. 負担過重

19. 自立活動

20. 工夫

21. 2
22. 2

23. 2

24. 選択教科

25. 選択教科

とが［14］。ただし，これらの場合には，第２章以下に示す各教科，道徳科，**外国語活動**，**特別活動**及び［15］の目標や内容並びに各学年や各段階，各分野又は各言語の目標や内容（知的障害者である児童又は生徒に対する教育を行う特別支援学校においては，［16］科及び［17］活動の各言語の内容）の趣旨を逸脱したり，児童又は生徒の［18］となったりすることのないようにしなければならない。

ウ　第２章以下に示す各教科，道徳科，**外国語活動**，**特別活動**及び［19］の内容並びに各学年，各段階，各分野又は各言語の内容に掲げる事項の順序は，特に示す場合を除き，指導の**順序**を示すものではないので，学校においては，その取扱いについて適切な［20］を加えるものとする。

エ　視覚障害者，聴覚障害者，肢体不自由者又は病弱者である児童に対する教育を行う特別支援学校の小学部において，学年の内容を［21］学年まとめて示した教科及び**外国語活動**の内容は，［22］学年間かけて指導する事項を示したものである。各学校においては，これらの事項を児童や学校，地域の実態に応じ，［23］学年間を見通して**計画**的に指導することとし，特に示す場合を除き，いずれかの学年に分けて，又はいずれの学年においても指導するものとする。

オ　視覚障害者，聴覚障害者，肢体不自由者又は病弱者である生徒に対する教育を行う特別支援学校の中学部においては，生徒や学校，**地域**の実態を考慮して，生徒の**特性**等に応じた多様な学習活動が行えるよう，第２章に示す各教科や，特に必要な教科を，［24］として開設し生徒に履修させることができる。その場合にあっては，全ての生徒に指導すべき内容との**関連**を図りつつ，［25］の授業時数及び内容を適切に定め**選択教科**の指導計画を作成し，生徒の負担過重となることのないようにしなければならない。また，特に必要な教科の名称，目標，内容などについては，各学校が適切に定めるものとする。

カ　知的障害者である児童に対する教育を行う特別支

援学校の小学部においては，**生活**，国語，算数，音楽，図画工作及び体育の各教科，道徳科，**特別活動**並びに［26］については，特に示す場合を除き，全ての児童に履修させるものとする。また，［27］については，児童や学校の実態を考慮し，必要に応じて設けることができる。

26. 自立活動
27. 外国語活動

キ　知的障害者である生徒に対する教育を行う特別支援学校の中学部においては，国語，社会，数学，理科，音楽，美術，保健体育及び職業・家庭の各教科，道徳科，**総合的な学習**の時間，**特別活動**並びに**自立活動**については，特に示す場合を除き，全ての生徒に履修させるものとする。また，［28］については，生徒や学校の**実態**を考慮し，必要に応じて設けることができる。

28. 外国語科

ク　知的障害者である児童又は生徒に対する教育を行う特別支援学校において，各教科の指導に当たっては，各教科の段階に示す内容を基に，児童又は生徒の知的障害の**状態**や**経験**等に応じて，具体的に指導内容を設定するものとする。その際，小学部は［29］年間，中学部は［30］年間を見通して**計画**的に指導するものとする。

29. 6
30. 3

ケ　知的障害者である生徒に対する教育を行う特別支援学校の中学部においては，生徒や学校，**地域**の実態を考慮して，特に必要がある場合には，その他特に必要な教科を**選択教科**として設けることができる。その他特に必要な教科の名称，目標，内容などについては，**各学校**が適切に定めるものとする。その際，第２章第２節第２款の第２に示す事項に配慮するとともに，生徒の［31］となることのないようにしなければならない。

31. 負担過重

コ　道徳科を要として学校の［32］を通じて行う道徳教育の内容は，（略）その実施に当たっては，第７節に示す道徳教育に関する配慮事項を踏まえるものとする。

32. 教育活動全体

7 発達を支える指導の充実

キャリア教育

○個人の価値を尊重して，その能力を伸ばし，創造性を培い，自主及び自律の精神を養うとともに，職業及び生活との関連を重視し，勤労を重んずる態度を養うこと。…教育基本法第２条（教育の目標）

○義務教育として行われる普通教育は，各個人の有する能力を伸ばしつつ社会において自立的に生きる基礎を培い，また，国家及び社会の形成者として必要とされる基本的な資質を養うことを目的として行われるものとする。…教育基本法第５条（義務教育）

【社会人として自立した人を育てる観点から】
- ・学校の学習と社会とを関連付けた教育
- ・生涯にわたって学び続ける意欲の向上
- ・社会人としての基礎的資質・能力の育成
- ・自然体験，社会体験等の充実
- ・発達に応じた指導の継続性
- ・家庭・地域と連携した教育

↓

キャリア教育の推進

教育課程の編成及び実施に当たっては，次の事項に配慮するものとする。

(1) 学習や生活の基盤として，教師と児童生徒との**信頼関係**及び生徒相互のよりよい**人間関係**を育てるため，日頃から［ 1 ］の充実を図ること。また，主に集団の場面で必要な**指導**や**援助**を行うガイダンスと，個々の児童生徒の多様な実態を踏まえ，一人一人が抱える課題に［ 2 ］に対応した指導を行う**カウンセリング**の双方により，児童生徒の発達を支援すること。

(2) 児童生徒が，自己の**存在感**を実感しながら，よりよい**人間関係**を形成し，有意義で充実した学校生活を送る中で，現在及び将来における**自己実現**を図っていくことができるよう，［ 3 ］を深め，学習指導

1. 学級経営

2. 個別

3. 児童理解（生徒理解）

と関連付けながら，[4]の充実を図ること。

⑶ 児童生徒が，学ぶことと自己の[5]とのつながりを見通しながら，**社会**的・**職業**的**自立**に向けて必要な基盤となる**資質・能力**を身に付けていくことができるよう，**特別活動**を要としつつ各教科等の特質に応じて，[6]の充実を図ること。その中で，児童生徒が自らの生き方を考え**主体**的に進路を[7]することができるよう，学校の[8]を通じ，**組織**的かつ**計画**的な**進路指導**を行うこと。

⑷ 児童生徒が，基礎的・基本的な**知識**及び**技能**の習得も含め，学習内容を確実に身に付けることができるよう，児童生徒や学校の実態に応じ，個別学習や[9]学習，**繰り返し学習**，学習内容の[10]の程度に応じた学習，児童生徒の**興味・関心**等に応じた課題学習，**補充**的な学習や**発展**的な学習などの学習活動を取り入れることや，教師間の**協力**による指導体制を確保することなど，指導方法や指導体制の工夫改善により，**個**に応じた指導の充実を図ること。その際，第3の1の⑶に示す[11]手段や**教材・教具**の活用を図ること。

4. 生徒指導
5. 将来
6. キャリア教育
7. 選択
8. 教育活動全体
9. グループ別
10. 習熟
11. 情報

8 配慮を要する指導

特別な配慮を要する児童生徒の指導

⊙障害のある児童生徒
- 通級による指導
- 自立活動を取り入れる
- 特別支援学校との連携
- 教育支援計画の作成

⊙海外から帰国した児童生徒
- 海外での生活経験を活かす
- 日本語の習得

⊙不登校の児童生徒
- 保護者や関係機関との連携
- 心理や福祉の専門家の助言又は援助（小学校）
- 医療や福祉，保健，労働等の業務を行う関係機関との連携（中学校）
- 社会的自立を目指す
- 個別学習やグループ別学習

【中学校】

⊙学齢を経過した者
- 夜間その他の特別の時間に授業を行う場合の配慮
- 経験または勤労状況その他の実情を配慮

1. 障害

2. 自立活動

⑴ 障害のある児童生徒などへの指導

ア　障害のある児童生徒などについては，**特別支援学校等の助言**又は**援助**を活用しつつ，個々の児童生徒の［ 1 ］の**状態**等に応じた指導内容や指導方法の工夫を**組織**的かつ**計画**的に行うものとする。

イ　特別支援学級において実施する特別の教育課程については，次のとおり編成するものとする。

（ア）障害による**学習**上又は**生活**上の困難を克服し**自立**を図るため，特別支援学校小学部・中学部学習指導要領第７章に示す［ 2 ］を取り入れること。

（イ）児童生徒の障害の**程度**や学級の**実態**等を考慮の上，各教科の目標や内容を下学年の教科の目標や内容に替えたり，各教科を，［ 3 ］障害者である児童生徒に対する教育を行う**特別支援学校**の各教科に替えたりするなどして，**実態**に応じた教育課程を編成すること。

ウ　障害のある児童生徒に対して，［ 4 ］による指導を行い，特別の教育課程を編成する場合には，特別支援学校小学部中学部学習指導要領第７章に示す［ 5 ］の内容を参考とし，具体的な目標や内容を定め，指導を行うものとする。その際，効果的な指導が行われるよう，各教科等と**通級**による指導との関連を図るなど，教師間の**連携**に努めるものとする。

エ　【小学校】障害のある児童などについては，**家庭**，**地域**及び医療や福祉，保健，労働等の業務を行う関係機関との［ 6 ］を図り，**長期**的な視点で児童への教育的支援を行うために，個別の［ 7 ］を作成し活用することに努めるとともに，各教科等の指導に当たって，個々の児童の**実態**を的確に把握し，**個別**の指導計画を作成し活用することに努めるものとする。特に，特別支援学級に在籍する児童や**通級**による指導を受ける児童については，個々の児童の**実態**を的確に把握し，**個別**の教育支援計画や**個別**の指導計画を作成し，効果的に活用するものとする。

オ　【中学校】障害のある生徒などについては，**家庭**，**地域**及び医療や福祉，保健，［ 8 ］等の業務を行う関係機関との連携を図り，**長期**的な視点で生徒への教育的支援を行うために，**個別**の［ 9 ］を作成し活用することに努めるとともに，各教科等の指導に当たって，個々の生徒の**実態**を的確に把握し，**個別**の指導計画を作成し活用することに努めるものとする。特に，特別支援学級に在籍する生徒や**通級**による指導を受ける生徒については，個々の生徒の実態を的確に把握し，**個別**の［ 10 ］や**個別**の指導計画を作成し，効果的に活用するものとする。

(2)　海外から帰国した児童生徒などの学校生活への適応や，日本語の習得に困難のある児童生徒に対する日本語指導

ア　海外から帰国した児童生徒などについては，学校

3. 知的
4. 通級
5. 自立活動
6. 連携
7. 教育支援計画
8. 労働
9. 教育支援計画
10. 教育支援計画

11. 生活経験

生活への**適応**を図るとともに，外国における[11]を生かすなどの適切な指導を行うものとする。

イ　日本語の習得に困難のある児童生徒については，個々の児童生徒の**実態**に応じた指導内容や指導方法の工夫を**組織**的かつ**計画**的に行うものとする。特に，**通級**による**日本語指導**については，教師間の連携に努め，指導についての計画を**個別**に作成することなどにより，効果的な指導に努めるものとする。

12. 保護者
13. 専門家
14. 自立

(3)　不登校児童生徒への配慮

ア　不登校児童生徒については，[12]や関係機関と連携を図り，心理や福祉の[13]の**助言**又は**援助**を得ながら，社会的[14]を目指す観点から，個々の児童生徒の**実態**に応じた**情報**の提供その他の必要な支援を行うものとする。

15. 個別

イ　相当の期間小学校を欠席し引き続き欠席すると認められる児童生徒を対象として，文部科学大臣が認める特別の教育課程を編成する場合には，児童生徒の**実態**に配慮した教育課程を編成するとともに，[15]学習や**グループ別学習**など指導方法や指導体制の工夫改善に努めるものとする。

16. 夜間
17. 勤労状況

(4)　【中学校】学齢を経過した者への配慮

ア　[16]その他の特別の時間に授業を行う課程において学齢を経過した者を対象として特別の教育課程を編成する場合には，学齢を経過した者の年齢，**経験**又は[17]その他の実情を踏まえ，中学校教育の目的及び目標並びに第２章以下に示す各教科等の目標に照らして，中学校教育を通じて育成を目指す**資質・能力**を身に付けることができるようにするものとする。

18. 個別

イ　学齢を経過した者を教育する場合には，[18]学習や**グループ別学習**など指導方法や指導体制の工夫改善に努めるものとする。

9 運営上の留意事項

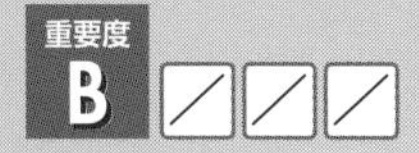

重要度 B

カリキュラム・マネジメントの3つの側面

①各教科等の教育内容を相互の関係で捉え，学校教育目標を踏まえた教科等**横断**的な視点で，その目標の達成に必要な教育の内容を**組織**的に配列していくこと。
②教育内容の質の向上に向けて，子供たちの姿や地域の現状等に関する調査や各種データ等に基づき，**教育課程**を**編成**し，実施し，評価して改善を図る一連の**ＰＤＣＡサイクル**を確立すること。
③教育内容と，教育活動に必要な人的・物的資源等を，**地域**等の外部の資源も含めて活用しながら効果的に組み合わせること。

カリキュラム・マネジメントとはこの３つの側面から，**教育課程**に基づき**組織**的に・**計画**的に教育活動の質の向上を図っていくものである。具体的には**教育課程**と時間割の工夫した**編成**が求められている。

1　教育課程の改善と学校評価，教育課程外の活動との連携等

ア　各学校においては，[1]の方針の下に，**校務分掌**に基づき教職員が適切に**役割**を分担しつつ，相互に連携しながら，各学校の特色を生かした[2]を行うよう努めるものとする。また，各学校が行う[3]については，**教育課程**の**編成**，実施，改善が教育活動や**学校運営**の中核となることを踏まえつつ，[4]と関連付けながら実施するよう留意するものとする。

イ　**教育課程**の**編成**及び実施に当たっては，学校[5]計画，学校[6]計画，[7]に関する指導の全体計画，[8]の防止等のための対策に関する基本的な方針など，各分野における**学校**の**全体計画**等と関連付けながら，効果的な指導が行われるように留意するものとする。

ウ　【中学校】　教育課程外の学校教育活動と教育課程の関連が図られるように留意するものとする。特に，生徒の**自主**的，**自発**的な参加により行われる[9]については，**スポーツ**や**文化**，**科学**等に親しませ，学習意

1. 校長
2. カリキュラム・マネジメント
3. 学校評価
4. カリキュラム・マネジメント
5. 保健
6. 安全
7. 食
8. いじめ
9. 部活動

10. 一環
11. 地域
12. 連携
13. 持続可能
14. 協力
15. 交流
16. 交流
17. 障害
18. 交流
19. 協働

欲の向上や**責任感**，**連帯感**の涵養等，学校教育が目指す資質・能力の育成に資するものであり，学校教育の［10］として，**教育課程**との関連が図られるよう留意すること。その際，学校や**地域**の実態に応じ，［11］の人々の協力，**社会教育**施設や社会教育関係団体等の各種団体との［12］などの運営上の工夫を行い，［13］な運営体制が整えられるようにするものとする。

2　家庭や地域社会との連携及び協働と学校間の連携

教育課程の編成及び実施に当たっては，次の事項に配慮するものとする。

ア　学校がその目的を達成するため，学校や**地域**の実態等に応じ，教育活動の実施に必要な人的又は物的な体制を**家庭**や**地域**の人々の［14］を得ながら整えるなど，**家庭**や**地域社会**との**連携**及び**協働**を深めること。また，高齢者や異年齢の子供など，地域における世代を越えた［15］の機会を設けること。

イ　【小学校】　他の小学校や，幼稚園，認定こども園，保育所，中学校，高等学校，特別支援学校などとの間の連携や［16］を図るとともに，［17］のある幼児児童生徒との**交流**及び**共同学習**の機会を設け，共に尊重し合いながら**協働**して生活していく態度を育むようにすること。

ウ　【中学校】　他の中学校や，幼稚園，認定こども園，保育所，小学校，高等学校，特別支援学校などとの間の連携や交流を図るとともに，障害のある幼児児童生徒との［18］及び**共同学習**の機会を設け，共に尊重し合いながら［19］して生活していく態度を育むよう努めること。

10 道徳教育

道徳教育の変遷

1872年	「学制」発布　修身
1879年	元田永孚『教学聖旨』
1890年	「教育勅語」発布
1945年	GHQの教育の民主化政策 修身，日本歴史，地理授業停止
1946年	「日本国憲法」公布
1947年	「教育基本法」「学校教育法」公布 修身，日本歴史，地理を廃止し社会科を創設
1951年	文部省「道徳教育のための手引き書要綱」
1958年	小・中学校の「学習指導要領道徳編」告示
2015年	学習指導要領の一部改正により「特別の教科　道徳」へ
2017年	小・中学校の学習指導要領告示「特別の教科　道徳」 小学校は2018年度より，中学校は2019年度より完全実施 検定教科書の導入

1．道徳教育のあり方

〔小学校・中学校〕

学校における道徳教育は，特別の教科である道徳（以下「道徳科」という。）を要として学校の**教育活動全体**を通じて行うものであり，［ 1 ］はもとより，各教科，**総合的な学習の時間**及び**特別活動**のそれぞれの特質に応じて，生徒の発達の段階を考慮して，適切な指導を行うこと。道徳教育は，［ 2 ］及び学校教育法に定められた教育の根本精神に基づき，自己の［ 3 ］を考え，**主体**的な判断の下に行動し，**自立**した人間として他者と共によりよく生きるための基盤となる［ 4 ］を養うことを目標とすること。

道徳教育を進めるに当たっては，［ 5 ］の精神と［ 6 ］に対する**畏敬**の念を**家庭**，学校，その他**社会**における具体的な生活の中に生かし，［ 7 ］心をもち，**伝統**と**文化**を尊重し，それらを育んできた我が国と［ 8 ］を愛し，個性豊かな文化の創造を図るとともに，［ 9 ］で

1. 道徳科
2. 教育基本法
3. 生き方
4. 道徳性
5. 人間尊重
6. 生命
7. 豊かな
8. 郷土
9. 平和

10. 未来

民主的な国家及び社会の形成者として，公共の精神を尊び，社会及び国家の発展に努め，他国を尊重し，国際社会の平和と発展や環境の保全に貢献し［10］を拓（ひら）く主体性のある日本人の育成に資することとなるよう特に留意すること。

〔高等学校〕

11. 生き方

学校における道徳教育は，人間としての在り方［11］に関する教育を学校の教育活動全体を通じて行うことによりその充実を図るものとし，各教科に属する科目（以下「各教科・科目」という。），総合的な探究の時間及び特別活動（以下「各教科・科目等」という。）のそれぞれの特質に応じて，適切な指導を行うこと。

12. 教育基本法
13. 自己実現
14. 生き方
15. 道徳性

道徳教育は，［12］及び学校教育法に定められた教育の根本精神に基づき，生徒が自己探求と［13］に努め国家・社会の一員としての自覚に基づき行為しうる発達の段階にあることを考慮し，人間としての在り方［14］を考え，主体的な判断の下に行動し，自立した人間として他者と共によりよく生きるための基盤となる［15］を養うことを目標とすること。

16. 人間尊重
17. 畏敬
18. 豊か
19. 郷土
20. 公共
21. 平和
22. 環境
23. 日本人

道徳教育を進めるに当たっては，［16］の精神と生命に対する［17］の念を家庭，学校，その他社会における具体的な生活の中に生かし，［18］な心をもち，伝統と文化を尊重し，それらを育んできた我が国と［19］を愛し，個性豊かな文化の創造を図るとともに，平和で民主的な国家及び社会の形成者として，［20］の精神を尊び，社会及び国家の発展に努め，他国を尊重し，国際社会の［21］と発展や［22］の保全に貢献し未来を拓（ひら）く主体性のある［23］の育成に資することとなるよう特に留意すること。

2．道徳教育の目標

〔小学校〕

24. 自己

第１章 総則の第１の２の(2)に示す道徳教育の目標に基づき，よりよく生きるための基盤となる道徳性を養うため，道徳的諸価値についての理解を基に，自己を見つめ，物事を多面的・多角的に考え，［24］の生き方についての考えを深める学習を通して，**道徳的な判断力**，**心情**，**実践意欲**と態度を育てる。

〔中学校〕

第１章 総則の第１の２の⑵に示す道徳教育の目標に基づき，よりよく生きるための基盤となる**道徳性**を養うため，**道徳的諸価値**についての理解を基に，自己を見つめ，物事を広い視野から**多面**的・**多角**的に考え，［ 25 ］としての生き方についての考えを深める学習を通して，**道徳的**な**判断力**，［ 26 ］，**実践意欲**と態度を育てる。

25. 人間

26. 心情

3．「特別の教科　道徳」の内容

＊下線部は旧学習指導要領（2008年告示）からの主な変更箇所，★は新設箇所。

小学校第１・２学年	小学校第３・４学年	小学校第５・６学年
A　主として自分自身に関すること	**A　主として自分自身に関すること**	**A　主として自分自身に関すること**
⑴　よいことと悪いこととの区別をし，よいと思うことを進んで行うこと。	⑴　正しいと判断したことは，<u>自信</u>をもって行うこと。	⑴　自由を大切にし，自律的に<u>判断し</u>，責任のある行動をすること。
⑵　うそをついたりごまかしをしたりしないで，素直に伸び伸びと生活すること。	⑵　過ちは素直に改め，正直に明るい心で生活すること。	⑵　誠実に，明るい心で生活すること。
⑶　健康や安全に気を付け，物や金銭を大切にし，身の回りを整え，わがままをしないで，規則正しい生活をすること。	⑶　自分でできることは自分でやり，<u>安全に気を付け</u>，よく考えて行動し，節度のある生活をすること。	⑶　<u>安全に気を付けることや，生活習慣の大切さについて理解し</u>，自分の生活を見直し，節度を守り節制に心掛けること。
★⑷　自分の特徴に気付くこと。	⑷　自分の特徴に気付き，<u>長所を</u>伸ばすこと。	⑷　自分の特徴を知って，<u>短所</u>を改め<u>長所</u>を伸ばすこと。
⑸　自分のやるべき勉強や仕事をしっかりと行うこと。	⑸　自分でやろうと決めた<u>目標に向かって，強い意志をもち</u>，粘り強く<u>やり抜く</u>こと。	⑸　より高い目標を立て，希望と勇気をもち，<u>困難があっても</u>くじけずに努力して<u>物事をやり抜く</u>こと。
		⑹　真理を大切にし，<u>物事を探究しようとする心をもつこと</u>。
B　主として人との関わりに関すること	**B　主として人との関わりに関すること**	**B　主として人との関わりに関すること**
⑴　身近にいる人に温かい心で接し，親切にすること。	⑴　相手のことを思いやり，進んで親切にすること。	⑴　誰に対しても思いやりの心をもち，相手の立場に立って親切にすること。

8 学習指導要領

小学校第１・２学年	小学校第３・４学年	小学校第５・６学年
(2) 家族など日頃世話になっている人々に感謝すること。	(2) 家族など生活を支えてくれている人々や現在の生活を築いてくれた高齢者に，尊敬と感謝の気持ちをもって接すること。	(2) 日々の生活が家族や過去からの多くの人々の支え合いや助け合いで成り立っていることに感謝し，それに応えること。
(3) 気持ちのよい挨拶，言葉遣い，動作などに心掛けて，明るく接すること。	(3) 礼儀の大切さを知り，誰に対しても真心をもって接すること。	(3) 時と場をわきまえて，礼儀正しく真心をもって接すること。
(4) 友達と仲よくし，助け合うこと。	(4) 友達と互いに理解し，信頼し，助け合うこと。	(4) 友達と互いに信頼し，学び合って友情を深め，異性についても理解しながら，人間関係を築いていくこと。
	★(5) 自分の考えや意見を相手に伝えるとともに，相手のことを理解し，自分と異なる意見も大切にすること。	(5) 自分の考えや意見を相手に伝えるとともに，謙虚な心をもち，広い心で自分と異なる意見や立場を尊重すること。
C 主として集団や社会との関わりに関すること	**C 主として集団や社会との関わりに関すること**	**C 主として集団や社会との関わりに関すること**
(1) 約束やきまりを守り，みんなが使う物を大切にすること。	(1) 約束や社会のきまりの意義を理解し，それらを守ること。	(1) 法やきまりの意義を理解した上で進んでそれらを守り，自他の権利を大切にし，義務を果たすこと。
★(2) 自分の好き嫌いにとらわれないで接すること。	★(2) 誰に対しても分け隔てをせず，公正，公平な態度で接すること。	(2) 誰に対しても差別をすることや偏見をもつことなく，公正，公平な態度で接し，正義の実現に努めること。
(3) 働くことのよさを知り，みんなのために働くこと。	(3) 働くことの大切さを知り，進んでみんなのために働くこと。	(3) 働くことや社会に奉仕することの充実感を味わうとともに，その意義を理解し，公共のために役に立つことをすること。
(4) 父母，祖父母を敬愛し，進んで家の手伝いなどをして，家族の役に立つこと。	(4) 父母，祖父母を敬愛し，家族みんなで協力し合って楽しい家庭をつくること。	(4) 父母，祖父母を敬愛し，家族の幸せを求めて，進んで役に立つことをすること。
(5) 先生を敬愛し，学校の人々に親しんで，学級や学校の生活を楽しくすること。	(5) 先生や学校の人々を敬愛し，みんなで協力し合って楽しい学級や学校をつくること。	(5) 先生や学校の人々を敬愛し，みんなで協力し合ってよりよい学級や学校をつくるとともに，様々な集団の中での自分の役割を自覚して集団生活の充実に努めること。
(6) 我が国や郷土の文化と生活に親しみ，愛着をもつこ	(6) 我が国や郷土の伝統と文化を大切にし，国や郷土を	(6) 我が国や郷土の伝統と文化を大切にし，先人の努力

小学校第１・２学年	小学校第３・４学年	小学校第５・６学年
と。 ★(7)　他国の人々や文化に親しむこと。	愛する心をもつこと。 (7)　他国の人々や文化に親しみ，関心をもつこと。	を知り，国や郷土を愛する心をもつこと。 (7)　他国の人々や文化について理解し，日本人としての自覚をもって国際親善に努めること。
D　主として生命や自然，崇高なものとの関わりに関すること (1)　生きることのすばらしさを知り，生命を大切にすること。 (2)　身近な自然に親しみ，動植物に優しい心で接すること。 (3)　美しいものに触れ，すがすがしい心をもつこと。	**D　主として生命や自然，崇高なものとの関わりに関すること** (1)　生命の尊さを知り，生命あるものを大切にすること。 (2)　自然のすばらしさや不思議さを感じ取り，自然や動植物を大切にすること。 (3)　美しいものや気高いものに感動する心をもつこと。	**D　主として生命や自然，崇高なものとの関わりに関すること** (1)　生命が多くの生命のつながりの中にあるかけがえのないものであることを理解し，生命を尊重すること。 (2)　自然の偉大さを知り，自然環境を大切にすること。 (3)　美しいものや気高いものに感動する心や人間の力を超えたものに対する畏敬の念をもつこと。 ★(4)　よりよく生きようとする人間の強さや気高さを理解し，人間として生きる喜びを感じること。

11 総合的な学習の時間（小・中）

総合的な学習の時間の展開例

【課題の設定】	
興味をもつ	自分で知りたいこと，興味・関心があることを考える。 疑問に思ったり，不思議だと思うことを調べる。
【情報の収集】	
調 べ る	図書，インターネット，他者への質問等色々な方法で調べる。 また調べる方法を考える。
【整理・分析】	
まとめる	レポート形式や新聞形式等色々な発表方法を考える。 パソコンを駆使してまとめることもある。
【まとめ・表現】	
発表する	皆の前で発表したり，紙上発表したりする。 プレゼンテーション・ソフトを使った発表。

1. 総合
2. 生き方
3. 課題
4. 表現
5. 社会

1．目　標

探究的な見方・考え方を働かせ，**横断**的・[1]的な学習を行うことを通して，よりよく**課題**を**解決**し，自己の[2]を考えていくための資質・能力を次のとおり育成することを目指す。

⑴ **探究**的な学習の過程において，[3]の解決に必要な知識及び技能を身に付け，課題に関わる概念を形成し，**探究**的な学習のよさを理解するようにする。

⑵ 実社会や実生活の中から問いを見いだし，自分で課題を立て，**情報**を集め，**整理**・**分析**して，まとめ・[4]することができるようにする。

⑶ **探究**的な学習に**主体**的・**協働**的に取り組むとともに，互いのよさを生かしながら，積極的に[5]に参画しようとする態度を養う。

2．各学校において定める目標及び内容の取扱い

各学校において定める目標及び内容の設定に当たっては，次の事項に配慮するものとする。

⑴　各学校において定める目標については，各学校における教育目標を踏まえ，**総合的な学習の時間**を通して育成を目指す**資質・能力**を示すこと。
⑵　各学校において定める目標及び内容については，**他教科**等の目標及び内容との違いに留意しつつ，**他教科**等で育成を目指す資質・能力との［ 6 ］を重視すること。
⑶　各学校において定める目標及び内容については，**日常生活**や［ 7 ］との関わりを重視すること。
⑷　各学校において定める内容については，目標を実現するにふさわしい**探究課題**，探究課題の解決を通して育成を目指す具体的な資質・能力を示すこと。
⑸　目標を実現するにふさわしい**探究課題**については，学校の実態に応じて，例えば，［ 8 ］，情報，環境，福祉・健康などの現代的な諸課題に対応する**横断**的・**総合**的な課題，地域や学校の特色に応じた課題，生徒の興味・関心に基づく課題，職業や自己の**将来**に関する課題などを踏まえて設定すること。
⑹　探究課題の解決を通して育成を目指す具体的な資質・能力については，次の事項に配慮すること。
ア　知識及び技能については，他教科等及び総合的な学習の時間で習得する知識及び技能が**相互**に関連付けられ，［ 9 ］の中で生きて働くものとして形成されるようにすること。
イ　**思考力**，**判断力**，**表現力**等については，課題の設定，**情報**の**収集**，**整理・分析**，**まとめ・表現**などの探究的な学習の過程において発揮され，未知の状況において［ 10 ］できるものとして身に付けられるようにすること。
ウ　**学び**に向かう力，**人間性**等については，自分自身に関すること及び他者や社会との関わりに関することの両方の視点を踏まえること。
⑺　目標を実現するにふさわしい探究課題及び探究課題の解決を通して育成を目指す具体的な資質・能力については，**教科等を越えた**全ての学習の基盤となる資質・能力が育まれ，活用されるものとなるよう配慮すること。

6. 関連

7. 社会

8. 国際理解

9. 社会

10. 活用

12 総合的な探究の時間（高）

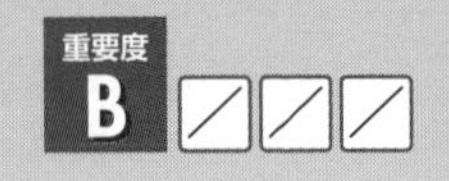

まず名称に着目

「総合的な学習の時間」……小学校・中学校
「総合的な探究の時間」……高等学校

⊙平成28年12月の中央教育審議会答申において「高等学校においては，小・中学校における総合的な学習の時間の取組の成果を生かしつつ，より探究的な活動を重視する視点から，位置付けを明確化し直すことが必要と考えられる」とされたことを受けたものである。

1. 総合
2. 在り方生き方
3. 探究
4. 探究
5. 課題
6. 表現
7. 社会

第1　目　　標

探究の見方・考え方を働かせ，**横断的**・[1]的な学習を行うことを通して，自己の[2]を考えながら，よりよく課題を**発見**し**解決**していくための資質・能力を次のとおり育成することを目指す。

⑴　[3]の過程において，課題の**発見**と**解決**に必要な知識及び技能を身に付け，課題に関わる概念を形成し，[4]の**意義**や**価値**を理解するようにする。

⑵　**実社会**や**実生活**と自己との関わりから問いを見いだし，自分で[5]を立て，**情報**を集め，**整理**・**分析**して，**まとめ**・[6]することができるようにする。

⑶　探究に**主体的**・**協働的**に取り組むとともに，互いのよさを生かしながら，新たな価値を創造し，よりよい[7]を実現しようとする態度を養う。

第2　各学校において定める目標及び内容

1　目　　標

各学校においては，第1の目標を踏まえ，各学校の**総合的な探究の時間**の目標を定める。

2　内　　容

各学校においては，第1の目標を踏まえ，各学校の**総合的な探究の時間**の内容を定める。

3　各学校において定める目標及び内容の取扱い

各学校において定める目標及び内容の設定に当たっては，次の事項に配慮するものとする。

(1)　各学校において定める目標については，各学校における[8]を踏まえ，**総合的な探究の時間**を通して育成を目指す資質・[9]を示すこと。

(2)　各学校において定める目標及び内容については，**他教科**等の目標及び内容との違いに留意しつつ，**他教科**等で育成を目指す資質・能力との[10]を重視すること。

(3)　各学校において定める目標及び内容については，[11]や**社会**との関わりを重視すること。

(4)　各学校において定める内容については，目標を実現するにふさわしい**探究課題**，**探究課題**の[12]を通して育成を目指す具体的な資質・能力を示すこと。

(5)　目標を実現するにふさわしい**探究課題**については，[13]や学校の実態，生徒の特性等に応じて，例えば，[14]，**情報**，**環境**，**福祉**・**健康**などの現代的な諸課題に対応する**横断的**・[15]的な課題，**地域**や学校の特色に応じた課題，生徒の興味・関心に基づく課題，**職業**や自己の[16]に関する課題などを踏まえて設定すること。

(6)　探究課題の解決を通して育成を目指す具体的な資質・能力については，次の事項に配慮すること。

ア　知識及び技能については，他教科等及び総合的な探究の時間で習得する知識及び技能が**相互**に[17]付けられ，[18]の中で生きて働くものとして形成されるようにすること。

イ　[19]力，**判断力**，**表現力**等については，課題の設定，[20]の収集，**整理**・**分析**，**まとめ**・**表現**などの探究の過程において発揮され，未知の状況において活用できるものとして身に付けられるようにすること。

ウ　**学び**に向かう力，**人間性**等については，**自分自身**に関すること及び**他者**や**社会**との関わりに関することの両方の[21]を踏まえること。

8. 教育目標
9. 能力
10. 関連
11. 地域
12. 解決
13. 地域
14. 国際理解
15. 総合
16. 進路
17. 関連
18. 社会
19. 思考
20. 情報
21. 視点

(7) 目標を実現するにふさわしい**探究課題**及び**探究課題**の解決を通して育成を目指す具体的な資質・能力については，教科・科目等を越えた全ての学習の基盤となる資質・能力が育まれ，活用されるものとなるよう配慮すること。

13 特別活動

特別活動の変遷

元号	小学校	元号	中学校	元号	高等学校
昭和22年	各教科 自由研究	昭和22年	各教科 自由研究	昭和23年	各教科 自由研究
昭和26年	各教科 教科以外の活動	昭和26年	各教科 特別教育活動	昭和26年	各教科 特別教育活動
昭和33年	各教科 道徳 特別教育活動 学校行事等	昭和33年	各教科 道徳 特別教育活動 学校行事等	昭和35年	各教科 特別教育活動 学校行事等
昭和43年	各教科 道徳 特別活動	昭和44年	各教科 道徳 特別活動	昭和45年	各教科 各教科以外の教育活動
昭和52年	各教科 道徳 特別活動	昭和52年	各教科 道徳 特別活動	昭和53年	各教科 特別活動
平成元年	各教科 道徳 特別活動	平成元年	各教科 道徳 特別活動	平成元年	各教科 特別活動
平成10年	各教科 道徳 特別活動 総合的な学習の時間	平成10年	各教科 道徳 特別活動 総合的な学習の時間	平成11年	各教科 特別活動 総合的な学習の時間
平成20年	各教科 道徳 外国語活動 総合的な学習の時間 特別活動	平成20年	各教科 道徳 総合的な学習の時間 特別活動	平成21年	各教科 総合的な学習の時間 特別活動
平成29年	各教科(外国語新設) 特別の教科 道徳 外国語活動 総合的な学習の時間 特別活動	平成29年	各教科 特別の教科 道徳 総合的な学習の時間 特別活動	平成30年	各教科 総合的な探究の時間 特別活動

1. 形成者
2. 自主
3. 実践
4. 生活
5. 協働
6. 身につける
7. 人間関係
8. 意思決定
9. 自己
10. 自己実現
11. 形成者
12. 自主
13. 実践
14. 生活
15. 身に付ける
16. 人間関係
17. 意思決定
18. 人間
19. 自己実現
20. 見方・考え方

1. 特別活動の目標

〔小学校〕

集団や**社会**の[1]としての見方・考え方を働かせ，様々な**集団活動**に[2]的，[3]的に取り組み，互いのよさや可能性を発揮しながら**集団**や自己の[4]上の課題を解決することを通して，次のとおり資質・能力を育成することを目指す。

(1) 多様な他者と[5]する様々な**集団活動**の意義や活動を行う上で必要となることについて理解し，行動の仕方を[6]ようにする。

(2) **集団**や自己の生活，[7]の課題を見いだし，解決するために話し合い，**合意形成**を図ったり，[8]したりすることができるようにする。

(3) **自主**的，**実践**的な**集団活動**を通して身に付けたことを生かして，**集団**や**社会**における**生活**及び**人間関係**をよりよく形成するとともに，[9]の生き方についての考えを深め，[10]を図ろうとする態度を養う。

〔中学校〕

集団や**社会**の[11]としての見方・考え方を働かせ，様々な**集団活動**に[12]的，[13]的に取り組み，互いのよさや可能性を発揮しながら**集団**や自己の[14]上の課題を解決することを通して，次のとおり資質・能力を育成することを目指す。

(1) 多様な他者と協働する様々な**集団活動**の意義や活動を行う上で必要となることについて理解し，行動の仕方を[15]ようにする。

(2) 集団や自己の生活，[16]の課題を見いだし，解決するために話し合い，**合意形成**を図ったり，[17]したりすることができるようにする。

(3) **自主**的，**実践**的な**集団活動**を通して身に付けたことを生かして，**集団**や**社会**における**生活**及び**人間関係**をよりよく形成するとともに，[18]としての生き方についての考えを深め，[19]を図ろうとする態度を養う。

〔高等学校〕

集団や**社会**の**形成者**としての[20]を働かせ，様々な

集団活動に**自主**的，**実践**的に取り組み，互いのよさや可能性を発揮しながら**集団**や自己の**生活**上の[21]を解決することを通して，次のとおり資質・能力を育成することを目指す。

21. 課題

(1) 多様な他者と[22]する様々な**集団活動**の意義や活動を行う上で必要となることについて理解し，**行動**の仕方を身に付けるようにする。

22. 協働

(2) **集団**や自己の**生活**，**人間関係**の課題を見いだし，解決するために話し合い，[23]形成を図ったり，[24]決定したりすることができるようにする。

23. 合意
24. 意思

(3) **自主**的，**実践**的な**集団活動**を通して身に付けたことを生かして，**主体**的に**集団**や**社会**に参画し，**生活**及び**人間関係**をよりよく形成するとともに，人間としての[25]についての自覚を深め，[26]を図ろうとする態度を養う。

25. 在り方生き方
26. 自己実現

● Reference

■学校における主な特別活動例

〔1学期〕
始業式（儀式的行事），入学式（儀式的行事），離任式（儀式的行事）
健康診断（健康安全・体育的行事）
遠足（遠足・集団宿泊的行事）
移動教室（遠足・集団宿泊的行事，旅行・集団宿泊的行事）
修学旅行（遠足・集団宿泊的行事，旅行・集団宿泊的行事）

〔2学期〕
避難訓練（健康安全・体育的行事）
児童会選挙（児童会活動），生徒会選挙（生徒会活動）
生徒総会（生徒会活動）
職場訪問・体験（勤労生産・奉仕的行事）
運動会（健康安全・体育的行事）
文化祭（文化的行事）

〔3学期〕
福祉施設訪問（勤労生産・奉仕的行事）
美化作業（勤労生産・奉仕的行事）
卒業式（儀式的行事），修了式（儀式的行事）

1. 遠足
2. 旅行
3. 旅行

1. 合意形成
2. 合意形成
3. 合意形成
4. 課題
5. 課題
6. 課題
7. 自主
8. 実践
9. 自主
10. 実践
11. 自主
12. 実践

2．内容の項目

小学校	中学校	高等学校
A **学級活動**	A **学級活動**	A **ホームルーム活動**
B **児童会活動**	B **生徒会活動**	B **生徒会活動**
C **クラブ活動**		
D **学校行事** (1) 儀式的行事 (2) 文化的行事 (3) 健康安全・体育的行事 (4) [1]・集団宿泊的行事 (5)・勤労生産・奉仕的行事	C **学校行事** (1) 儀式的行事 (2) 文化的行事 (3) 健康安全・体育的行事 (4) [2]・集団宿泊的行事 (5) 勤労生産・奉仕的行事	C **学校行事** (1) 儀式的行事 (2) 文化的行事 (3) 健康安全・体育的行事 (4) [3]・集団宿泊的行事 (5) 勤労生産・奉仕的行事

3．内　容

小学校	中学校	高等学校
A **学級活動** 1 目 標 学級や学校での生活をよりよくするための課題を見いだし，解決するために話し合い，[1]し，役割を分担して協力して実践したり，学級での話合いを生かして自己の[4]の解決及び**将来の生き方**を描くために意思決定して実践したりすることに，[7]的，[8]的に取り組むことを通して，第1の目標に掲げる資質・能力を育成することを目指す。	A **学級活動** 1 目 標 学級や学校での生活をよりよくするための課題を見いだし，解決するために話し合い，[2]し，役割を分担して協力して実践したり，学級での話合いを生かして自己の[5]の解決及び**将来の生き方**を描くために意思決定して実践したりすることに，[9]的，[10]的に取り組むことを通して，第1の目標に掲げる資質・能力を育成することを目指す。	A **ホームルーム活動** 1 目 標 ホームルームや学校での生活をよりよくするための課題を見いだし，解決するために話し合い，[3]し，役割を分担して協力して実践したり，ホームルームでの話合いを生かして自己の[6]の解決及び**将来の生き方**を描くために意思決定して実践したりすることに，[11]的，[12]的に取り組むことを通して，第1の目標に掲げる資質・能力を育成することを目指す。
2 内 容 (1) 学級や学校における生活づくりへの参画 ア 学級や学校における**生活上の諸問題**の解決	2 内 容 (1) 学級や学校における生活づくりへの参画 ア 学級や学校における**生活上の諸問題**の解決	2 内 容 (1) ホームルームや学校における生活づくりへの参画 ア ホームルームや学校における**生活上の諸問題**の解決

小学校	中学校	高等学校
学級や学校における生活をよりよくするための［13］を見いだし，［16］するために話し合い，［19］を図り，実践すること。	学級や学校における生活をよりよくするための［14］を見いだし，［17］するために話し合い，［20］を図り，実践すること。	ホームルームや学校における生活を向上・充実させるための［15］を見いだし，［18］するために話し合い，［21］を図り，実践すること。
イ　**学級**内の**組織**づくりや**役割**の自覚	イ　**学級**内の**組織**づくりや**役割**の自覚	イ　**ホームルーム**内の**組織**づくりや**役割**の自覚
学級生活の充実や向上のため，児童が［22］的に組織をつくり，**役割**を自覚しながら仕事を分担して，**協力**し合い［25］すること。	学級生活の充実や向上のため，生徒が［23］的に組織をつくり，**役割**を自覚しながら仕事を分担して，**協力**し合い［26］すること。	ホームルーム生活の充実や向上のため，生徒が［24］的に組織をつくり，**役割**を自覚しながら仕事を分担して，**協力**し合い［27］すること。
ウ　学校における**多**様な**集団**の**生活**の向上	ウ　学校における**多**様な**集団**の**生活**の向上	ウ　学校における**多**様な**集団**の**生活**の向上
［28］会など学級の枠を超えた多様な集団における活動や**学校行事**を通して学校生活の向上を図るため，学級としての提案や取組を話し合って［31］こと。	［29］会など学級の枠を超えた多様な集団における活動や**学校行事**を通して学校生活の向上を図るため，学級としての提案や取組を話し合って［32］こと。	［30］会などホームルームの枠を超えた多様な集団における活動や**学校行事**を通して学校生活の向上を図るため，ホームルームとしての提案や取組を話し合って［33］こと。
(2)　**日常**の生活や学習への**適応**と自己の**成長**及び**健康安全**	(2)　**日常**の生活や学習への**適応**と自己の**成長**及び**健康安全**	(2)　**日常**の生活や学習への**適応**と自己の**成長**及び**健康安全**
ア　基本的な**生活習慣**の形成 身の回りの**整理**や**挨拶**などの基本的な［34］を身に付け，節度ある生活にすること。		
イ　よりよい**人間関係**の形成	ア　自他の**個性**の**理解**と**尊重**，よりよい**人間関係**の形成	ア　自他の**個性**の**理解**と**尊重**，よりよい**人間関係**の形成

13. 課題
14. 課題
15. 課題
16. 解決
17. 解決
18. 解決
19. 合意形成
20. 合意形成
21. 合意形成
22. 主体
23. 主体
24. 主体
25. 実践
26. 実践
27. 実践
28. 児童
29. 生徒
30. 生徒
31. 決める
32. 決める
33. 決める
34. 生活習慣

35. 仲よく
36. 集団
37. 集団
38. 理解
39. 理解
40. 理解
41. 交流
42. 思春
43. 青年
44. 性
45. 悩み
46. 不安
47. 悩み
48. 不安
49. 健康
50. 健康
51. 健康

小学校	中学校	高等学校
学級や学校の生活において**互い**のよさを見付け，違いを尊重し合い，[35]したり信頼し合ったりして生活すること。	自他の個性を理解して尊重し，**互い**のよさや可能性を発揮しながらよりよい[36]生活をつくること。	自他の個性を理解して尊重し，**互い**のよさや可能性を発揮し，**コミュニケーション**を図りながらよりよい[37]生活をつくること。
	イ　**男女相互**の理解と協力 男女相互について[38]するとともに，共に協力し尊重し合い，充実した生活づくりに参画すること。	イ　**男女相互**の理解と協力 男女相互について[39]するとともに，共に協力し尊重し合い，充実した生活づくりに参画すること。
		ウ　**国際理解**と**国際交流の推進** 我が国と他国の文化や生活習慣などについて[40]し，よりよい[41]の在り方を考えるなど，共に尊重し合い，主体的に**国際社会**に生きる**日本人**としての在り方生き方を探求しようとすること。
	ウ　[42]期の不安や悩みの**解決**，[44]的な**発達**への対応 心や体に関する正しい理解を基に，適切な行動をとり，[45]や[46]に向き合い乗り越えようとすること。	エ　[43]期の悩みや課題とその**解決** 心や体に関する正しい理解を基に，適切な行動をとり，[47]や[48]に向き合い乗り越えようとすること。
ウ　**心身**ともに**健康**で**安全**な**生活態度**の形成 現在及び生涯にわたって心身の[49]を保持増進することや，事	エ　**心身**ともに**健康**で**安全**な**生活態度**や**習慣**の形成 節度ある生活を送るなど現在及び生涯にわたって心身の[50]を保	オ　**生命**の尊重と**心身**ともに**健康**で**安全**な**生活態度**や規律ある**習慣**の確立 節度ある健全な生活を送るなど現在及び生涯にわたって心身の[51]

小学校	中学校	高等学校
件や事故，[52]等から身を守り安全に行動すること。	持増進することや，事件や事故，[53]等から身を守り安全に行動すること。	を保持増進することや，事件や事故，[54]等から身を守り安全に行動すること。
エ [55]の観点を踏まえた学校給食と望ましい食習慣の形成 [57]の時間を中心としながら，健康によい食事のとり方など，望ましい[59]の形成を図るとともに，食事を通して人間関係をよりよくすること。	オ [56]の観点を踏まえた学校給食と望ましい食習慣の形成 給食の時間を中心としながら，成長や[58]を意識するなど，望ましい[60]の形成を図るとともに，食事を通して人間関係をよりよくすること。	
(3) 一人一人の[61]形成と自己実現	(3) 一人一人の[62]形成と自己実現	(3) 一人一人の[63]形成と自己実現
ア 現在や将来に希望や目標をもって生きる意欲や態度の形成 学級や学校での生活づくりに[66]的に関わり，自己を生かそうとするとともに，希望や目標をもち，その実現に向けて日常の生活をよりよくしようとすること。	ア 社会生活，職業生活との接続を踏まえた[64]的な学習態度の形成と[65]等の活用 現在及び将来の学習と自己実現とのつながりを考えたり，[67]的に学習する場としての[68]等を活用したりしながら，学ぶことと[69]ことの意義を意識して学習の見通しを立て，振り返ること。	ア 学校生活と社会的・職業的自立の意義の理解 現在及び将来の生活や学習と自己実現とのつながりを考えたり，社会的・職業的自立の意義を意識したりしながら，学習の見通しを立て，振り返ること。 イ [70]的な学習態度の確立と学校図書館等の活用 [71]的に学習する場としての[72]等を活用し，自分にふさわしい学習方法や学習習慣を身に付けること。
イ 社会参画意識の醸成や働くことの意義の理解	イ 社会参画意識の醸成や勤労観・職業観の形成	ウ 社会参画意識の醸成や勤労観・職業観の形成

52. 災害
53. 災害
54. 災害
55. 食育
56. 食育
57. 給食
58. 健康管理
59. 食習慣
60. 食習慣
61. キャリア
62. キャリア
63. キャリア
64. 主体
65. 学校図書館
66. 主体
67. 自主
68. 学校図書館
69. 働く
70. 主体
71. 自主
72. 学校図書館

73. 清掃
74. ルール
75. ルール
76. 選択
77. 選択決定
78. 学校図書館
79. 適性
80. キャリア形成
81. 進路
82. 在り方生き方
83. 学校図書館
84. 見通し
85. 小学校
86. 中学校
87. 発表
88. 合意形成
89. 生活習慣

小学校	中学校	高等学校
[73]などの当番活動や係活動等の自己の役割を自覚して協働することの意義を理解し，社会の一員として役割を果たすために必要となることについて主体的に考えて行動すること。	社会の一員としての自覚や責任を持ち，社会生活を営む上で必要なマナーや[74]，働くことや**社会**に貢献することについて考えて行動すること。	社会の一員としての自覚や責任をもち，社会生活を営む上で必要なマナーや[75]，働くことや**社会**に貢献することについて考えて行動すること。
ウ　**主体**的な学習態度の形成と[78]等の活用 学ぶことの意義や現在及び将来の学習と自己実現とのつながりを考えたり，**自主**的に学習する場としての[83]等を活用したりしながら，学習の[84]を立て，**振り返る**こと。	ウ　**主体**的な**進路**の[76]と**将来設計** 目標をもって，生き方や[81]に関する適切な情報を収集・整理し，自己の個性や興味・関心と**照らして考える**こと。	エ　**主体**的な**進路**の[77]と**将来設計** [79]や[80]などを踏まえた教科・科目を選択することなどについて，目標をもって，[82]や進路に関する適切な情報を収集・整理し，自己の個性や興味・関心と**照らして考える**こと。
3　内容の取扱い (1)　指導に当たっては，各学年段階で特に次の事項に配慮すること。 **〔第1・第2学年〕** 話合いの進め方に沿って，自分の意見を[87]したり，他者の意見をよく聞いたりして，[88]して実践することのよさを理解すること。 基本的な[89]や，**約束やきまり**を守ることの大切さを理解して行動し，生活をよくするための目標を決めて実行すること。 **〔第3・第4学年〕** 理由を明確にし	3　内容の取扱い (1)　2の(1)の指導に当たっては，集団としての意見をまとめる話合い活動など[85]からの積み重ねや経験を生かし，それらを発展させることができるよう工夫すること。	3 内容の取扱い (1)　内容の(1)の指導に当たっては，集団としての意見をまとめる話合い活動など[86]の積み重ねや経験を生かし，それらを発展させることができるよう工夫すること。

小学校	中学校	高等学校
て考えを伝えたり，自分と[90]意見も受け入れたりしながら，集団としての目標や活動内容について[91]を図り，実践すること。**自分のよさや役割**を自覚し，よく考えて行動するなど[92]ある生活を送ること。 〔第５・第６学年〕 相手の思いを受け止めて聞いたり，相手の[93]や考え方を理解したりして，多様な意見のよさを積極的に生かして[94]を図り，実践すること。高い目標をもって粘り強く努力し，**自他のよさを伸ばし合う**ようにすること。		
(2)　２の(3)の指導に当たっては，学校，家庭及び地域における学習や生活の見通しを立て，学んだことを振り返りながら，新たな学習や生活への意欲につなげたり，将来の[95]を考えたりする活動を行うこと。その際，児童が活動を記録し蓄積する教材等を活用すること。	(2)　２の(3)の指導に当たっては，学校，家庭及び地域における学習や生活の見通しを立て，学んだことを振り返りながら，新たな学習や生活への意欲につなげたり，将来の[96]を考えたりする活動を行うこと。その際，生徒が活動を記録し蓄積する教材等を活用すること。	(2)　内容の(3)の指導に当たっては，学校，家庭及び地域における学習や生活の見通しを立て，学んだことを振り返りながら，新たな学習や生活への意欲につなげたり，将来の[97]を考えたりする活動を行うこと。その際，生徒が活動を記録し蓄積する教材等を活用すること。
B　児童会活動 １　目　標 [98]の児童同士で協力し，学校生	B　生徒会活動 １　目　標 [99]の生徒同士で協力し，学校生	B　生徒会活動 １　目　標 [100]の生徒同士で協力し，学校生

90. 異なる
91. 合意形成
92. 節度
93. 立場
94. 合意形成
95. 生き方
96. 生き方
97. 在り方生き方
98. 異年齢
99. 異年齢
100. 異年齢

101. 役割
102. 役割
103. 役割
104. 児童会
105. 生徒会
106. 生徒会
107. 主体
108. 主体
109. 主体
110. 合意形成
111. 合意形成
112. 合意形成
113. 交流

小学校	中学校	高等学校
活の充実と向上を図るための諸問題の解決に向けて，計画を立て［101］を分担し，協力して運営することに自主的，実践的に取り組むことを通して，第1の目標に掲げる資質・能力を育成することを目指す。	活の充実と向上を図るための諸問題の解決に向けて，計画を立て［102］を分担し，協力して運営することに自主的，実践的に取り組むことを通して，第1の目標に掲げる資質・能力を育成することを目指す。	活の充実と向上を図るための諸問題の解決に向けて，計画を立て［103］を分担し，協力して運営することに自主的，実践的に取り組むことを通して，第1の目標に掲げる資質・能力を育成することを目指す。
2 内 容 1の資質・能力を育成するため，学校の**全児童**をもって組織する［104］において，次の各活動を通して，それぞれの活動の意義及び活動を行う上で必要となることについて理解し，主体的に考えて実践できるよう指導する。 (1) **児童会の組織づくりと児童会活動の計画や運営** 児童が［107］的に組織をつくり，役割を分担し，計画を立て，学校生活の課題を見いだし解決するために話し合い，［110］を図り実践すること。 (2) **異年齢集団**による交流 児童会が計画や運営を行う集会等の活動において，**学年**や**学級**が異なる児童と共に楽しく触れ合い，［113］を図ること。 (3) **学校行事への協力**	2 内 容 1の資質・能力を育成するため，学校の**全生徒**をもって組織する［105］において，次の各活動を通して，それぞれの活動の意義及び活動を行う上で必要となることについて理解し，主体的に考えて実践できるよう指導する。 (1) **生徒会の組織づくりと生徒会活動の計画や運営** 生徒が［108］的に組織をつくり，役割を分担し，計画を立て，学校生活の課題を見いだし解決するために話し合い，［111］を図り実践すること。 (2) **学校行事への協力**	2 内 容 1の資質・能力を育成するため，学校の**全生徒**をもって組織する［106］において，次の各活動を通して，それぞれの活動の意義及び活動を行う上で必要となることについて理解し，主体的に考えて実践できるよう指導する。 (1) **生徒会の組織づくりと生徒会活動の計画や運営** 生徒が［109］的に組織をつくり，役割を分担し，計画を立て，学校生活の課題を見いだし解決するために話し合い，［112］を図り実践すること。 (2) **学校行事への協力**

小学校	中学校	高等学校
学校行事の特質に応じて，児童会の組織を活用して，計画の一部を［114］したり，**運営**に**協力**したりすること。	学校行事の特質に応じて，生徒会の組織を活用して，計画の一部を［115］したり，**運営**に［117］的に**協力**したりすること。 (3) ［119］活動などの**社会参画** 地域や社会の課題を見いだし，具体的な対策を考え，実践し，地域や**社会**に**参画**できるようにすること。	学校行事の特質に応じて，生徒会の組織を活用して，計画の一部を［116］したり，**運営**に［118］的に**協力**したりすること。 (3) ［120］活動などの**社会参画** 地域や社会の課題を見いだし，具体的な対策を考え，実践し，地域や**社会**に**参画**できるようにすること。
3 内容の取扱い (1) 児童会の計画や運営は，主として［121］の児童が行うこと。その際，学校の全児童が主体的に活動に参加できるものとなるよう配慮すること。		
C クラブ活動 1 目 標 ［122］の児童同士で協力し，**共通の興味・関心**を追求する集団活動の計画を立てて運営することに自主的，実践的に取り組むことを通して，個性の伸長を図りながら，第1の目標に掲げる資質・能力を育成することを目指す。		
2 内 容 1の資質・能力を育成するため，主として第［123］学年以上の同好の児童をもって組織するクラブにおいて，次の各活動を通して，それ		

114. 担当
115. 担当
116. 担当
117. 主体
118. 主体
119. ボランティア
120. ボランティア
121. 高学年
122. 異年齢
123. 4

124. 役割
125. 創意工夫
126. 発意
127. 協力
128. 協力
129. 協力
130. 所属感
131. 所属感
132. 公共の精神
133. 公共の精神
134. 所属感
135. 公共の精神

小学校	中学校	高等学校
ぞれの活動の意義及び活動を行う上で必要となることについて理解し，**主体**的に考えて**実践**できるよう指導する。 (1) **クラブ**の**組織**づくりと**クラブ活動**の**計画**や**運営** 児童が活動計画を立て， 124 を分担し，協力して運営に当たること。 (2) **クラブ**を楽しむ活動 異なる学年の児童と協力し， 125 を生かしながら共通の興味・関心を追求すること。 (3) **クラブ**の**成果**の**発表** 活動の成果について，クラブの成員の 126 ・発想を生かし，協力して全校の児童や地域の人々に発表すること。		
D 学校行事 1 目 標 全校又は学年の児童で 127 し，よりよい学校生活を築くための体験的な活動を通して，集団への 130 や連帯感を深め， 132 を養いながら，第1の目標に掲げる資質・能力を育成することを目指す。	C 学校行事 1 目 標 全校又は学年の生徒で 128 し，よりよい学校生活を築くための体験的な活動を通して，集団への 131 や連帯感を深め， 133 を養いながら，第1の目標に掲げる資質・能力を育成することを目指す。	C 学校行事 1 目 標 全校若しくは学年又はそれらに準ずる集団で 129 し，よりよい学校生活を築くための体験的な活動を通して，集団への 134 や連帯感を深め， 135 を養いながら，第1の目標に掲げる資質・能力を育成することを目指す。
2 内 容 1の資質・能力を育成するため，全て	2 内 容 1の資質・能力を育成するため，全て	2 内 容 1の資質・能力を育成するため，全校

小学校	中学校	高等学校
の[136]において，全校又は学年を単位として，次の各行事において，学校生活に秩序と変化を与え，学校生活の充実と発展に資する[139]的な活動を行うことを通して，それぞれの学校行事の意義及び活動を行う上で必要となることについて理解し，主体的に考えて[142]できるよう指導する。	の[137]において，全校又は学年を単位として，次の各行事において，学校生活に秩序と変化を与え，学校生活の充実と発展に資する[140]的な活動を行うことを通して，それぞれの学校行事の意義及び活動を行う上で必要となることについて理解し，主体的に考えて[143]できるよう指導する。	若しくは学年又はそれらに準ずる[138]を単位として，次の各行事において，学校生活に秩序と変化を与え，学校生活の充実と発展に資する[141]的な活動を行うことを通して，それぞれの学校行事の意義及び活動を行う上で必要となることについて理解し，主体的に考えて[144]できるよう指導する。
(1) **儀式的行事** 学校生活に有意義な**変化**や**折り目**を付け，[145]で清新な気分を味わい，新しい生活の展開への動機付けとなるようにすること。	(1) **儀式的行事** 学校生活に有意義な**変化**や**折り目**を付け，[146]で清新な気分を味わい，新しい生活の展開への動機付けとなるようにすること。	(1) **儀式的行事** 学校生活に有意義な**変化**や**折り目**を付け，[147]で清新な気分を味わい，新しい生活の展開への動機付けとなるようにすること。
(2) **文化的行事** 平素の**学習活動**の**成果**を発表し，自己の向上の意欲を一層高めたり，[148]や芸術に親しんだりするようにすること。	(2) **文化的行事** 平素の学習活動の成果を発表し，自己の向上の意欲を一層高めたり，[149]や芸術に親しんだりするようにすること。	(2) **文化的行事** 平素の学習活動の成果を発表し，自己の向上の意欲を一層高めたり，[150]や芸術に親しんだりするようにすること。
(3) **健康安全・体育的行事** [151]の健全な発達や健康の保持増進，事件や事故，[154]等から身を守る安全な行動や[157]ある**集団行動**の体得，運動に親しむ態度の育成，[160]や連帯感の涵(かん)養，体力の向上などに資するようにすること。	(3) **健康安全・体育的行事** [152]の健全な発達や健康の保持増進，事件や事故，[155]等から身を守る安全な行動や[158]ある**集団行動**の体得，運動に親しむ態度の育成，[161]や連帯感の涵(かん)養，体力の向上などに資するようにすること。	(3) **健康安全・体育的行事** [153]の健全な発達や健康の保持増進，事件や事故，[156]等から身を守る安全な行動や[159]ある**集団行動**の体得，運動に親しむ態度の育成，[162]や連帯感の涵(かん)養，体力の向上などに資するようにすること。

136. 学年
137. 学年
138. 集団
139. 体験
140. 体験
141. 体験
142. 実践
143. 実践
144. 実践
145. 厳粛
146. 厳粛
147. 厳粛
148. 文化
149. 文化
150. 文化
151. 心身
152. 心身
153. 心身
154. 災害
155. 災害
156. 災害
157. 規律
158. 規律
159. 規律
160. 責任感
161. 責任感
162. 責任感

163. 生活環境
164. 生活環境
165. 生活環境
166. 公衆道徳
167. 公衆道徳
168. 公衆道徳
169. ボランティア
170. 勤労
171. 職業
172. 勤労
173. 職業
174. ボランティア
175. ボランティア

小学校	中学校	高等学校
⑷ **遠足・集団宿泊的行事** 自然の中での**集団宿泊活動**などの平素と異なる［163］にあって，見聞を広め，自然や文化などに親しむとともに，よりよい人間関係を築くなどの集団生活の在り方や［166］などについての体験を積むことができるようにすること。	⑷ **旅行・集団宿泊的行事** 平素と異なる［164］にあって，見聞を広め，自然や文化などに親しむとともに，よりよい人間関係を築くなどの集団生活の在り方や［167］などについての体験を積むことができるようにすること。	⑷ **旅行・集団宿泊的行事** 平素と異なる［165］にあって，見聞を広め，自然や文化などに親しむとともに，よりよい人間関係を築くなどの集団生活の在り方や［168］などについての体験を積むことができるようにすること。
⑸ **勤労生産・奉仕的行事** 勤労の尊さや生産の喜びを体得するとともに，［169］活動などの**社会奉仕**の**精神**を養う体験が得られるようにすること。	⑸ **勤労生産・奉仕的行事** 勤労の尊さや生産の喜びを体得し，職場体験活動などの［170］観・［171］観に関わる**啓発**的な**体験**が得られるようにするとともに，共に助け合って生きることの喜びを体得し，［174］活動などの**社会奉仕**の**精神**を養う体験が得られるようにすること。	⑸ **勤労生産・奉仕的行事** 勤労の尊さや創造することの喜びを体得し，就業体験活動などの［172］観・［173］観の形成や**進路**の**選択決定**などに資する体験が得られるようにするとともに，共に助け合って生きることの喜びを体得し，［175］活動などの**社会奉仕**の**精神**を養う体験が得られるようにすること。
3　内容の取扱い ⑴ 児童や学校，地域の実態に応じて，2に示す行事の種類ごとに，行事及びその内容を重点化するとともに，各行事の趣旨を生かした上で，行事間の関連や統合を図るなど**精選**して**実施**すること。また，実施	3　内容の取扱い ⑴ 生徒や学校，地域の実態に応じて，2に示す行事の種類ごとに，行事及びその内容を重点化するとともに，各行事の趣旨を生かした上で，行事間の関連や統合を図るなど**精選**して**実施**すること。また，実施	3　内容の取扱い ⑴ 生徒や学校，地域の実態に応じて，内容に示す行事の種類ごとに，行事及びその内容を重点化するとともに，各行事の趣旨を生かした上で，行事間の関連や統合を図るなど**精選**して**実施**すること。また，実

小学校	中学校	高等学校
に当たっては，176 や社会体験などの 179 を充実するとともに，182 を通して気付いたことなどを振り返り，まとめたり，発表し合ったりするなどの事後の活動を充実すること。	に当たっては，177 や社会体験などの 180 を充実するとともに，183 を通して気付いたことなどを振り返り，まとめたり，発表し合ったりするなどの事後の活動を充実すること。	施に当たっては，178 や社会体験などの 181 を充実するとともに，184 を通して気付いたことなどを振り返り，まとめたり，発表し合ったりするなどの事後の活動を充実すること。

176. 自然体験
177. 自然体験
178. 自然体験
179. 体験活動
180. 体験活動
181. 体験活動
182. 体験活動
183. 体験活動
184. 体験活動

1. 主体
2. 主体
3. 主体
4. 対話
5. 対話
6. 対話
7. 深
8. 深
9. 深
10. 認め合
11. 認め合
12. 認め合
13. 全体計画
14. 全体計画
15. 全体計画
16. 年間指導計画
17. 年間指導計画
18. 年間指導計画
19. 創意工夫
20. 創意工夫
21. 創意工夫
22. 外国語活動

4．指導計画の作成と内容の取扱い

小学校	中学校	高等学校
1 指導計画の作成に当たっては，次の事項に配慮するものとする。 (1) 特別活動の各活動及び学校行事を見通して，その中で育む資質・能力の育成に向けて，児童の［1］的・［4］的で［7］い学びの実現を図るようにすること。その際，よりよい人間関係の形成，よりよい集団生活の構築や**社会**への**参画**及び**自己実現**に資するよう，児童が集団や社会の形成者としての見方・考え方を働かせ，様々な集団活動に自主的，実践的に取り組む中で，互いのよさや個性，多様な考えを［10］い，等しく**合意形成**に関わり役割を担うようにすることを重視すること。 (2) 各学校においては特別活動の［13］や各活動及び学校行事の［16］を作成すること。その際，学校の［19］を生かし，学級や学校，地域の実態，児童の発達の段階などを考慮するとともに，第2に示す内容相互及び各教科，道徳科，［22］，総	1 指導計画の作成に当たっては，次の事項に配慮するものとする。 (1) 特別活動の各活動及び学校行事を見通して，その中で育む資質・能力の育成に向けて，生徒の［2］的・［5］的で［8］い学びの実現を図るようにすること。その際，よりよい人間関係の形成，よりよい集団生活の構築や**社会**への**参画**及び**自己実現**に資するよう，生徒が集団や社会の形成者としての見方・考え方を働かせ，様々な集団活動に自主的，実践的に取り組む中で，互いのよさや個性，多様な考えを［11］い，等しく**合意形成**に関わり役割を担うようにすることを重視すること。 (2) 各学校においては特別活動の［14］や各活動及び学校行事の［17］を作成すること。その際，学校の［20］を生かし，学級や学校，地域の実態，生徒の発達の段階などを考慮するとともに，第2に示す内容相互及び各教科，道徳科，総合的な学習の時間	1 指導計画の作成に当たっては，次の事項に配慮するものとする。 (1) 特別活動の各活動及び学校行事を見通して，その中で育む資質・能力の育成に向けて，生徒の［3］的・［6］的で［9］い学びの実現を図るようにすること。その際，よりよい人間関係の形成，よりよい集団生活の構築や**社会**への**参画**及び**自己実現**に資するよう，生徒が集団や社会の形成者としての見方・考え方を働かせ，様々な集団活動に自主的，実践的に取り組む中で，互いのよさや個性，多様な考えを［12］い，等しく**合意形成**に関わり役割を担うようにすることを重視すること。 (2) 各学校においては，次の事項を踏まえて特別活動の［15］や各活動及び学校行事の［18］を作成すること。 ア 学校の［21］を生かし，ホームルームや学校，地域の実態，生徒の発達の段階などを考慮すること。 イ 第2に示す内容相互及び各

小学校	中学校	高等学校
合的な学習の時間などの指導との関連を図り，児童による[24]的，[26]的な活動が**助長**されるようにすること。また，家庭や地域の人々との連携，社会教育施設等の活用などを工夫すること。	などの指導との関連を図り，生徒による[23]的，[25]的な活動が**助長**されるようにすること。また，家庭や地域の人々との連携，社会教育施設等の活用などを工夫すること。	教科・科目，総合的な探究の時間などの指導との関連を図り，生徒による[27]的，[28]的な活動が**助長**されるようにすること。特に社会において**自立**的に生きることができるようにするため，社会の一員としての自己の生き方を探求するなど，人間としての[29]の指導が行われるようにすること。 ウ　家庭や地域の人々との連携，社会教育施設等の活用などを工夫すること。その際，**ボランティア活動**などの社会奉仕の精神を養う体験的な活動や就業体験活動などの勤労に関わる体験的な活動の機会をできるだけ取り入れること。
⑶　学級活動における児童の[30]的，[32]的な活動を中心として，各活動と学校行事を相互に関連付けながら，個々の児童についての理解を深め，教師と児童，児童相互の[36]を育み，学級経営の充実を図ること。その際，特に，[39]の**未然防止**等を含めた生徒指導との関連を図るようにすること。	⑶　学級活動における生徒の[31]的，[33]的な活動を中心として，各活動と学校行事を相互に関連付けながら，個々の生徒についての理解を深め，教師と生徒，生徒相互の[37]を育み，学級経営の充実を図ること。その際，特に，[40]の**未然防止**等を含めた生徒指導との関連を図るようにすること。	⑶　ホームルーム活動における生徒の[34]的，[35]的な活動を中心として，各活動と学校行事を相互に関連付けながら，個々の生徒についての理解を深め，教師と生徒，生徒相互の[38]を育み，ホームルーム経営の充実を図ること。その際，特に，[41]の**未然防止**等を含めた生徒指導との関連を図るように

23. 自主
24. 自主
25. 実践
26. 実践
27. 自主
28. 実践
29. 在り方生き方
30. 自発
31. 自発
32. 自治
33. 自治
34. 自発
35. 自治
36. 信頼関係
37. 信頼関係
38. 信頼関係
39. いじめ
40. いじめ
41. いじめ

42. 低学年
43. 幼稚園教育要領
44. 生活
45. 障害
46. 障害
47. 障害
48. 道徳
49. 道徳
50. 特別の教科 道徳
51. 特別の教科 道徳

小学校	中学校	高等学校
		すること。
(4) [42]においては，第１章総則の第２の４の(1)を踏まえ，他教科等との関連を積極的に図り，指導の効果を高めるようにするとともに，[43]等に示す**幼児期**の終わりまでに育ってほしい姿との**関連**を考慮すること。特に，小学校入学当初においては，[44]科を中心とした**関連**的な**指導**や，弾力的な時間割の設定を行うなどの工夫をすること。		
(5) [45]のある児童などについては，学習活動を行う場合に生じる困難さに応じた指導内容や指導方法の工夫を計画的，組織的に行うこと。	(4) [46]のある生徒などについては，学習活動を行う場合に生じる困難さに応じた指導内容や指導方法の工夫を計画的，組織的に行うこと。	(4) [47]のある生徒などについては，学習活動を行う場合に生じる困難さに応じた指導内容や指導方法の工夫を計画的，組織的に行うこと。
(6) 第１章総則の第１の２の(2)に示す道徳教育の目標に基づき，[48]科などとの関連を考慮しながら，第３章[50]の第２に示す内容について，特別活動の特質に応じて適切な指導をすること。	(5) 第１章総則の第１の２の(2)に示す道徳教育の目標に基づき，[49]科などとの関連を考慮しながら，第３章[51]の第２に示す内容について，特別活動の特質に応じて適切な指導をすること。	(5) 第１章第１款の２の(2)に示す道徳教育の目標に基づき，特別活動の特質に応じて適切な指導をすること。
		(6) ホームルーム活動については，主としてホームルームごとに**ホームルーム担任**の教師が指導することを**原則**とし，活動の

小学校	中学校	高等学校
		内容によっては他の教師などの協力を得ること。
2　第2の内容の取扱いについては，次の事項に配慮するものとする。 (1)　学級活動，児童会活動及びクラブ活動の指導については，指導内容の特質に応じて，教師の**適切な指導**の下に，児童の[54]的，[57]的な活動が効果的に展開されるようにすること。その際，よりよい生活を築くために**自分たちできまり**をつくって**守る**活動などを充実するよう工夫すること。 (2)　児童及び学校の実態並びに第1章総則の第6の2に示す[58]の重点などを踏まえ，各学年において取り上げる指導内容の重点化を図るとともに，必要に応じて，内容間の関連や統合を図ったり，他の内容を加えたりすることができること。 (3)　学校生活への適応や人間関係の形成などについては，主に集団の場面で必要な指導や援助を行う[63]と，個々の児童の多様な実態を踏まえ，一人一人が抱える	2　第2の内容の取扱いについては，次の事項に配慮するものとする。 (1)　学級活動及び生徒会活動の指導については，指導内容の特質に応じて，教師の**適切な指導**の下に，生徒の[52]的，[55]的な活動が効果的に展開されるようにすること。その際，よりよい生活を築くために**自分たちできまり**をつくって**守る**活動などを充実するよう工夫すること。 (2)　生徒及び学校の実態並びに第1章総則の第6の2に示す[59]の重点などを踏まえ，各学年において取り上げる指導内容の重点化を図るとともに，必要に応じて，内容間の関連や統合を図ったり，他の内容を加えたりすることができること。 (3)　学校生活への適応や人間関係の形成，[61]の**選択**などについては，主に集団の場面で必要な指導や援助を行う[64]と，個々の生徒の多様な実態を踏まえ，	2　内容の取扱いに当たっては，次の事項に配慮するものとする。 (1)　ホームルーム活動及び生徒会活動の指導については，指導内容の特質に応じて，教師の**適切な指導**の下に，生徒の[53]的，[56]的な活動が効果的に展開されるようにすること。その際，よりよい生活を築くために**自分たちできまり**をつくって**守る**活動などを充実するよう工夫すること。 (2)　生徒及び学校の実態並びに第1章第7款の1に示す[60]の重点などを踏まえ，各学年において取り上げる指導内容の重点化を図るとともに，必要に応じて，内容間の関連や統合を図ったり，他の内容を加えたりすることができること。 (3)　学校生活への適応や人間関係の形成，教科・科目や[62]の**選択**などについては，主に集団の場面で必要な指導や援助を行う[65]と，個々の生徒の多様

52. 自発
53. 自発
54. 自発
55. 自治
56. 自治
57. 自治

58. 道徳教育
59. 道徳教育
60. 道徳教育

61. 進路
62. 進路

63. ガイダンス
64. ガイダンス
65. ガイダンス

66. カウンセリング
67. カウンセリング
68. カウンセリング

69. 入学
70. 入学
71. 入学

72. 適応
73. 適応
74. 適応

75. 障害
76. 障害
77. 障害

78. 共同学習
79. 共同学習
80. 共同学習

81. 食育

82. 国旗
83. 国旗
84. 国旗
85. 国歌
86. 国歌
87. 国歌

小学校	中学校	高等学校
課題に個別に対応した指導を行う [66] (教育相談を含む。)の双方の趣旨を踏まえて指導を行うこと。特に [69] 当初や各学年のはじめにおいては，個々の児童が**学校生活**に [72] するとともに，希望や目標をもって生活できるよう工夫すること。あわせて，児童の**家庭**との**連絡**を密にすること。	一人一人が抱える課題に個別に対応した指導を行う [67] (教育相談を含む。)の双方の趣旨を踏まえて指導を行うこと。特に [70] 当初においては，個々の生徒が**学校生活**に [73] するとともに，希望や目標をもって生活をできるよう工夫すること。あわせて，生徒の**家庭**との**連絡**を密にすること。	な実態を踏まえ，一人一人が抱える課題に個別に対応した指導を行う [68] (教育相談を含む。)の双方の趣旨を踏まえて指導を行うこと。特に [71] 当初においては，個々の生徒が**学校生活**に [74] するとともに，希望や目標をもって生活をできるよう工夫すること。あわせて，生徒の家庭との連絡を密にすること。
(4) **異年齢集団**による交流を重視するとともに，幼児，高齢者，[75] のある人々などとの**交流**や**対話**，障害のある幼児児童生徒との**交流**及び [78] の機会を通して，**協働**することや，**他者**の役に立ったり**社会**に**貢献**したりすることの喜びを得られる活動を充実すること。	(4) **異年齢集団**による交流を重視するとともに，幼児，高齢者，[76] のある人々などとの**交流**や**対話**，障害のある幼児児童生徒との**交流**及び [79] の機会を通して，**協働**することや，**他者**の役に立ったり**社会**に**貢献**したりすることの喜びを得られる活動を充実すること。	(4) **異年齢集団**による交流を重視するとともに，幼児，高齢者，[77] のある人々などとの**交流**や**対話**，障害のある幼児児童生徒との**交流**及び [80] の機会を通して，**協働**することや，**他者**の役に立ったり**社会**に**貢献**したりすることの喜びを得られる活動を充実すること。 (5) 特別活動の一環として学校給食を実施する場合には，[81] の観点を踏まえた適切な指導を行うこと。
3 入学式や卒業式などにおいては，その意義を踏まえ，[82] を**掲揚**するとともに，[85] を**斉唱**す	3 入学式や卒業式などにおいては，その意義を踏まえ，[83] を**掲揚**するとともに，[86] を**斉唱**す	3 入学式や卒業式などにおいては，その意義を踏まえ，[84] を**掲揚**するとともに，[87] を**斉唱**す

小学校	中学校	高等学校
るよう[88]するものとする。	るよう[89]するものとする。	るよう[90]するものとする。

88. 指導
89. 指導
90. 指導

●本書で使用した法令・判例については，便宜上，次のような略称を用いてあります。

〔略　称〕　〔法令名〕

学校法 …………………… 学校教育法
給与負担法 …………… 市町村立学校職員給与負担法
教員人材確保法 ……… 学校教育の水準の維持向上のための義務教育諸学校の教育職員の人材確保に関する特別措置法
教科書無償措置法 …… 義務教育諸学校の教科用図書の無償措置に関する法律
教科書無償法 ………… 義務教育諸学校の教科用図書の無償に関する法律
教基法 ………………… 教育基本法
憲　法 ………………… 日本国憲法
国公法 ………………… 国家公務員法
国賠法 ………………… 国家賠償法
私学法 ………………… 私立学校法
施　規 ………………… (施行規則)
自治法 ………………… 地方自治法
児童虐待防止法 ……… 児童虐待の防止等に関する法律
社教法 ………………… 社会教育法
就学奨励法 …………… 就学困難な児童及び生徒に係る就学奨励についての国の援助に関する法律
生涯学習振興法 ……… 生涯学習の振興のための施策の推進体制等の整備に関する法律
施　令 ………………… (施行令)
地公法 ………………… 地方公務員法
地方教育行政法 ……… 地方教育行政の組織及び運営に関する法律
中立確保法 …………… 義務教育諸学校における教育の政治的中立の確保に関する臨時措置法
特例法 ………………… 教育公務員特例法
標準法 ………………… 公立義務教育諸学校の学級編制及び教職員定数の標準に関する法律
免許法 ………………… 教育職員免許法
労基法 ………………… 労働基準法
最大判 ………………… 最高判（大法延）
最　判 ………………… (最高裁判所)
　高 …………………… (高等裁判所)
　地 …………………… (地方裁判所)
　判 …………………… (判決)
　決 …………………… (決定)

2026年度版　新ポケットランナー　教職教養

(2023年度版　2021年12月24日　初版　第1刷発行)

2024年9月25日　初　版　第1刷発行

編著者　東京教友会
発行者　多田敏男
発行所　TAC株式会社　出版事業部
(TAC出版)

〒101-8383
東京都千代田区神田三崎町3-2-18
電話 03(5276)9492(営業)
FAX 03(5276)9674
https://shuppan.tac-school.co.jp

組　版　朝日メディアインターナショナル株式会社
印　刷　株式会社　ワコー
製　本　株式会社　常川製本

ISBN 978-4-300-11239-7
N.D.C. 370

乱丁・落丁による交換，および正誤のお問合せ対応は，該当書籍の改訂版刊行月末日までといたします。なお，交換につきましては，書籍の在庫状況等により，お受けできない場合もございます。
また，各種本試験の実施の延期，中止を理由とした本書の返品はお受けいたしません。返金もいたしかねますので，あらかじめご了承くださいますようお願い申し上げます。

(2024年2月現在)

書籍のご購入は

1 全国の書店、大学生協、ネット書店で

2 TAC各校の書籍コーナーで

資格の学校TACの校舎は全国に展開!
校舎のご確認はホームページにて

資格の学校TAC ホームページ
https://www.tac-school.co.jp

3 TAC出版書籍販売サイトで

24時間
ご注文
受付中

https://bookstore.tac-school.co.jp/

新刊情報を
いち早くチェック!

たっぷり読める
立ち読み機能

学習お役立ちの
特設ページも充実!

TAC出版書籍販売サイト「サイバーブックストア」では、TAC出版および早稲田経営出版から刊行されている、すべての最新書籍をお取り扱いしています。

また、会員登録(無料)をしていただくことで、会員様限定キャンペーンのほか、送料無料サービス、メールマガジン配信サービス、マイページのご利用など、うれしい特典がたくさん受けられます。

サイバーブックストア会員は、特典がいっぱい! (一部抜粋)

通常、1万円(税込)未満のご注文につきましては、送料・手数料として500円(全国一律・税込)頂戴しておりますが、1冊から無料となります。

専用の「マイページ」は、「購入履歴・配送状況の確認」のほか、「ほしいものリスト」や「マイフォルダ」など、便利な機能が満載です。

メールマガジンでは、キャンペーンやおすすめ書籍、新刊情報のほか、「電子ブック版TACNEWS(ダイジェスト版)」をお届けします。

書籍の発売を、販売開始当日にメールにてお知らせします。これなら買い忘れの心配もありません。

書籍の正誤に関するご確認とお問合せについて

書籍の記載内容に誤りではないかと思われる箇所がございましたら、以下の手順にてご確認とお問合せをしてくださいますよう、お願い申し上げます。
なお、正誤のお問合せ以外の**書籍内容に関する解説および受験指導などは、一切行っておりません。**
そのようなお問合せにつきましては、お答えいたしかねますので、あらかじめご了承ください。

1 「Cyber Book Store」にて正誤表を確認する

TAC出版書籍販売サイト「Cyber Book Store」の
トップページ内「正誤表」コーナーにて、正誤表をご確認ください。

CYBER BOOK STORE TAC出版書籍販売サイト

URL:https://bookstore.tac-school.co.jp/

2 1の正誤表がない、あるいは正誤表に該当箇所の記載がない ⇒ 下記①、②のどちらかの方法で文書にて問合せをする

★ご注意ください★

お電話でのお問合せは、お受けいたしません。
①、②のどちらの方法でも、お問合せの際には、「お名前」とともに、
「対象の書籍名(○級・第○回対策も含む)およびその版数(第○版・○○年度版など)」
「お問合せ該当箇所の頁数と行数」
「誤りと思われる記載」
「正しいとお考えになる記載とその根拠」
を明記してください。
なお、回答までに1週間前後を要する場合もございます。あらかじめご了承ください。

① ウェブページ「Cyber Book Store」内の「お問合せフォーム」より問合せをする

【お問合せフォームアドレス】

https://bookstore.tac-school.co.jp/inquiry/

② メールにより問合せをする

【メール宛先 TAC出版】

syuppan-h@tac-school.co.jp

※土日祝日はお問合せ対応をおこなっておりません。
※正誤のお問合せ対応は、該当書籍の改訂版刊行月末日までといたします。

乱丁・落丁による交換は、該当書籍の改訂版刊行月末日までといたします。なお、書籍の在庫状況等により、お受けできない場合もございます。
また、各種本試験の実施の延期、中止を理由とした本書の返品はお受けいたしません。返金もいたしかねますので、あらかじめご了承くださいますようお願い申し上げます。

TACにおける個人情報の取り扱いについて
■お預かりした個人情報は、TAC(株)で管理させていただき、お問合せへの対応、当社の記録保管にのみ利用いたします。お客様の同意なしに業務委託先以外の第三者に開示、提供することはございません(法令等により開示を求められた場合を除く)。その他、個人情報保護管理者、お預かりした個人情報の開示等及びTAC(株)への個人情報の提供の任意性については、当社ホームページ(https://www.tac-school.co.jp)をご覧いただくか、個人情報に関するお問い合わせ窓口(E-mail:privacy@tac-school.co.jp)までお問合せください。

(2022年7月現在)